Em defesa da fé

LEE STROBEL

Em defesa da fé

jornalista ex-ateu investiga as mais contundentes objeções ao cristianismo

Tradução
Alderi de Matos

Vida
ACADÊMICA

Título do original
The case for faith
edição publicada por InterVarsity Pres
ZONDERVAN PUBLISHING HOUSE
(Grand Rapids, Michigan, EUA)

■

Todas as citações bíblicas foram extraídas da *Nova Versão Internacional* (NVI), ©2001, publicada por Editora Vida, salvo indicação em contrário.

■

Coordenação editorial: Rogério Portella
Edição: Max Altman
Revisão: Reginaldo de Souza
Diagramação: Imprensa da Fé
Capa: Douglas Lucas

Editora Vida
Rua Júlio de Castilhos, 280 Belenzinho
CEP 03059-000 São Paulo, SP
Tel.: 0 xx 11 2618 7000
Fax: 0 xx 11 2618 7044
www.editoravida.com.br
www.vidaacademica.net

Dados Internacionais de Catalogação na Publicação (CIP)
(Câmara Brasileira do Livro, SP, Brasil)

Lee Strobel, 1952
Em defesa da fé / Lee Strobel ; tradução Alderi S. de Matos — São Paulo : Editora Vida, 2002.

Título original: *The Case for Faith : a journalist investigates the toughest objetions to Christianity*

ISBN 85-7367-603-5

1. Apologética 2. Crença e dúvida 3. Fé I. Título.

01-5288 CDD 220.6

Índices para catálogo sistemático

1.Defesa da fé : Apologética : Cristianismo 239
2. Fé : Defesa : Apologética : Cristianismo 239

Sumário

Agradecimentos 7

INTRODUÇÃO: O desafio da fé 9

Em busca de respostas 25

Primeira objeção 31
Uma vez que o mal e o sofrimento existem, não pode haver um Deus amoroso

Segunda objeção 75
Uma vez que os milagres contradizem a ciência, eles não podem ser verdadeiros

Terceira objeção 117
A evolução explica a origem da vida, de modo que Deus não é necessário

Quarta objeção 157
Se Deus mata crianças inocentes, ele não é digno de adoração

Quinta objeção 199
É ofensivo afirmar que Jesus é o único caminho para Deus

Sexta objeção 229
Um Deus amoroso jamais torturaria pessoas no inferno

Sétima objeção 265
A história da igreja está repleta de opressão e violência

Oitava objeção 303
Eu ainda tenho dúvidas, portanto não posso tornar-me cristão

Conclusão: O poder da fé 333

Apêndice: Síntese de *Em defesa de Cristo* 355

Agradecimentos

Tenho uma profunda dívida de gratidão para com as pessoas que contribuíram na elaboração deste livro. O meu agradecimento especial a Rick Warren por ter proporcionado um ambiente estimulante e acolhedor em que se valoriza a criação de recursos cristãos, e a Bill Hybels, cujo aconselhamento me formou de distintas maneiras que jamais saberei. Não tenho palavras para descrever o quanto os admiro.

Como sempre, Mark Mittelberg me manteve motivado quando as exigências do ministério e da redação do livro pareciam avassaladoras. Ele é simplesmente o melhor amigo que já tive.

Os meus agradecimentos a John Sloan, da Editora Zondervan, pela orientação que me colocou na trajetória certa de *Em Defesa de Cristo* e deste volume. Mais do que qualquer outro, ele é responsável pela maneira como esses livros foram publicados. Scott Bolinder, Stan Gundry, John Topliff, Greg Stielstra, Bob Hudson e o restante da equipe da Zondervan são os melhores parceiros que jamais poderia imaginar.

Também sou grato a Kay Warren, Jim Mellado, Hank Hanegraaff, Paul Young, Bob Gordon, Garry Poole e Paul Braoudakis pelo incentivo; a Bob e Gretchen Passantino por seus comentários; a Jodi Walle, Parker VanderPloeg e Bárbara Hoglund por sua assistência; e aos funcionários e membros da Saddleback Valley Community Church e da Willow Creek Community Church, especialmente a Glen Kreun, Doug Slaybaugh, Forrest Reinhardt, Brad Johnson e John Ortberg.

Sou especialmente grato pela participação dos especialistas que concordaram em ser entrevistados. O caráter e a sabedoria deles me influenciaram profundamente. E, evidentemente, este livro jamais teria se tornado realidade sem minha esposa Leslie, minha filha Alison e meu filho Kyle, o amor dos quais significa tudo para mim.

Introdução

O desafio da fé

O teísmo cristão deve ser rejeitado por toda pessoa que tenha um mínimo de respeito pela razão.

George H. Smith, ateu[1]

A fé cristã não é algo irracional. Examinadas objetivamente, as afirmações da Bíblia são proposições racionais bem amparadas pela razão e pelas evidências.

Charles Colson, cristão[2]

Billy Graham conseguiu se firmar segurando ambos os lados do púlpito. Tinha 80 anos e estava lutando contra o mal de Parkinson, mas fixou atentamente o olhar na multidão que lotava o RCA Dome, em Indianápolis, e falou com voz firme e vigorosa. Não havia nenhum sinal de hesitação, nenhuma incerteza ou ambigüidade. Seu sermão foi em essência a mesma mensagem direta e simples que ele vinha pregando há cinqüenta anos.

Fez referência ao caos e violência pelo mundo afora e se concentrou na angústia, dor e confusão que existem no coração das pessoas. Falou de pecado, de perdão, de redenção e sobre a solidão, desespero e depressão que oprimem tantas pessoas.

"Todos nós queremos ser amados", disse com seu sotaque familiar da Carolina do Norte ao aproximar-se da conclusão da mensagem. "Todos nós queremos que alguém nos ame. Bem, eu quero lhe dizer que Deus o ama. Ele o ama tanto que nos deu o

[1]*Atheism:* the case against *God,* Amherst, New York: Prometheus Books, 1989, p. 51.

[2]*E agora como viveremos?*, Rio de Janeiro: CPAD, 2. ed., 2000, p. 31-2.

seu Filho para morrer na cruz por nossos pecados. E ele o ama tanto que entrará na sua vida e mudará a direção dela e fará de você uma nova pessoa, não importa quem você seja.

"Você tem certeza que conhece Cristo? Existe um momento em que o Espírito de Deus o convence, chama, fala que você deve abrir seu coração e estar certo de seu relacionamento com Deus. E centenas de vocês aqui esta noite não têm certeza. Vocês gostariam de ter essa certeza. Vocês gostariam de sair daqui hoje à noite sabendo que se morressem no caminho de casa estariam prontos para encontrar-se com Deus."

Desse modo, Graham os desafiou a vir. E eles vieram — inicialmente, somente uns poucos; então, as comportas se abriram e indivíduos, casais e famílias inteiras encheram o espaço vazio diante da plataforma. Logo postavam-se ombro a ombro e a multidão cobria os lados do palco, quase três mil pessoas ao todo. Alguns choravam, tomadas de solene convicção; outros olhavam para baixo, ainda envergonhados de seu passado; muitos sorriam de orelha a orelha — livres, radiantes... em casa, finalmente.

Caso típico era o de uma senhora casada. "Minha mãe morreu de câncer quando eu era jovem e naquela época achei que estava sendo punida por Deus", disse a um conselheiro. "Esta noite eu compreendi que Deus me ama — é algo que eu sabia, mas não conseguia apreender de fato. Esta noite uma grande paz invadiu meu coração."[3]

O que é a fé? Não haveria necessidade de defini-la para as pessoas daquela abafada noite de junho. A fé era quase palpável para elas. Elas estendiam as mãos para Deus como se esperassem abraçá-lo fisicamente. A fé arrancou a culpa que as havia oprimido. Substituiu o desalento pela esperança. Dotou-as de um novo senso de direção e propósito. A fé abriu os céus, agindo como água fresca embebendo a ressequida alma delas.

[3]*Billy Graham Indiana Crusade*. Disponível em: www.billygraham.org/newsannouncement12.asp. Acesso em: 4 jun. 1999.

Mas a fé nem sempre é tão fácil assim, mesmo para pessoas que desesperadamente a desejam. Algumas pessoas têm fome de certeza espiritual, todavia algo as impede de experimentá-la. Gostariam de poder experimentar esse tipo de liberdade, mas certos obstáculos bloqueiam os seus caminhos. As objeções as afligem. As dúvidas escarnecem delas. O coração quer elevar-se a Deus, mas o intelecto as mantêm firmemente presas ao chão.

Elas assistem à televisão mostrando multidões que foram à frente para orar com Billy Graham e sacodem a cabeça. Se fosse assim tão simples, suspiram. Se ao menos não houvesse tantas interrogações.

Para Charles Templeton — que ironicamente havia sido colega de púlpito e amigo íntimo de Billy Graham — algumas dúvidas acerca de Deus se consolidaram em severa oposição ao cristianismo. Como Graham, Templeton dirigia-se outrora vigorosamente às multidões em grandes espaços e convidava as pessoas a se entregarem a Jesus Cristo. Alguns chegaram a predizer que, com o tempo, Templeton eclipsaria Graham como evangelista.

Mas isso foi há muito tempo. Isso foi antes das sérias indagações. Hoje, repetidamente afetada por dúvidas persistentes e obstinadas, a fé de Templeton se esvaiu. Talvez para sempre.

Talvez.

Da fé para a dúvida

Era o ano de 1949. Billy Graham, 30 anos, não sabia que estava prestes a ser guindado à posição de notoriedade e influência mundial. Ironicamente, enquanto se preparava para a cruzada de Los Angeles, que o tornou famoso, ele se viu às voltas com uma incerteza — não quanto à existência de Deus ou à divindade de Jesus, mas quanto à questão fundamental de como ele podia confiar plenamente no que a Bíblia lhe dizia.

Em sua autobiografia, Graham disse que se sentiu como se estivesse sendo esticado por um instrumento de tortura. Quem o puxava em direção a Deus era Henrietta Mears, a brilhante e compassiva educadora cristã que tinha conhecimento completo da moderna erudição e grande confiança na confiabilidade das Escrituras. Era puxado noutra direção por seu amigo íntimo e colega de pregação Charles Templeton, 33 anos de idade.[4]

Segundo Templeton, ele tornou-se cristão quinze anos antes, quando se viu cada vez mais insatisfeito com o seu estilo de vida na redação de esportes do jornal *Globe*, de Toronto. Tendo acabado de voltar duma noite em local de baixa reputação, e sentindo-se vulgar e impuro, dirigiu-se ao seu quarto e ajoelhou-se junto à cama, no escuro.

"De repente", recordaria mais tarde, "foi como se um cobertor escuro tivesse sido enrolado em mim. Uma sensação de culpa invadia toda a minha mente e o meu corpo. As únicas palavras que saíram foram: 'Senhor, desce. Desce...'". E então:

> Lentamente, o peso começou a sair, tão pesado quanto eu. Passou pelas minhas pernas, meu tronco, meus braços e ombros e saiu. Um calor inefável começou a invadir o meu corpo. Parecia que uma luz se havia acendido em meu peito e ela me purificava... Mal ousava respirar, temendo que pudesse alterar ou pôr fim àquele momento. E eu me ouvi sussurrando suave e seguidamente: "Obrigado, Senhor. Obrigado. Obrigado. Obrigado". Mais tarde, na cama, eu permaneci silencioso em meio a uma felicidade radiante, arrebatadora, envolvente.[5]

Depois de deixar o jornalismo para abraçar o ministério, Templeton conheceu Graham em 1945, numa campanha da *Mocidade Para Cristo*. Foram colegas de quarto e companheiros constantes durante uma empolgante viagem pela Europa,

[4]*Just as I am,* Grand Rapids, Michigan: Zondervan, 1997, p.137-8.
[5]*Farewell to God,* Toronto: McClelland & Stewart, 1996, p. 3.

alternando-se no púlpito quando pregavam em campanhas. Templeton fundou uma igreja que logo se tornou grande demais para o seu templo de 1 200 lugares. A revista *American Magazine* disse que ele "estabeleceu um novo padrão de evangelização em massa".[6] Sua amizade com Graham cresceu. "Ele é um dos poucos homens que admirei em minha vida", Graham disse em certa ocasião a um biógrafo.[7]

Todavia, Templeton logo começou a ficar roído de dúvidas. "Eu havia passado por uma experiência de conversão quando ainda era um jovem muitíssimo imaturo", lembrou mais tarde. "Carecia das aptidões intelectuais e de preparo teológico necessários para sustentar as minhas crenças quando — como era inevitável — perguntas e dúvidas começaram a me assaltar... A minha razão tinha começado a desafiar e, por vezes, a rejeitar as convicções fundamentais da fé cristã".[8]

Triunfo da fé

Surgia agora o Templeton cético (em contraste com a fervorosa Henrietta Mears), tentando afastar seu amigo Billy Graham das insistentes convicções que ela lhe transmitia de que as Escrituras são fidedignas. "Billy, você está desatualizado cinqüenta anos", argumentava. "As pessoas não mais aceitam a inspiração da Bíblia da maneira que você o faz. A sua fé é excessivamente simplista".

Templeton parecia estar ganhando a queda de braço. "Se não fiquei exatamente em dúvida", Graham iria lembrar, "certamente fiquei perturbado". Ele sabia que se não pudesse confiar na Bíblia não poderia prosseguir. A cruzada de Los Angeles — o evento que abriria as portas para a pregação mundial de Graham — estava em jogo.

[6]*Farewell to God*, p. 11.
[7]Ibid., p. 9.
[8]Ibid., p. 5-6.

Graham examinou as Escrituras em busca de respostas, orou e meditou. Finalmente, durante uma caminhada nas montanhas enluaradas de San Bernardino, sentindo o coração pesado, tudo atingiu o ponto culminante. Segurando firme uma Bíblia, Graham ajoelhou-se e confessou que não podia responder algumas das questões filosóficas e psicológicas que Templeton e outros estavam levantando.

"Eu estava tentando ser honesto com Deus, mas algo ainda precisava ser dito", escreveu. "Por fim o Espírito Santo libertou-me e pude dizer: 'Pai, eu vou aceitar isto como a tua Palavra — *pela fé*! Eu vou permitir que a fé vá além dos meus questionamentos e dúvidas intelectuais e passarei a acreditar que esta é a tua Palavra inspirada'."

Levantando-se, com lágrimas nos olhos, Graham disse que sentiu o poder de Deus como não o havia sentido há meses. "Nem todas as minhas perguntas foram respondidas, mas uma grande ponte tinha sido atravessada", ele disse. "Em meu coração e na minha mente, eu sabia que uma batalha espiritual na minha alma havia sido travada e vencida."[9]

Para Graham, esse foi o momento decisivo. Para Templeton, todavia, foi uma transição de amargo desapontamento. "Ele cometeu suicídio intelectual ao fechar sua mente", Templeton declarou. O sentimento que mais fortemente teve em relação ao seu amigo foi de pena. Seguindo agora caminhos diferentes, eles começaram a se afastar.

A história registra o que aconteceria com Graham nos anos subseqüentes. Ele se tornaria o evangelista mais persuasivo e eficaz dos tempos modernos e um dos homens mais admirados do mundo. Mas o que aconteceria com Templeton? Devastado pelas dúvidas, ele renunciou ao ministério e regressou ao Canadá, onde se tornou comentarista e romancista.

O raciocínio de Templeton havia afugentado a sua fé. Seriam a fé e o intelecto realmente incompatíveis? É possível ser

[9]*Just as I am*, p. 139.

um pensador e ao mesmo tempo um cristão que crê na Bíblia? Alguns acham que não.

"A razão e a fé são opostas, são dois termos mutuamente excludentes: não há conciliação ou terreno comum", afirma o ateu George H. Smith. "Fé é crença sem a razão ou a despeito dela."[10]

O educador cristão W. Bingham Hunter assume posição oposta. "A fé", disse ele, "é resposta racional às evidências da auto-revelação de Deus na natureza, na história humana, nas Escrituras e no seu Filho ressurreto."[11]

Para mim, tendo vivido grande parte da minha vida como ateu, a última coisa que quero é uma fé ingênua edificada sobre um tênue fundamento de devaneios ou faz-de-conta. Preciso de uma fé que seja coerente com a razão, e não contraditória; Pretendo convicções que sejam fundamentadas na realidade, e não desligadas dela. Necessito descobrir de uma vez por todas se a fé cristã pode resistir a um exame minucioso.

Era chegada a hora de falar cara a cara com Charles Templeton.

De pastor a agnóstico

Cerca de 800 km ao norte de onde Billy Graham estava realizando a sua campanha de Indianápolis, localizei Templeton em um moderno edifício de um bairro de classe média de Toronto. Tomando o elevador para o décimo-quinto andar, dirigi-me a uma porta com a placa "Penthouse" [cobertura] e apertei a campainha de bronze.

Levava debaixo do braço um exemplar do último livro de Templeton, cujo título não deixa dúvidas quanto à sua linha de raciocínio: *Farewell to God: my reasons for rejecting the christian faith* [*Adeus a Deus: minhas razões para rejeitar a*

[10]*Atheism: the case against God*, p.98.

[11]*The God who hears*, Downers Grove, Illinois: InterVarsity Press, 1986, p. 153.

fé cristã]. Seu teor muitas vezes cáustico procurava aniquilar as crenças cristãs, atacando-as de modo apaixonado por serem "ultrapassadas, comprovadamente inverídicas e muitas vezes, em suas diferentes manifestações, prejudiciais para os indivíduos e a sociedade".[12]

Templeton recorreu a uma grande variedade de ilustrações no esforço de solapar a fé no Deus da Bíblia. Porém, fiquei especialmente impressionado com uma passagem comovente na qual ele aponta para os horrores da doença de Alzheimer, descrevendo com horríveis detalhes como ela rouba às pessoas a identidade pessoal, destruindo a mente e a memória. E desafia: como, um Deus compassivo poderia permitir que uma enfermidade tão horrível torturasse suas vítimas e seus entes queridos?

A resposta, concluiu, era simples: o mal de Alzheimer não existiria se houvesse um Deus de amor. Mas como a doença existe, essa é mais uma evidência persuasiva de que Deus não existe.[13] Para alguém como eu, que tenho familiares da minha esposa suportando a devastação causada pelo mal de Alzheimer, esse era um argumento de considerável impacto emocional.

Eu não estava certo do que me esperava enquanto aguardava Templeton abrir a porta. Seria ele tão agressivo quanto era em seu livro? Ele se mostraria duro com Billy Graham? Será que iríamos até o fim de nossa entrevista? Quando dera o seu consentimento em uma breve conversa telefônica dois dias antes, havia dito vagamente que sua saúde não estava boa.

Madeleine Templeton, que tinha acabado de cuidar das flores do seu canteiro no terraço, abriu a porta e nos saudou calorosamente. — Eu sei que vocês vieram de longe, de Chicago — ela disse, — mas sinto dizer que Charles está muito doente.

— Posso voltar em outra ocasião — propus.

[12]P. VII.
[13]Ibid., p. 200-2.

— Bem, vamos ver como ele está se sentindo — disse.

Ela me conduziu até uma escadaria coberta por um tapete vermelho pelo seu apartamento de luxo, seguida de dois poodles grandes e irrequietos.

— Eles estavam dormindo...

Naquele momento, o marido de 83 anos surge de seu quarto. Estava usando um roupão leve, marrom escuro, sobre um pijama da mesma cor. Calçava chinelos pretos. Seu cabelo grisalho e ralo estava um pouco desgrenhado. Ele estava emagrecido e pálido, embora seus olhos cinza-azulados parecessem alertas e expressivos. Ele estendeu a mão educadamente.

— Por favor, desculpe-me — disse, limpando a garganta, — mas não estou bem. E acrescentou trivialmente: — Na verdade, estou morrendo.

— O que se passa? — perguntei.

Sua resposta quase me "nocauteou". — Mal de Alzheimer — replicou.

Meu pensamento voou para o que ele havia escrito sobre o fato do mal de Alzheimer ser uma evidência da não-existência de Deus; repentinamente, tive a percepção de pelo menos parte da motivação do seu livro.

— Estou com ele... deixe-me ver, há uns três anos? — disse franzindo a testa e buscando o auxílio da esposa. — É isso mesmo, não é, Madeleine?

Ela assentiu. — Sim, querido, três anos.

— A minha memória já não é a mesma — disse. — E, como você talvez saiba, o mal de Alzheimer é sempre fatal. Sempre. Soa melodramático, mas a verdade é que eu estou condenado. Mais cedo ou mais tarde, vai me matar. Mas antes vai levar a minha mente. Sorriu levemente. — Temo que já começou. Madeleine pode confirmar isto.

— Olhe, sinto muito estar perturbando — disse. — Se o senhor não estiver se sentindo disposto...

Templeton, porém, insistiu. Levou-me para a sala de estar, decorada alegremente em estilo contemporâneo e banhada pelo sol da tarde. A luz entrava pelas portas de vidro que propiciavam uma fantástica visão panorâmica da cidade. Sentamo-nos em poltronas lado a lado e em questão de minutos Templeton parecia ter reunido novas energias.

— Suponho que você queira que eu explique como passei do ministério para o agnosticismo — disse. Em seguida, começou a descrever os acontecimentos que o levaram ao abandono da sua fé em Deus.

Era isso o que eu estava esperando. Porém jamais poderia ter previsto como a nossa conversa terminaria.

O poder de uma imagem

Templeton estava agora plenamente envolvido. Vez por outra eu podia perceber alguma evidência de sua doença, como quando ele não conseguia lembrar-se de uma seqüência precisa de eventos ou quando se repetia a si mesmo. Porém, de modo geral ele falava com eloqüência e entusiasmo, utilizando um notável vocabulário, sua voz rica e robusta subindo e descendo para dar ênfase. Possuía um tom aristocrático que às vezes beirava o teatral.

— Houve alguma coisa em particular que o levou a perder sua fé em Deus? — perguntei de início.

Pensou por um momento.

— Foi uma fotografia na revista *Life* — disse por fim.

— Verdade? — indaguei. — Uma fotografia? Como assim?

Comprimiu ligeiramente os olhos e virou-se para o lado, como se estivesse vendo a foto novamente e tornando a viver aquele momento. Era a foto de uma mulher negra do norte da África — explicou. — Estavam sofrendo uma seca devastadora, e ela segurava nos braços o seu bebê morto que olhava para o céu com a expressão mais desolada. Vi aquilo e pensei: 'É possível acreditar que existe um Criador amoroso e caridoso quando tudo que esta mulher precisava era de *chuva*?'

Ao enfatizar a palavra *chuva*, suas grossas sobrancelhas acinzentadas se fecharam e elevou os braços em direção ao céu, como que esperando por uma resposta.

— Como poderia um Deus amoroso *fazer isto* com aquela mulher? — exclamou e, sentindo-se melhor, moveu-se para a ponta da cadeira. — Quem governa a chuva? Não sou eu, não é você. Deus governa, era o que eu pensava. Mas ao ver a fotografia, percebi, imediatamente que isso jamais aconteceria se existisse um Deus amoroso. Não havia saída. Quem, a não ser um demônio, mataria um bebê e quase eliminaria sua mãe com seu sofrimento, quando o que simplesmente necessitavam era de chuva?

Ele fez uma pausa, deixando que a pergunta pairasse pesadamente no ar. Recostando-se na poltrona disse:

— Esse foi o momento decisivo. Comecei então a refletir sobre o mundo como criação de Deus. Passei a considerar as epidemias que varrem partes do planeta e matam indiscriminadamente — amiúde de modo doloroso — todos os tipos de pessoas, as comuns, as decentes e as corrompidas. Ficou simplesmente nítido para mim que não é possível uma pessoa inteligente crer que existe uma divindade que ama.

Templeton tocou na questão que me havia deixado perplexo há anos. Na minha carreira como repórter, simplesmente não tinha visto fotos de intenso sofrimento; fui com freqüência um observador de primeira mão do submundo da vida em que grassavam tragédia e sofrimento — as degradadas áreas urbanas centrais dos Estados Unidos; as imundas favelas da Índia; o presídio do Condado de Cook e as grandes penitenciárias; as enfermarias de pacientes terminais; todos os tipos de cenas de desastre. Mais de uma vez, a minha mente girou confusa ao tentar conciliar a idéia de um Deus de amor com a depravação, aflição e angústia que estavam diante dos meus olhos.

Mas Templeton não havia terminado.

— Minha mente voltou-se para o conceito geral do inferno — exclamou, a voz tomada de perplexidade. — Meu Deus, eu não poderia pôr a mão de alguém no fogo por um momento. Nem um instante! Como poderia um Deus de amor, só porque você não o obedece ou não faz o que ele quer, torturá-lo para sempre — não permitindo que você morra, mas continue com aquela dor por toda a eternidade? Não existe um criminoso que faça isso.

— Foram essas as primeiras dúvidas que o senhor teve? — perguntei.

— Antes disso, eu me questionara repetidamente. Eu havia pregado para centenas de milhares de pessoas a mensagem oposta e então descobri, para minha consternação, que não mais podia crer nela. Acreditar seria negar o entendimento que vinha formando. Ficou bastante claro que eu estivera errado. Desse modo, decidi abandonar o ministério. Foi assim essencialmente que me tornei um agnóstico.

— Defina o que o senhor quer dizer com isso — interrompi, uma vez que diferentes pessoas têm apresentado distintas interpretações desse termo.

— O ateu diz que Deus não existe — redarguiu. — O cristão e o judeu dizem que existe um só Deus. O agnóstico diz: 'Eu não posso saber'. Não é *não* sei, mas *não posso* saber. Eu nunca tive a pretensão de dizer peremptoriamente que Deus não existe. Eu não sei tudo; eu não sou a encarnação da sabedoria. Mas não me é possível crer em Deus.

Hesitei em fazer a pergunta seguinte.

— À medida que o senhor envelhece — comecei em um tom exploratório —, e enfrenta uma doença que é sempre fatal, o senhor não está...

— Preocupado com que está acontecendo? — cortou — Não, não me preocupo, disse sorrindo.

— Por que não?

— Porque passei a vida toda pensando nisso. Se essa fosse uma conclusão simplista resultante de um capricho, seria diferente. Mas me é impossível — *impossível* — crer que existe alguma coisa, pessoa ou ser que possa ser descrito como um Deus de amor e que consinta com o que acontece em nosso mundo, diariamente.

— O senhor *gostaria* de crer?

— É claro! — exclamou. — Se eu pudesse, eu acreditaria. Tenho 83 anos. Estou com o mal de Alzheimer. Estou morrendo, por Deus! Mas passei a minha vida pensando nisso e não vou mudar agora. Por hipótese, se alguém chegasse a mim e dissesse: 'Olhe, velhote, a razão pela qual você está doente é uma punição de Deus por sua recusa em continuar no caminho que seus pés trilhavam' — isso faria alguma diferença para mim?

Respondeu à sua própria pergunta enfaticamente:

— Não — exclamou. — *Não*. Não pode haver, em nosso mundo, um Deus de amor.

Seus olhos se fixaram nos meus. — *Não pode* haver.

A ilusão da fé

Templeton correu os dedos pelos cabelos. Falava em tom enfático e pude perceber que estava se cansando. Queria respeitar a sua condição, mas tinha algumas outras perguntas a fazer. Com a permissão dele, continuei.

— Neste momento, Billy Graham está em meio a uma série de campanhas em Indiana — disse a Templeton. — O que o senhor diria às pessoas que vão à frente para depositar sua fé em Cristo?

Os olhos de Templeton se arregalaram. — Ora, eu não iria interferir de modo algum na vida delas — replicou. — Se alguém tem fé e isso faz dele uma pessoa melhor, sou totalmente a favor — mesmo achando que é maluco. Tendo sido um cristão, eu sei como a fé é importante para a vida das pessoas — como afeta as suas decisões, como as ajuda a lidar com problemas difíceis. Para a maior parte das pessoas, é um benefício indescritível. Mas é por que existe um Deus? Não, não é.

A voz de Templeton não transmitia qualquer condescendência, no entanto, as implicações do que dizia eram inteiramente paternalistas. É isso o que a fé significa — enganar a si mesmo para tornar-se uma pessoa melhor? Convencer-se de que existe um Deus de modo a ficar motivado para elevar a sua moralidade em alguns graus? Abraçar um conto de fadas a fim de dormir melhor à noite? *Não, obrigado*, pensei com os meus botões. Se a fé é isso, eu não estava interessado.

— E quanto ao próprio Billy Graham — indaguei. — O senhor disse em seu livro que sente pena dele.

— Oh, não, não — retrucou, contrariando os seus escritos. — Quem sou eu para sentir pena daquilo que outro homem crê? Lamento por ele, se assim posso dizer, porque ele fechou a sua mente para a realidade. Mas eu lhe desejaria o mal? Absolutamente não!

Templeton olhou de relance para uma mesa de vidro próxima e lá estava a autobiografia de Billy Graham.

— Billy é ouro puro — observou afetuosamente. — Não há nenhum fingimento ou falsidade nele. É um ser humano de primeira qualidade. Billy é profundamente cristão — é material de primeira, como dizem. Acredita sinceramente, de maneira inquestionável. Ele é o mais íntegro e fiel possível.

E quanto a Jesus? Eu queria saber o que Templeton achava da pedra angular do cristianismo.

— O senhor acredita que Jesus existiu um dia? — perguntei.

— Sem dúvida — foi a imediata resposta.

— Ele achava que era Deus?

Meneou a cabeça. — Esse teria sido o último pensamento que passaria pela sua cabeça.

— E os ensinamentos dele; o senhor admirava o que ele ensinou?

— Bem, ele não era um pregador muito bom. O que disse era simples demais. Ele não havia refletido sobre o que dizia. Não havia meditado sobre a maior pergunta que se pode fazer.

— Que é...

— Existe um Deus? Como alguém poderia crer em um Deus que faz, ou permite, o que acontece no mundo?

— Desse modo, como o senhor avalia esse Jesus?

Esta parecia ser a pergunta lógica seguinte, mas não estava preparado para a resposta que ela iria suscitar.

O fascínio de Jesus

A expressão corporal de Templeton se suavizou. Era como se repentinamente ele se sentisse relaxado e à vontade para falar sobre um velho e querido amigo. A sua voz, que às vezes revelava um lado vivo e insistente, assumia agora um tom melancólico e reflexivo. Com sua guarda aparentemente rebaixada, falava em ritmo vagaroso, quase nostálgico, escolhendo cuidadosamente as palavras enquanto discorria sobre Jesus.

— Ele foi — começou Templeton, — o maior ser humano que jamais viveu. Foi um gênio moral. Seu senso ético era singular. Foi a pessoa intrinsecamente mais sábia que já encontrei em minha vida ou em minhas leituras. Seu compromisso era total e o levou à morte, para grande prejuízo do mundo. O que se poderia dizer a respeito dele senão que essa era uma forma de grandeza?

Fui apanhado de surpresa. — O senhor fala como se realmente se importasse com ele — disse.

— Bem, sim, ele é a coisa mais importante da minha vida — foi a resposta. — Eu... eu... eu — gaguejou, buscando a palavra certa — eu sei que pode parecer estranho, mas eu tenho a dizer que... eu o *adoro*.

Eu não estava certo de como redarguir. — O senhor diz isso com alguma emoção — completei.

— Bem, sim. Tudo de bom que conheço, tudo de decente que conheço, tudo de puro que conheço, aprendi de Jesus. Sim... sim. E de severo! Olhe para Jesus. Ele vergastou pessoas. Ficou irado. As pessoas não pensam nele dessa maneira, mas não leram a Bíblia. Ele possuía uma ira justa. Importava-se com os oprimidos e os explorados. Não há nenhuma dúvida que tinha o mais elevado padrão moral, com a mínima duplicidade, a mais profunda compaixão por qualquer ser humano na história. Existiram muitas outras pessoas maravilhosas, mas Jesus é Jesus.

— Faria bem o mundo em imitá-lo?

— Oh, por Deus, sim! Eu tenho tentado — e tentar é o máximo que posso fazer — agir como creio que ele agiria. Isso não significa que eu posso ler a sua mente, porque uma das coisas mais fascinantes a respeito dele foi que freqüentemente fazia o oposto do que era esperado.

De repente, Templeton interrompeu suas reflexões. Houve uma breve pausa, como se ele estivesse hesitando em continuar.

— Ah... mas... não — prosseguiu lentamente — ele é o mais... Interrompeu e em seguida recomeçou. — No meu entendimento — afirmou — ele é o ser humano mais importante que já existiu.

Foi aí que Templeton proferiu as palavras que jamais esperaria ouvir dele. "E se eu puder colocar dessa maneira — disse com a voz começando a ficar embargada — *eu... sinto falta... dele!*

Lágrimas inundaram os seus olhos. Girou a cabeça e olhou para baixo, levantando a mão esquerda para esconder o rosto de mim. Seus ombros estremeciam enquanto chorava.

O que estava acontecendo? Foi esse um lampejo inesperado da sua alma? Eu me vi atraído em sua direção e quis confortá-lo; ao mesmo tempo, o jornalista em mim queria ir até o fundo no motivo dessa reação. Sentia falta dele *por quê*? Sentia falta dele *como*?

Com voz suave, perguntei: — De que maneira?

Templeton fez um esforço para recompor-se. Podia perceber que não era do seu feitio perder o controle na frente de um estranho. Suspirou fundo e enxugou uma lágrima. Depois de mais alguns instantes constrangedores, gesticulou com a mão indicando que não queria prosseguir. Finalmente, calmo mas resoluto, insistiu:

— Chega desse assunto.

Inclinou-se para pegar o seu café. Tomou um gole, segurando a xícara firmemente com as duas mãos, como se quisesse sentir o seu calor. Era óbvio que queria fazer de conta que esta nítida visão da sua alma nunca havia ocorrido.

Mas eu não podia esquecê-la. Nem podia censurar as objeções contundentes, mas sinceras, de Templeton a respeito de Deus. Obviamente, elas exigiam resposta.

Tanto para ele, quanto para mim.

Em busca de respostas

1,6 bilhão [de cristãos] podem estar errados [...] Sustento simplesmente que [...] pessoas racionais deviam abandonar essas crenças.

Michael Martin, ateu[1]

Parece-me hoje que não há uma boa razão para uma pessoa inteligente abraçar a ilusão do ateísmo ou do agnosticismo e cometer os mesmos erros intelectuais que eu cometi. Eu gostaria [...] de ter conhecido então o que conheço agora.

Patrick Glynn, ateu que se tornou cristão[2]

Pouco tempo depois da entrevista com Charles Templeton, minha esposa, Leslie, e eu iniciamos nossa viagem de volta a Chicago, gastando boa parte do trajeto em animada conversa sobre o meu enigmático encontro com o ex-evangelista.

Honestamente, eu precisei de algum tempo para assimilar a experiência. Tinha sido uma entrevista incomum, abrangendo desde a resoluta rejeição de Deus até o desejo emocional de voltar a ter ligação com o Jesus que se habituara a adorar.

A certa altura, Leslie comentou:

— Parece que você realmente gosta de Templeton.

— Gosto — confirmei.

A verdade é que eu senti simpatia por ele. Ele anseia pela fé; chegou a admitir isso. Como alguém que se defronta com a morte, tem todo estímulo para querer acreditar em Deus. Existe um inegável fascínio por Jesus que vem claramente

[1]*The case against Christianity,* Philadelphia: Temple University Press, 1991, p. 3, 5.

[2]*God:* the evidence, Rocklin, California: Forum, 1997, p. 20.

das profundezas do seu íntimo. Mas também existem aquelas formidáveis barreiras intelectuais que bloqueiam o seu caminho.

Como Templeton, sempre me defrontei com perguntas. No meu trabalho anterior como editor de assuntos jurídicos do *Chicago Tribune*, era conhecido por levantar o que chamava de objeções "*Sim, mas*". *Sim*, eu podia ver que as evidências de um julgamento apontavam para certo veredicto, mas o que dizer daquela inconsistência, ou desta falha, ou daquela conexão inconsistente? *Sim*, o promotor pode ter apresentado uma argumentação convincente acerca da culpa do réu, *mas* e quanto ao seu álibi ou à falta de impressões digitais?

O mesmo se podia dizer da minha investigação pessoal acerca de Jesus. Comecei como ateu, plenamente convicto que Deus não criou as pessoas, mas as pessoas criaram Deus num esforço patético para explicar o desconhecido e atenuar seu avassalador medo da morte. Meu livro anterior, *Em defesa de Cristo*, descreve minha investigação de quase dois anos das evidências históricas que me levaram ao veredicto de que Deus realmente existe e de que Jesus é de fato o seu Filho único. (Para uma síntese dessas descobertas, favor consultar o apêndice deste livro.)

Mas isso por si só não havia sido suficiente para resolver a questão de modo cabal. Restavam ainda aquelas incômodas objeções. *Sim*, eu podia ver como as evidências históricas da ressurreição de Jesus sustentam a conclusão de que ele é divino, *mas* que dizer da enxurrada de problemas que levanta? Eu chamava esses enigmas de "os oito grandes":

- Se existe um Deus amoroso, por que este mundo dilacerado pela dor geme debaixo de tanto mal e sofrimento?
- Se os milagres de Deus contradizem a ciência, como uma pessoa racional pode crer que sejam verdadeiros?

- Se Deus realmente criou o universo, por que as evidências persuasivas da ciência impelem tantas pessoas a concluir que o processo espontâneo da evolução explica a vida?
- Se Deus é moralmente puro, como pode sancionar o massacre de crianças inocentes, como o Antigo Testamento diz que ele fez?
- Se Jesus é o único caminho para o céu, que dizer dos milhões de pessoas que nunca ouviram falar dele?
- Se Deus se preocupa com as pessoas que criou, como pode entregar tantas delas a uma eternidade de tormento no inferno somente porque não creram nas coisas certas a respeito dele?
- Se Deus é o dirigente supremo da igreja, por que ela tem estado repleta de hipocrisia e brutalidade ao longo dos séculos?
- Se ainda sou assaltado por dúvidas, ainda posso ser cristão?

Estas estão entre as perguntas mais freqüentemente levantadas acerca de Deus. Com efeito, foram algumas das questões fundamentais levantadas por Charles Templeton na entrevista que me concedeu e no seu livro. Exatamente como ocorreu com Templeton, esses obstáculos um dia se interpuseram firmemente entre mim e a fé.

Superando objeções

Embora pudesse simpatizar com muitas das objeções levantadas por Templeton, ao mesmo tempo eu não era ingênuo o bastante para aceitá-las tacitamente. Evidente que alguns dos seus obstáculos à fé não eram absolutamente impeditivos.

Por exemplo, Templeton estava simplesmente errado quanto ao fato de Jesus considerar-se um mero ser humano. Mesmo que você retroceda às informações mais antigas e elementares sobre ele — dados que não poderiam ter sido maculados por elaborações lendárias — você descobre que Jesus indubitavelmente encarava a si mesmo em termos transcendentes, divinos e messiânicos.[3]

Existe aqui uma ironia: os próprios documentos históricos a que Templeton recorreu para obter informações sobre a vida moral inspiradora de Jesus são na realidade os mesmíssimos registros que repetidamente afirmam a sua divindade. Assim, se Templeton está pronto a aceitar sua confiabilidade quanto ao caráter de Jesus, deve também considerá-los fidedignos quando declaram que Jesus afirmou ser divino e sustentou essa afirmação ressuscitando dentre os mortos.

Além disso, a ressurreição de Jesus não poderia ter sido uma lenda como Templeton insistiu. O apóstolo Paulo preservou uma crença da igreja dos primórdios que estava baseada em testemunhos oculares sobre a volta de Jesus dentre os mortos — e que diferentes estudiosos dataram-na de dois a três anos aproximadamente após a morte de Jesus.[4] Isso foi rápido demais para que a mitologia contaminasse a narrativa. A verdade é que ninguém jamais pôde mostrar um só exemplo na história de uma lenda que se desenvolvesse tão rapidamente e apagasse um sólido núcleo de verdade histórica[5].

Conforme documentei sistematicamente no livro *Em defesa de Cristo*, as evidências dos testemunhos oculares, as evidências comprobatórias, documentais, científicas, psicológicas, proféticas ou "impressões digitais" e outros dados históricos apontam poderosamente para a conclusão de que Jesus é realmente o Filho de Deus único e exclusivo.

Sim, mas...

[3]V. *Em defesa de Cristo,* de Lee Strobel (São Paulo, Vida: 2002), p. 173-89; *The Christology of Jesus,* de Ben Witherington III (Minneapolis, Minnesota: Fortress Press, 1990); e *Reasonable faith,* de William Lane Craig, (Wheaton, Illinois, Crossway, 1994), p. 233-54.

[4]V. 1 Coríntios 15.3-8.

[5]V. *Em defesa de Cristo*, p. 45, 175-7, 302-8, 348-50.

O que dizer daquelas irritantes questões que impedem Templeton de abraçar a fé que reconhecidamente tanto deseja? Elas me perseguiam. Eram as mesmas questões que outrora me deixaram perplexo — e enquanto Leslie e eu íamos para casa pela rodovia interestadual, algumas delas voltaram a inquietar-me.

Viajando pelo mesmo caminho

Leslie e eu ficamos em silêncio por um tempo. Olhei através da janela para as pradarias ondulantes do interior canadense. Finalmente, Leslie disse:

— Parece que a sua entrevista terminou de modo um tanto abrupto. O que foi que Templeton disse antes de você sair?

— Na verdade, foi bastante caloroso. Chegou a me mostrar o seu apartamento — respondi. — Era como se não quisesse que eu fosse embora. Todavia, por mais que eu tentasse, não consegui levá-lo a retomar a discussão dos seus sentimentos sobre Jesus.

Pensei por um momento antes de continuar.

— Ele disse outra coisa que me impressionou. Quando estava me preparando para sair, olhou-me nos olhos fixamente, apertou a minha mão e disse com grande sinceridade: 'Nós percorremos o mesmo caminho'.

Leslie acenou com a cabeça.

— Vocês *certamente* percorreram — disse. — Vocês dois são escritores e os dois foram céticos. E acrescentou com um sorriso: — E vocês dois são muito obstinados em aceitar a fé até que estejam certos de que ela não está cheia de furos.

Ela estava certa.

— Mas, você sabe, a mente dele parecia tão fechada. Ele insistiu que *não pode* haver um Deus amoroso. No entanto, seu coração a um só tempo parecia tão aberto. Em certo sentido, acho que ele deseja Jesus tanto quanto as pessoas que responderam ao apelo em Indianápolis. Somente que não consegue tê-lo. Pelo menos, não acha que possa. Não com as objeções que opõe.

Leslie e eu passamos a noite em um hotel de Michigan e finalmente chegamos em casa no dia seguinte, antes do meio-dia. Arrastei a mala escada acima e joguei-a sobre a cama. Leslie abriu-a e começou a tirar as nossas roupas.

— Pelo menos estaremos em casa por algum tempo — observou.

— Bem, não exatamente.

Não conseguia livrar-me das perguntas de Templeton. Elas ecoavam muito profundamente em meu cérebro. Decidi recapitulá-las e expandir a minha jornada espiritual numa direção diferente da que havia seguido quando escrevi *Em defesa de Cristo*, que foi uma investigação das evidências históricas da vida, morte e ressurreição de Jesus Cristo. Eu queria verificar uma vez mais se existem respostas satisfatórias para a alma quando o cristianismo se defronta com as questões mais difíceis e desconcertantes da vida, que colocam dúvidas incômodas em nosso coração e mente. A fé pode realmente enfrentar a razão? Ou o exame intelectual rigoroso afugentará Deus?

Resolvi localizar os mais preparados e ardorosos defensores do cristianismo. Minha intenção não foi adotar uma abordagem cínica ou agressiva perturbando-os com perguntas capciosas ou vendo se podia induzi-los retoricamente a se colocarem em uma situação difícil. Isso não era um jogo para mim.

Eu estava sinceramente interessado em averiguar se eles tinham respostas racionais para os "Oito Grandes" enigmas. Queria dar-lhes ampla oportunidade para articularem os seus arrazoados e evidências com detalhes, de modo que, no final, eu pudesse avaliar se as suas posições faziam sentido. Acima de tudo, eu queria descobrir se Deus estava falando a verdade quando disse: "Vocês me procurarão e me acharão quando me procurarem de todo o coração".[6]

Peguei o telefone. Chegava o momento de fazer planos para voltar a campo em busca de respostas.

A expectativa de Charles Templeton não seria nem um pouco menor.

[6]Jeremias 29.13.

Primeira objeção

Uma vez que o mal e o sofrimento existem, não pode haver um Deus amoroso

Ou Deus quer abolir o mal, e não pode; ou ele pode, mas não quer; ou ele não pode e não quer. Se ele quer, mas não pode, ele é impotente. Se ele pode, e não quer, ele é cruel. Mas se Deus tanto pode quanto quer abolir o mal, como pode haver maldade no mundo?

Epicuro, filósofo

O fato do sofrimento indubitavelmente tem sido o maior desafio à fé cristã em todas as gerações. Sua distribuição e grau parecem ser inteiramente ao acaso e, portanto, injustos. Os espíritos sensíveis perguntam se o sofrimento pode, de algum modo, reconciliar-se com a justiça e o amor de Deus.

John Stott, teólogo[1]

Como repórter jovem e idealista, recém-saído da escola de jornalismo, uma das minhas primeiras tarefas no *Chicago Tribune* foi escrever uma série de trinta artigos nos quais iria traçar o perfil das famílias carentes da cidade. Tendo sido criado nos subúrbios de classe média, em que ser "necessitado" significava ter somente um Cadillac, rapidamente me encontrei imerso na zona crítica, cercada de privação e desespero, da cidade de Chicago. Em certo sentido, minha experiência foi semelhante à reação de Charles Templeton diante da foto da mulher africana com seu bebê morto.

[1]*A cruz de Cristo,* São Paulo: Vida, 1991, p. 286.

A pequena distância da Magnificent Mile de Chicago, onde a imponente Tribune Tower ergue-se, vizinha de elegantes butiques e hotéis de luxo, entrei no casebre minúsculo, escuro e desolado habitado pela senhora Perfecta de Jesus, de 60 anos, e suas duas netas. Estavam vivendo ali há cerca de um mês, desde que o local anterior, infestado de baratas, fora consumido pelas chamas.

Perfecta, fraca e doente, tinha ficado sem dinheiro algumas semanas antes e havia recebido uma pequena quantidade de cupons de alimentos para situações de emergência. Ela fazia os alimentos renderem servindo apenas arroz com feijão e pedacinhos de carne refeição após refeição. A carne logo acabou. Depois o feijão. Agora tudo o que restava era um punhado de arroz. Quando finalmente chegasse o atrasado cheque da assistência pública, seria rapidamente consumido pelo aluguel e pelas contas de serviços públicos, e a família estaria de volta à situação inicial.

O apartamento estava quase totalmente vazio, sem móveis, aparelhos domésticos ou carpete. As palavras ecoavam nas paredes vazias e no frio chão de madeira. Quando a sua neta de onze anos, Lydia, saía nas geladas manhãs de inverno para a caminhada de 800 metros até a escola, usava somente uma fina blusa cinza sobre o vestido padronizado de mangas curtas. A meio-caminho da escola, passava a blusa para a sua irmã de treze anos, Jenny, que, trajando apenas um vestido sem mangas, tremia de frio. Essas eram as únicas roupas que possuíam.

— Eu procuro cuidar das meninas o melhor que posso — explicou-me Perfecta em espanhol. — São boazinhas. Não se queixam.[2]

Horas depois, de volta em segurança ao meu luxuoso arranha-céu diante do lago, com uma visão deslumbrante dos bairros mais ricos de Chicago, senti-me perplexo com o contraste.

[2]V. Thanksgiving Near; Only Food Rice, de Lee Strobel, publicado em *The Chicago Tribune* (25/11/1974).

Se existe um Deus, por que pessoas bondosas e honestas como Perfecta e suas netas estariam sentindo frio e fome em meio a uma das maiores cidades do mundo? Dia após dia, enquanto realizava as investigações para a minha série, encontrei pessoas em circunstâncias iguais ou mesmo piores. Minha reação foi aprofundar-me ainda mais no meu ateísmo.

Dificuldades, sofrimento, angústias, a crueldade do homem para com o homem — essa era a minha dieta diária como jornalista. Não olhava para fotos de revistas de lugares distantes; era a realidade e a dor da vida, bem próxima e pessoal.

Já tive a oportunidade de olhar nos olhos de uma jovem mãe que tinha acabado de saber que a sua única filha havia sido molestada, mutilada e assassinada. Ouvi testemunhos em juízo descrevendo horrores repulsivos perpetrados contra vítimas inocentes. Visitei prisões barulhentas e caóticas, monturos da sociedade; asilos sem recursos em que os idosos definham após terem sido abandonados pelos familiares; enfermarias pediátricas em que crianças macilentas lutam em vão contra o avanço inexorável do câncer; e bairros degradados pelo crime em que o tráfico de drogas e os tiroteios a esmo são coisas comuns.

Todavia, nada me chocou tanto quanto visitar as favelas de Bombaim, na Índia. Enfileiradas dos dois lados das ruas barulhentas, imundas e congestionadas, até onde se podia enxergar, havia pequenos barracos de papelão e aniagem situados junto à estrada em que os ônibus e carros despejavam sua fumaça e sujeira. Crianças despidas brincavam nas valas abertas de esgoto que atravessavam toda aquela área. Pessoas sem membros ou com os corpos afetados por deformidades estavam inertes no chão. Insetos zuniam por toda parte. Era uma cena horrível, um lugar em que, disse-me um motorista de táxi, as pessoas nascem nas sarjetas, vivem toda a sua vida nas sarjetas e experimentam a morte prematura nas sarjetas.

Vi-me então face a face com um menino de mais ou menos dez anos, a mesma idade do meu filho Kyle na ocasião. Essa criança indiana era esquelética e desnutrida e o seu cabelo, imundo e empastado. Um dos olhos estava doente e semicerrado; o outro tinha um olhar perdido. Saía sangue das feridas do seu rosto. Ele estendeu a mão e resmungou alguma coisa em hindi, aparentemente pedindo moedas. Mas sua voz tinha um tom monótono, abafado e sem vida, como se ele não esperasse nenhuma resposta. Como se tivesse perdido toda a esperança.

Onde estava Deus naquele buraco apodrecido do inferno? Se ele tinha o poder de curar instantaneamente aquele menino, por que voltou as costas? Se ele amava essas pessoas, por que não o demonstrou salvando-as daquela situação? Será esta, imaginei, a verdadeira razão: a própria presença de um sofrimento tão terrível e doloroso que na verdade nega a existência de um Pai bom e amoroso?

Compreendendo o sofrimento

Todas as pessoas se defrontam com dor e pesar. Uma enfermidade cardíaca levou o meu pai, quando poderia ter vivido muitos anos para ver os netos crescerem. Fiquei de vigília na unidade de tratamento intensivo neonatal enquanto minha filha recém-nascida lutava contra uma enfermidade misteriosa que tanto ameaçava a sua vida como confundia os médicos. Corri para o hospital depois da ligação angustiante de um amigo cuja filha havia sido atingida por um motorista embriagado. Segurava as mãos deles no momento em que a vida a deixou. Tive de dar aos dois filhos pequenos de um amigo a notícia que a mãe deles havia cometido suicídio. Vi colegas de infância sucumbirem diante do câncer, da doença de Lou Gehrig,* de problemas de coração, de acidentes automobilísticos. Vi o mal de Alzheimer devastar a mente de um ente querido. Estou certo de que você poderia contar histórias semelhantes de dor pessoal.

Nós emergimos recentemente de um século sem precedentes em sua crueldade e desumanidade, no qual as vítimas de

*Doença de Lou Gehrig (EUA), mal de Charcot (França) e doença do Neurônio Motor (Reino Unido) são os nomes dados no exterior à Esclerose Lateral Amiotrófica (ELA). (N. do E.)

tiranos como Hitler, Stálin, Pol Pot e Mao Tse-Tung subiram a dezenas de milhões. A vastidão da crueldade insensibiliza as nossa mente, mas vez por outra nos deparamos com uma história que personifica o horror e nos faz estremecer outra vez.

Como o relato que li recentemente de um jornalista italiano durante a Segunda Guerra Mundial que visitava o sorridente Ante Pavelic, líder pró-nazista da Croácia. Pavelic mostrou-lhe orgulhosamente uma cesta cheia do que pareciam ostras. Foi, disse, um presente de suas tropas — dezoito quilos de olhos humanos. Uma pequena recordação do massacre de sérvios, judeus e ciganos.[3]

Lemos histórias como essas — crueldades horrendas como o Holocausto, os Campos da Morte no Camboja, o genocídio de Ruanda e as câmaras de tortura da América do Sul — e não podemos deixar de imaginar: *Onde está Deus?* Assistimos pela televisão cobertura de terremotos e furacões em que milhares de pessoas perecem, e imaginamos: *Por que Deus não o impediu?* Lemos a estatística de que um bilhão de pessoas em todo o mundo carecem do suprimento das necessidades básicas da vida, e imaginamos: *Por que Deus não se importa?* Nós mesmos podemos sofrer dores persistentes, perdas dolorosas ou circunstâncias aparentemente sem esperança, e imaginamos: *Por que Deus não nos ajuda?* Se ele é amoroso, todo-poderoso e bom, então todo esse sofrimento certamente não devia existir. E no entanto existe.

O que é pior, com freqüência os inocentes é que são vítimas. "Se apenas os vilões tivessem a espinha quebrada ou câncer, se somente os desonestos e trapaceiros tivessem o mal de Parkinson, veríamos um tipo de justiça celestial no universo", escreveu Sheldon Vanauken, um agnóstico que se tornou cristão.

> Ocorre que uma criança de bom temperamento está morrendo de tumor cerebral, uma feliz jovem esposa vê o seu marido e filhos serem mortos diante dos seus olhos por um

[3]Peter Maass, Top ten war crimes suspects, *George*, June 1999.

> motorista embriagado; e... nós silenciosamente clamamos às estrelas: Por quê? Por quê? A menção de Deus — da vontade de Deus — não ajuda nem um pouco. Como poderia um Deus bom, um Deus amoroso, fazer isso? Como ele poderia até mesmo deixar isso acontecer? E nenhuma resposta vem das estrelas indiferentes.[4]

O autor cristão Philip Yancey inicia o seu celebrado livro sobre o sofrimento com um capítulo apropriadamente intitulado "Um problema que não vai embora".[5] Essa não é somente uma questão intelectual a ser debatida em estéreis arenas acadêmicas; é um problema intensamente pessoal que pode confundir nossas emoções e deixar-nos com vertigem espiritual — desorientados, assustados e irados. Um escritor referiu-se ao problema da dor como "o ponto de interrogação transformado em um anzol no coração humano."[6]

De fato, esse é o maior obstáculo isolado para os envolvidos numa busca espiritual. Encarreguei George Barna, pesquisador de opinião pública, de realizar um levantamento nacional em que perguntava a um grupo representativo de adultos, escolhido cientificamente: "Se pudesse fazer a Deus somente uma pergunta e soubesse que ele lhe daria a resposta, o que você perguntaria?". A principal resposta, dada por 17% dos que disseram que tinham uma pergunta, foi a seguinte: "Por que existe dor e sofrimento no mundo?".[7]

Charles Templeton também reivindicou uma resposta para essa pergunta. Seu afastamento da fé começou com a foto da revista *Life* mostrando a mãe africana que segurava o filho que havia morrido por causa da simples falta de chuva. Em seu livro de denúncia do cristianismo, Templeton relembra uma lista de tragédias da história antiga e moderna, e então declara:

[4]Peter KREEFT, *Making sense out of suffering,* Ann Arbor, Michigan: Servant, 1986, viii.

[5]*Deus sabe que sofremos,* São Paulo: Vida, 1985, p. 18.

[6]Ibid., p. 20, citando o novelista Peter De Vries.

[7]The OmniPoll, realizada por Barna Research Group em janeiro de 1999.

> "Um Deus amoroso" jamais poderia ser o autor dos horrores que descrevemos — horrores que continuam todos os dias, têm persistido desde o início dos tempos e prosseguirão enquanto a vida existir. É uma história inconcebível de sofrimento e morte e, porque os relatos são verdadeiros — na verdade, a história do mundo — é evidente que não pode haver um Deus amoroso.[8]

Não pode? A presença do sofrimento significa necessariamente a ausência de Deus? Esse obstáculo à fé é intransponível? Para crer de todo o coração em um Pai amoroso e onipotente eu tenho de encobrir a realidade do mal e da dor ao meu redor? Como jornalista, essa simplesmente não era uma opção. Tinha de explicar todos os fatos, todas as evidências, não minimizando nada.

Estava tratando dessas questões com Leslie em um momento delicado da sua vida. Seu tio acabara de morrer e sua tia tinha sido diagnosticada com o mal de Alzheimer e câncer terminal. Abalada por essas turbulências, Leslie desconfiava de qualquer pessoa que tentasse dar respostas fáceis.

— Se alguém acha que pode embrulhar tudo em um belo pacotinho e colocar um bonito laço teológico sobre ele — advertiu —, vá para outro lugar".

Sabia que ela estava certa. Liguei para o Boston College e pedi para marcar um encontro com o autor de *Making sense out of suffering* [*Tentando entender o sofrimento*] — um livro cujo título resumia exatamente o que eu estava procurando fazer.

Primeira entrevista: Peter John Kreeft, PH.D.

Gosto de me referir a Peter Kreeft como "o não-filósofo". Não que ele não seja um filósofo; de fato, é um pensador filosófico de primeira categoria, com doutorado pela Universidade Fordham, estudos de pós-graduação na Universidade Yale e 38 anos de experiência como professor de filosofia na Universidade

[8]*Farewell to God*, p. 201-2.

Villanova e (desde 1965) no Boston College. Ele leciona matérias como metafísica, ética, misticismo, sexualidade e filosofia oriental, grega, medieval e contemporânea, tendo recebido prêmios como as bolsas Woodrow Wilson e Yale-Sterling.

Entretanto, se você imaginar um filósofo estereotipado; é provável que Kreeft não viria à sua mente. De modo injusto ou não, geralmente se pensa que os filósofos sejam um tanto tediosos, falem com frases vagas e empoladas, residam nas torres de marfim enclausuradas das academias e sejam sérios até às raias da obstinação.

Ao contrário, Kreeft dá respostas realistas de modo interessante e até divertido; comunica-se de maneira estimulante, muitas vezes com uma marcante mudança de entonação; exibe um sorriso de contentamento e não consegue deixar de contar piadas até mesmo sobre os assuntos mais sacrossantos. Embora tenha 62 anos, pode ser visto com freqüência praticando surfe, seu passatempo predileto. No livro que irá publicar em breve, um dos capítulos tem o título "Surfo, logo existo".)

Kreeft, um católico amplamente lido por protestantes, escreveu mais de quarenta livros, entre os quais *Love is stronger than death* [*O amor é mais forte que a morte*], *Heaven: the heart's deepest longing* [*O céu: o desejo mais profundo do coração*], *Prayer: the great conversation* [*Oração: a grande conversa*], *A refutation of moral relativism* [*Refutação do relativismo moral*] e *Handbook of Christian apologetics* [*Manual de apologética cristã*], com Ronald K. Tacelli. Sua imaginação excêntrica é especialmente evidente em *O diálogo*, que imagina C. S. Lewis, John F. Kennedy e Aldous Huxley, depois da morte, discutindo sobre Cristo, e em *Socrates Meets Jesus* [*Sócrates encontra-se com Jesus*], no qual o antigo pensador torna-se um cristão na Escola de Teologia de Harvard.

Deparei-me com o senso de humor pouco convencional de Kreeft ainda antes de entrar no seu escritório. Enquanto as outras dezesseis portas das salas do corredor entediante e mal iluminado estavam nuas, a de Kreeft estava decorada com charges de Doonesbury e Dilbert e outros lembretes irônicos

— o desenho de um touro cortado por uma barra transversal, uma foto de Albert Einstein mostrando a língua jocosamente e uma caricatura na qual Satanás saúda as pessoas no inferno dizendo: "Você irá descobrir que aqui não existe certo ou errado — somente o que funciona".

O que me levou a Kreeft foi o seu perspicaz livro sobre o sofrimento, no qual tece habilidosamente uma viagem de descobrimento por intermédio de Sócrates, Platão e Aristóteles; por meio de Agostinho, Kierkegaard e Dostoiévski; por intermédio de *Jornada nas Estrelas*, *O Coelho de Veludo* e *Hamlet*; e, por fim, de Moisés, Jó e Jeremias. Por todo o caminho existem pistas que definitiva e totalmente convergem para Jesus e para as lágrimas de Deus.

Cheguei cedo e esperei por Kreeft no corredor. Logo apareceu, vindo de um encontro filosófico que estava sendo realizado em outro lugar de Boston. Seu paletó marrom de lã, grossos óculos e cabelo grisalho escuro cuidadosamente penteado davam-lhe um aspecto paternal. Sentou-se atrás de sua escrivaninha (sob uma placa que dizia "Proibido jogar lixo") e começamos a falar informalmente sobre o seu amado Boston Red Sox [time de beisebol] — um assunto apropriado dado o tema do sofrimento.

Aí mudei abruptamente de estratégia. Não havia outra abordagem senão colocar Kreeft frente a frente com as ásperas objeções de Templeton ao cristianismo, ilustradas por aquela foto da revista *Life* mostrando uma mãe aflita segurando o filho morto na África devastada pela seca.

Um urso, uma armadilha, um caçador e Deus

Encontrei a mesma intensidade emocional demonstrada por Templeton ao me defrontar com Kreeft. Descrevi a foto e depois citei o ex-evangelista palavra por palavra:

> Pensei: "É possível crer que existe um Criador amoroso ou solidário quando tudo o que essa mulher necessitava

> era *chuva*?" Como poderia um Deus amoroso fazer *isso* com aquela mulher? Quem governa a chuva? Eu não, nem você. *Ele* o faz — ou era isso que eu achava. Mas quando vi aquela fotografia, imediatamente percebi que não é possível que isso aconteça e que exista um Deus amoroso. Não havia como. Quem mais senão um demônio poderia destruir um bebê e virtualmente matar a sua mãe de agonia — quando tudo o que precisava era de *chuva*?... Então comecei... a considerar as pragas que varrem certas partes do planeta e matam indiscriminadamente... e ficou cristalinamente claro para mim que não é possível que uma pessoa inteligente creia que existe uma divindade que ama.

Levantei o olhar das minhas anotações. Os olhos do professor estavam cravados em mim. Encarando-o firmemente e inclinando-me à frente na beira da minha cadeira a fim de dar ênfase, disse em um tom um tanto acusatório:

— Dr. Kreeft, o senhor é uma pessoa inteligente e crê em uma divindade que ama. Como afinal o senhor responderia a Templeton?

Kreeft pigarreou.

— Em primeiro lugar — começou — eu me concentraria nas palavras "não é possível". Até mesmo David Hume, um dos céticos mais famosos da história, disse que é só *um pouquinho* provável que Deus exista. Pelo menos essa é uma posição um tanto razoável — dizer que existe pelo menos uma pequena possibilidade. Mas dizer que *não* há possibilidade de que um Deus amoroso, que sabe muito mais que nós, até sobre o nosso futuro, talvez pudesse tolerar um mal como o que Templeton vê na África — bem, isso me parece intelectualmente arrogante.

Isso me pegou de surpresa.

— Verdade? — espantei-me. — Como assim?

— Como pode um simples ser humano finito estar certo de que a sabedoria infinita não toleraria certos males de curta duração a fim de alcançar bens de maior amplitude que não poderíamos prever? — perguntou.

Entendi seu argumento, mas precisava de um exemplo.

— Elabore um pouco mais — provoquei.

Kreeft pensou por um momento.

— Veja dessa maneira — disse. — Você concordaria que a diferença entre nós e Deus é maior que a diferença entre nós e, digamos, um urso?

Acenei, concordando.

"Pois bem. Então imagine um urso preso em uma armadilha e um caçador que, movido pela simpatia, quer libertá-lo. Tenta conquistar a confiança do urso, em vão, e em conseqüência tem de dar um tiro de tranqüilizante no urso. O urso, no entanto, pensa que isso é um ataque e que o caçador está tentando matá-lo. Não compreende que isso está sendo feito por compaixão. A fim de tirar o urso da armadilha, o caçador tem de empurrá-lo mais para dentro da armadilha de modo a liberar a pressão da mola. Se o urso nesse momento estivesse semiconsciente, ficaria ainda mais convencido que o caçador era seu inimigo e estava querendo causar-lhe sofrimento e dor. Porém, o urso estaria errado. Chega a essa conclusão incorreta porque não é um ser humano.

Kreeft deixou a fábula produzir efeito. — Agora — concluiu —, como pode alguém estar certo de que essa não é uma analogia entre nós e Deus? Eu creio que Deus faz o mesmo conosco às vezes, e nós não podemos compreender por que ele o faz, mais que o urso pode compreender as motivações do caçador. Do mesmo modo que o urso poderia ter confiado no caçador, nós podemos confiar em Deus.

Fé e preconceito

Parei para pensar no argumento de Kreeft, mas ele continuou antes que eu pudesse responder.

— No entanto — disse, — certamente não quero subestimar Templeton. Ele está reagindo de modo muito honesto e sincero ao fato de que algo se volta contra Deus. Somente em um mundo em que ter fé é difícil pode existir fé. Eu não tenho fé em dois mais dois igual a quatro ou no sol do meio-dia. Essas coisas são inquestionáveis. Mas as Escrituras descrevem Deus como um Deus oculto. Você precisa fazer um esforço de fé para encontrá-lo. Existem pistas que você pode seguir. Se não fosse assim, se houvesse algo mais ou menos que pistas, seria difícil entender como poderíamos realmente ser livres para fazer uma escolha a respeito dele. Se tivéssemos provas absolutas em vez de pistas, então você não poderia negar Deus mais do que você poderia negar o sol. Se não tivéssemos qualquer evidência, jamais poderíamos chegar lá. Deus nos dá apenas a evidência suficiente para que aqueles que o desejam possam encontrá-lo. Os que quiserem seguir as pistas o farão. A Bíblia diz "Busquem, e encontrarão".[9] Ela não diz que todos o encontrarão; ela não diz que ninguém o encontrará. *Alguns* encontrarão. Quem? Os que buscam. Aqueles cujos corações estão dispostos a encontrá-lo e que seguem as pistas.

Interrompi.

— Espere um pouco, há instantes o senhor admitiu que "alguma coisa se volta contra Deus", que o mal e o sofrimento *são* evidências contra ele — observei. — Não estaria o senhor admitindo que o mal nega a existência de Deus? Bati com a mão na escrivaninha. — Caso encerrado! — declarei com um ar zombeteiro de triunfo.

Kreeft retraiu-se um pouco com a minha explosão.

— Não, não — insistiu balançando a cabeça. — Em primeiro lugar, as evidências não são necessariamente certas ou conclusivas. Estou dizendo que neste mundo existem evidências contra e evidências a favor de Deus. Agostinho o colocou de maneira muito simples: "Se não existe um Deus, por que há tanto bem; se existe um Deus, por que há tanto mal?". Não há dúvida de que a existência do mal é um argumento contra Deus — mas em um de meus livros eu sintetizo vinte argumentos que apontam persuasivamente em outra

[9]V. Mateus 7.7.

direção, a favor da existência de Deus.[10] Os ateus devem responder a todos os vinte argumentos; os teístas devem responder a somente um. Todavia, cada um de nós tem de dar um voto. A fé é ativa; ela exige resposta. Ao contrário da razão, que se dobra servilmente diante das evidências, a fé se baseia em opiniões preconcebidas.

Essa última palavra me atingiu.

— O que o senhor quer dizer com 'opiniões preconcebidas'?

— Suponha que um policial entre nesta sala e diga que acabaram de prender minha esposa em flagrante por ter assassinado treze vizinhos decapitando-os, e que há testemunhas. Eu riria dele e diria: "Não, isso não pode ser. Vocês não a conhecem como eu a conheço". Ele diria: "Onde está a prova?" Eu diria: "É um tipo de prova diferente da sua. Mas existe evidência de que isto não pode ser verdade". De sorte que eu sou parcial. No entanto, minhas opiniões preconcebids são preconceitos *razoáveis* porque estão baseados nas evidências que reuni em minha experiência real. Assim, alguém que conhece Deus tem evidências — e, portanto, opiniões baseadas nessas evidências — que alguém que não conhece Deus não tem.

O mal como evidência *a favor* de Deus

Kreeft parou por alguns segundos antes de acrescentar esta observação inesperada e contra-intuitiva:

— Além disso, a evidência do mal e do sofrimento pode funcionar em ambas as direções — de fato ela pode ser usada a *favor* de Deus.

Endireitei-me na cadeira. — Como *isso* é possível? — perguntei.

— Considere o seguinte — disse Kreeft. — Se Templeton está certo em reagir com indignação a esses acontecimentos, isso pressupõe que realmente existe uma diferença entre o bem e o mal. O fato de que ele está usando o padrão do bem para julgar o mal — dizendo acertadamente que esse horrível

[10]V. *Handbook of Christian apologetics,* de Peter Kreeft e Ronald K. Tacelli (Downers Grove, Illinois: InterVarsity, 1994), p. 48-88.

sofrimento não é o que deveria ser — significa que tem uma noção do que deve ser, que essa noção corresponde a algo real, e que existe, portanto, a realidade chamada Bem Supremo. Este é outro nome para Deus.

Esta consideração despertou a suspeita de ser um truque de prestidigitação filosófica. Desconfiado, resumi o argumento de Kreeft para ver se o entendia.

— O senhor quer dizer que sem querer Templeton pode estar testemunhando da realidade de Deus porque ao reconhecer o mal ele está pressupondo que existe um padrão objetivo no qual o mesmo está baseado?

— Correto. Se eu dou a um aluno a nota nove e a outro oito, isso pressupõe que dez é um padrão verdadeiro. E o meu argumento é o seguinte: se Deus não existe, onde nós encontramos o padrão de bondade pelo qual julgamos o mal como mal? Mais que isso, como disse C. S. Lewis: "Se o universo é tão cruel... por que cargas d'água os seres humanos o atribuem à atividade de um Criador sábio e bom?". Em outras palavras, a própria presença dessas idéias em nossa mente — isto é, a idéia do mal e, por conseguinte, da bondade e de Deus como origem e padrão da bondade — precisa ser explicada.

Um interessante contragolpe, imaginei.

— Existem quaisquer outros meios pelos quais o senhor acredita que o mal funciona contra o ateísmo? — perguntei.

— Sim, existem — retrucou. — Se não existe um Criador e, portanto, um momento de criação, então tudo é resultado da evolução. Se não houve um princípio ou uma causa primeira, então o universo deve ter sempre existido. Isso significa que o universo tem estado evoluindo por um infinito período de tempo — e a esta altura tudo já devia ser perfeito. Teria havido tempo mais que suficiente para a evolução ter acabado e o mal ter sido banido. Mas ainda existem o mal, o sofrimento e a imperfeição — e isso prova que o ateu está errado acerca do universo.

— Então o ateísmo — insisti, — é uma resposta inadequada para o problema do mal?

— É uma resposta fácil, permita-me usar essa palavra, uma resposta banal — disse. — O ateísmo é banal no tocante às pessoas porque diz arrogantemente que nove entre dez pessoas estão erradas ao longo da história com respeito a Deus e guardaram uma mentira no íntimo de seu coração. Pense nisso. Como é possível que mais de noventa por cento de todos os seres humanos que já viveram — geralmente em circunstâncias muito mais dolorosas que a nossa — puderam crer em Deus? As evidências objetivas, somente olhando para o equilíbrio entre prazer e sofrimento, não parecem justificar a crença em um Deus absolutamente bom. No entanto, tem-se acreditado nisto quase universalmente.

— Estariam todos eles loucos? Bem, suponho que possa pensar assim se você for um tanto elitista. Talvez, como Leão Tolstói, tenhamos de aprender com os camponeses. Em sua autobiografia, ele se debate com o problema do mal. Observou que a vida continha mais sofrimento que prazer e mais mal que bem, portanto, aparentemente uma existência sem sentido. Ele ficou tão desesperado que se sentiu tentado ao suicídio. Disse que não sabia como poderia suportar.

— Tolstói, com efeito, escreveu: "Espere um minuto — a maior parte das pessoas *suporta*. A maioria das pessoas tem uma vida mais difícil que a minha e no entanto a consideram maravilhosa. Como podem fazer isso? Não com explicações, mas com fé". Ele aprendeu com os camponeses e encontrou fé e esperança.[11]

— O ateísmo trata as pessoas de modo medíocre. Além disso, rouba à morte o seu significado, e se a morte não tem sentido, como pode a vida, em última análise, ter sentido? O ateísmo vulgariza tudo o que toca — veja as conseqüências do comunismo, a mais poderosa forma de ateísmo sobre a terra.

— E no fim, quando o ateu morre e se encontra com Deus em vez do vazio que havia predito, terá de reconhecer que o

[11]*Confession,* New York: W. W. Norton & Co., 1996.

ateísmo foi uma resposta vulgar porque recusou a única coisa que não é vulgar — o Deus de valor infinito.

Um problema de lógica

Kreeft tinha apresentado alguns interessantes argumentos iniciais, mas nós circundáramos um pouco o assunto. Chegamos ao momento de chegar ao âmago da questão. Lançando mão de algumas notas rabiscadas no avião, desafiei Kreeft com uma pergunta que cristalizou a controvérsia.

— Os cristãos crêem em cinco coisas — disse eu. — Primeira, Deus existe. Segunda, Deus é todo-bondade. Terceira, Deus é todo-poderoso. Quarta, Deus é onisciente. E quinta, o mal existe. Agora, como podem todas essas cinco afirmações serem verdadeiras ao mesmo tempo?

Um sorriso enigmático estampou-se no rosto de Kreeft.
— Aparentemente não podem ser — admitiu. — Eu me lembro de um pregador liberal que certa vez tentou me dissuadir de me associar aos fundamentalistas. Ele disse: "Existe um problema lógico aqui — você pode ser inteligente, ou honesto, ou fundamentalista, ou qualquer combinação de dois, mas não todos os três". E o meu amigo fundamentalista disse: "Eu diria que você pode ser honesto, ou inteligente, ou liberal, ou qualquer combinação de dois, mas não os três".

Eu ri da história. — Nós temos o mesmo tipo de problema lógico aqui — observei.

— Certo. Parece que você tem de deixar de lado uma daquelas convicções. Se Deus é todo-poderoso, ele pode fazer qualquer coisa. Se Deus é todo-bondade, ele quer somente o bem. Se Deus é onisciente, ele sabe o que é bom. Desse modo, se todas essas convicções são verdadeiras — e os cristãos acreditam que são — parece então que a conseqüência é que nenhum mal pode existir.

— Mas o mal *existe* — disse. — Não seria lógico supor que esse Deus não existe?

— Não, eu diria que uma daquelas convicções a respeito dele deve ser falsa ou nós não a estamos entendendo de maneira correta.

Chegara o momento de solucionar o problema. Com um movimento da mão, convidei Kreeft a examinar esses três atributos divinos — Deus como todo-poderoso, todo-bondade e onisciente — um de cada vez, à luz da existência do mal.

Atributo n.º 1: Deus é todo-poderoso

— O que significa dizer que Deus é todo-poderoso? — Kreeft perguntou, e em seguida respondeu a própria pergunta: — Significa que ele pode fazer tudo o que seja significativo, tudo o que seja possível, tudo o que faça algum sentido. Deus não pode fazer com que ele mesmo deixe de existir. Ele não pode tornar o bem em mal.

— Desse modo — rebati, — existem algumas coisas que ele não pode fazer muito embora seja todo-poderoso.

— Precisamente *porque* é todo-poderoso, ele não pode fazer algumas coisas. Ele não pode cometer erros. Somente seres fracos e tolos cometem erros. Um desses erros seria tentar criar uma contradição óbvia, como dois mais dois é igual a cinco ou um quadrado redondo.

— Agora, a defesa clássica de Deus diante do problema do mal é que não é logicamente possível se ter livre-arbítrio e nenhuma possibilidade de maldade moral. Em outras palavras, uma vez que Deus escolheu criar seres humanos com livre-arbítrio, então dependia destes, e não de Deus, haver pecado ou não. É isso o que significa o livre-arbítrio. Embutida na situação em que Deus decide criar seres humanos está a possibilidade do mal e, conseqüentemente, o sofrimento que daí decorre.

— Então Deus é o criador do mal.

— Não, ele criou a *possibilidade* do mal; as pessoas concretizaram essa potencialidade. A fonte do mal não é o poder de

Deus, mas a liberdade do homem. Até mesmo o Deus todo-poderoso não poderia ter criado o mundo no qual as pessoas tivessem genuína liberdade e, no entanto, não houvesse potencialidade para o pecado, porque a nossa liberdade inclui a possibilidade do pecado *strictu sensu*. É uma contradição em si — um nada sem sentido — ter um mundo em que existe verdadeira escolha e ao mesmo tempo nenhuma possibilidade de escolher o mal. Perguntar por que Deus não criou tal mundo é como perguntar por que Deus não criou uma cor sem cor ou quadrados redondos.

— Então por que Deus não criou um mundo sem liberdade humana?

— Porque esse teria sido um mundo sem seres humanos. Teria sido um lugar sem ódio? Sim. Um lugar sem sofrimento? Sim. Mas também teria sido um mundo sem amor, que é o valor mais elevado do universo. Esse bem supremo jamais poderia ter sido experimentado. O amor verdadeiro — nosso amor para com Deus e o amor de uns para com os outros — deve envolver uma escolha. Porém, com a concessão dessa escolha viria a possibilidade de que em vez disso as pessoas escolhessem odiar.

— Veja o Gênesis — alertei. — Deus criou o mundo no qual as pessoas eram livres e no entanto não havia pecado.

— Foi exatamente isso o que ele fez — disse Kreeft. — Após a criação, ele declarou que o mundo era "bom". As pessoas eram livres para escolher amar a Deus ou afastar-se dele. No entanto, esse mundo necessariamente é o lugar em que o pecado é livremente possível — e certamente essa potencialidade para o pecado foi concretizada não por Deus, mas pelas pessoas. A culpa em última análise pertence a nós. Ele fez a sua parte com perfeição; fomos nós que criamos confusão.

— O rabino Harold Kushner chega a uma conclusão diferente no seu livro campeão de vendas *Quando coisas ruins acontecem a pessoas boas* — observei. — Ele diz que afinal de contas Deus não é todo-poderoso — que ele *gostaria* de ajudar, mas simplesmente não pode resolver todos os problemas do mundo. Escreveu: "Até Deus tem dificuldade em manter o caos sob controle".[12]

Kreeft levantou uma das sobrancelhas.

— Para um rabino, isso é difícil de entender, porque o conceito peculiarmente judaico de Deus é o oposto disso — falou. — Surpreendentemente — contra as evidências, me parece — os judeus insistiram que existe um Deus que é todo-poderoso e mesmo assim todo-bondoso.

— Ora, isso não parece tão razoável quanto o paganismo, que diz que se existe mal no mundo, então devem existir muitos deuses, cada um deles menos que todo-poderoso, alguns deles bons, alguns deles maus, ou se existe um Deus, então ele se defronta com forças que não pode controlar inteiramente. Até à revelação do verdadeiro Deus por meio do judaísmo, essa era uma filosofia muito popular.

— Eu não me impressiono muito com o Deus de Kushner — disse mais como afirmação que pergunta.

— Honestamente, não vale a pena crer nesse Deus. Teria eu um grande irmão que estivesse fazendo o que pode, mas não muito? Bem, quem se importa? — disse ele encolhendo os ombros. — Na prática, isso é o mesmo que ateísmo. Dependa de si mesmo primeiro, e então talvez de Deus, talvez não.

— Não, a evidência é que Deus *é* todo-poderoso. O ponto a lembrar é que criar o mundo no qual existe livre-arbítrio e nenhuma possibilidade de pecado é contradição — e isso abre as portas para as pessoas escolherem o mal em voz do Deus, tendo como conseqüência o sofrimento. A esmagadora parcela de dor que existe no mundo é causada pelas nossas escolhas de matar, caluniar, ser egoístas, desviar-nos sexualmente, quebrar as nossas promessas, ser insensatos.

[12]New York: Schocken Books, 1981, p. 43.

Atributo n.º 2: Deus é onisciente

Pedi que Kreeft passasse para a qualidade divina seguinte — a onisciência de Deus. Empurrou para trás a cadeira a fim de ficar mais confortável, olhou para o lado enquanto ordenava seus pensamentos uma vez mais.

— Vamos começar da seguinte maneira — disse. — Se ele é inteiramente sábio, Deus conhece não somente o presente, mas o futuro. E ele conhece não somente o bem e o mal presentes, mas o bem e o mal futuros. Se a sua sabedoria excede em muito a nossa, como a do caçador excede a do urso, é pelo menos possível — ao contrário da análise de Templeton — que esse Deus amoroso possa deliberadamente tolerar coisas horríveis como a inanição porque ele pode prever que a longo prazo mais pessoas serão melhores e mais felizes que se ele interviesse miraculosamente. Isso é pelo menos intelectualmente possível.

Meneei a cabeça. — Ainda é difícil aceitar — disse. — Parece uma fuga.

— Está bem. Então, vamos testá-la — Kreeft respondeu. — Você sabe, Deus tem nos mostrado especificamente, de modo muito claro, como isso pode funcionar. Ele demonstrou como a pior coisa que já aconteceu na história do mundo acabou resultando na melhor coisa que já aconteceu na história do mundo.

— O que o senhor quer dizer?

— Estou me referindo ao deicídio — respondeu. — A morte do próprio Deus sobre a cruz. Naquela época, ninguém viu como alguma coisa boa poderia resultar dessa tragédia. No entanto, Deus previu que o resultado seria a abertura do céu aos seres humanos. Assim, a pior tragédia da história resultou no evento mais glorioso da história. E se aconteceu lá — o mal supremo resultar no bem supremo — pode acontecer em outros lugares, até mesmo em nossa vida individual. Aqui Deus levanta a cortina e nos deixa ver. Em outro lugar ele simplesmente diz: "Confie em mim".

— Tudo isso significa que a vida humana é incrivelmente dramática, como uma história em que não se conhece o final em vez de uma fórmula científica. Com efeito, vamos seguir esse enredo dramático por um minuto.

— Suponha que você é o Diabo. Você é o inimigo de Deus e quer matá-lo, mas não pode. No entanto, ele tem essa ridícula fraqueza de criar e amar seres humanos, os quais você *pode* atingir. Aí está! Agora você tem reféns! Portanto, você simplesmente desce ao mundo, corrompe os seres humanos e arrasta alguns deles para o inferno. Quando Deus envia profetas para iluminá-los, você mata os profetas.

— Deus faz então a coisa mais tola de todas — envia o próprio Filho, o qual joga de acordo com as regras do mundo. Você diz para si mesmo: "Eu não posso acreditar que ele seja tão estúpido. O amor perturbou seu cérebro! Tudo o que tenho a fazer é inspirar alguns de meus agentes — Herodes, Pilatos, Caifás, os soldados romanos — e fazer com que ele seja crucificado". E é isso o que você faz.

Assim, lá está ele pendurado na cruz — desamparado pelos homens e aparentemente por Deus, sangrando até a morte e clamando: "Meu Deus! Meu Deus! Por que me abandonaste?" O que você sente agora como Diabo? Triunfo e vingança! Mas, é claro, você não poderia estar mais enganado. Esse é o supremo triunfo *dele* e sua suprema derrota. Ele enfiou o calcanhar na sua boca, você o mordeu e o sangue destruiu você.

— Agora, se essa não é uma ocorrência anormal, mas um paradigma da condição humana, quando sangramos e quando sofremos, como ocorreu com Cristo, talvez o mesmo esteja acontecendo. Talvez seja essa a maneira de Deus derrotar o Diabo.

— À época da crucificação, os discípulos não puderam perceber como algo de bom poderia resultar dessa ocorrência; de igual modo, quando enfrentamos lutas, provações e sofrimento, por vezes não podemos imaginar que isso possa resultar em algum bem. Mas vimos como isso aconteceu no caso de Jesus e podemos confiar que também acontecerá no nosso caso. Por exemplo, os maiores cristãos da história parecem dizer que os seus sofrimentos acabaram por levá-los o mais perto possível de Deus — assim, essa é a melhor coisa que poderia acontecer, não a pior.

Atributo n.º 3: Deus é todo-bondoso

Fiquemos agora com o atributo da bondade de Deus.

— *Bom* é uma palavra notoriamente traiçoeira — Kreeft começou, — porque até mesmo nas questões humanas ela tem uma amplitude considerável de significado. Porém, uma vez mais, a diferença entre nós e Deus certamente é maior que a diferença entre nós e os animais, e como o bem varia enormemente entre nós e os animais, ele deve variar mais ainda entre nós e Deus.

— Concordo — disse. — Mas se eu ficasse sentado e não fizesse nada caso meu filho fosse atropelado por um caminhão, eu não seria bom em nenhum sentido da palavra. Seria um mau pai se agisse assim. Deus faz o equivalente a isso. Ele fica sentado e se recusa a realizar milagres para livrar-nos de perigos ainda maiores que ser atropelado por um caminhão. Isto posto, por que então ele não seria mau?

Kreeft assentiu. — Dá a impressão que ele é — disse. — Mas o fato de que Deus deliberadamente permite certas coisas que se nós permitíssemos nos transformaria em monstros, não depõe necessariamente contra ele.

Eu não podia entender o seu raciocínio.

— O senhor terá de explicar por que é assim — insisti.

— Está bem, deixe-me apresentar-lhe uma analogia aos relacionamentos humanos — respondeu. — Se eu dissesse ao meu irmão, que tem mais ou menos a minha idade: "Posso livrá-lo de um problema, mas não o farei", provavelmente eu seria irresponsável e talvez cruel. Mas nós fazemos isso com os nossos filhos o tempo todo. Nós não fazemos os deveres de casa por eles. Nós não os colocamos dentro de uma bolha e os protegemos de todos os males.

Eu me lembro quando uma de minhas filhas tinha cerca de quatro ou cinco anos e estava tentando enfiar a linha no buraco da agulha. Isso era muito difícil para ela. Toda vez que tentava, se feria no dedo, o qual por vezes sangrou. Eu a estava observando, mas ela não me viu. Simplesmente continuou tentando uma vez após a outra.

O meu primeiro desejo foi fazer por ela, assim que vi a gota de sangue. Mas sabiamente me contive, dizendo para mim mesmo: "Ela pode conseguir". Depois de uns cinco minutos, finalmente foi bem sucedida. Saí de onde estava e ela exclamou: "Papai, papai — veja o que eu fiz! Veja o que eu fiz!". Ela estava tão orgulhosa por ter enfiado a linha na agulha que havia esquecido totalmente a dor.

Daquela vez a dor foi uma coisa boa para ela. Eu fui sábio o suficiente para ter previsto que isso era bom para ela. Ora, Deus certamente é muito mais sábio do que eu fui com a minha filha. Assim, pelo menos é possível que Deus seja sábio o suficiente para prever que necessitamos de alguma dor por razões que podemos não entender, mas que ele prevê como necessária para algum bem eventual. Portanto, ele não está sendo mau ao permitir que a dor exista.

Os dentistas, os treinadores esportivos, os professores e os pais — todos eles sabem que às vezes ser bom *não* é ser gentil. Certamente existem ocasiões em que Deus permite o sofrimento e nos priva do bem menor do prazer a fim de ajudar-nos a alcançar o bem maior da educação moral e espiritual. Até mesmo os antigos gregos acreditavam que os deuses ensinavam a sabedoria por intermédio do sofrimento. Ésquilo escreveu: "Dia após dia, hora após hora / A dor goteja sobre o coração / Quando, contra a nossa vontade e mesmo a despeito de nós / Vem a Sabedoria da temível graça de Deus".

Sabemos que o caráter moral é formado por meio de provações, da superação de obstáculos, e da perseverança diante das dificuldades. A coragem, por exemplo, seria impossível em um mundo sem dor. O apóstolo Paulo deu testemunho dessa qualidade refinadora do sofrimento quando escreveu que "a tribulação produz perseverança; a perseverança, caráter; e o caráter, esperança".[13]

Sejamos honestos: nós aprendemos com os erros que cometemos e o sofrimento que produzem. O universo é uma

[13]V. Romanos 5.3,4.

máquina modeladora da alma e parte desse processo consiste em aprender, amadurecer e crescer por meio de experiências difíceis, desafiadoras e dolorosas. A razão de ser de nossa vida neste mundo não é a comodidade, mas o treinamento e a preparação para a eternidade. As Escrituras nos dizem que até mesmo Jesus "aprendeu a obedecer por aquilo que sofreu"[14] — e se isso foi verdadeiro para ele, por que não deveria ser ainda mais verdadeiro para nós?

Kreeft deixou a pergunta suspensa no ar por um momento enquanto as suas engrenagens mentais giravam. E prosseguiu. — Suponha que nós não tivéssemos sofrimento algum — acrescentou. — Suponha que tivéssemos remédios para toda espécie de dor, entretenimento gratuito, amor livre — tudo menos a dor. Nada de Shakespeare, nada de Beethoven, nada de Boston Red Sox, nada de morte — nada de sentido. Diabretes insuportavelmente mimados — é nisso que nos tornaríamos.

— É como aquele antigo programa de televisão, *Além da Imaginação,* em que um bando de assaltantes de bancos leva tiros e um deles acorda caminhando sobre nuvens macias no portão dourado de uma cidade celestial. Um bondoso homem de vestes brancas lhe oferece tudo o que ele quer. Mas ele logo se aborrece com o ouro, pois tudo é de graça, e com as garotas bonitas, que só riem quando tenta feri-las, pois ele tem um pendor para o sadismo.

Desse modo, manda chamar a figura de são Pedro. "Deve haver algum erro". "Não, nós não cometemos erros aqui". "O senhor não pode me enviar de volta para a terra?" "Claro que não, você está morto". "Bem, então eu preciso ficar com os meus amigos no Outro Lugar. Mande-me para lá". "Oh, não, não podemos fazer isso. Regras, você sabe". "Que lugar é este, então?" "É o lugar onde você recebe tudo o que quer". "Mas eu achava que deveria *gostar* do céu". "Céu? Quem falou em céu? O céu é o Outro Lugar". A lição é que

[14]Hebreus 5.8: "Embora sendo Filho, ele aprendeu a obedecer por meio daquilo que sofreu".

um mundo sem sofrimento se parece mais com o inferno do que com o céu.

Isso parecia uma hipérbole.

— O senhor realmente acredita nisso? — perguntei.

— Sim, acredito. De fato, se você não acredita, então faça de conta que você é Deus e tente criar um mundo melhor em sua imaginação. Tente criar a utopia. Mas você tem de refletir sobre as conseqüências de tudo o que tentar melhorar. Toda vez que você usa a força para impedir o mal, você tira a liberdade. Para impedir todo o mal, você precisa remover toda a liberdade e reduzir as pessoas a bonecos, o que significa que elas então não teriam a capacidade de escolher livremente o amor.

Você pode acabar criando um mundo preciso que um engenheiro poderia apreciar — *talvez*. Mas uma coisa é certa: você perderá o tipo de mundo que um pai iria querer.

O megafone da dor

Pista após pista, Kreeft estava lançando mais e mais luz sobre o mistério do sofrimento. Mas cada nova percepção parecia gerar novas perguntas.

— Pessoas más ferem os outros e se safam o tempo todo. Certamente Deus não pode considerar isso justo — eu disse. — Como ele pode ficar parado observando enquanto isso acontece? Por que ele não intervém e dá um jeito em todo o mal que há no mundo?

— As pessoas *não estão* se safando — Kreeft insistiu. — Justiça tardia não é necessariamente justiça negada. Virá o dia em que Deus ajustará contas e as pessoas serão responsabilizadas pelo mal que cometeram e pelo sofrimento que causaram. Criticar Deus por não agir exatamente agora é como ler metade de um romance e criticar o autor por não ter concluído o enredo. Deus fará o acerto de contas no momento certo — de fato, a Bíblia diz que uma das razões pelas quais ele o está adiando é que algumas pessoas continuam seguindo as pistas e ainda têm de encontrá-lo.[15] Na realidade ele está protelando o fim da história por causa do seu grande amor pelas pessoas.

— Mas, nesse ínterim, simplesmente, a quantidade de sofrimento que existe no mundo não incomoda o senhor? — perguntei. — Deus não poderia eliminar pelo menos uma parte dos males mais horríveis? Um filósofo formulou um argumento contra Deus da seguinte maneira: primeiro, não há nenhuma razão que justifique Deus quando permite tanta maldade; em segundo lugar, se Deus existe, então tal razão deve existir; por conseguinte, em terceiro lugar, Deus não existe.

Kreeft mostrou-se simpático em relação ao problema, mas não admitia esta solução.

— É como aceitar a racionalidade da crença em Deus quando seis judeus morreram no Holocausto, e não sete. Ou 60 000, mas não 60 001, ou 5 999 999, mas não 6 000 000 — afirmou. — Quando você transforma a declaração geral "tanto mal" em exemplos particulares como esses, fica evidente quão absurda é. Não pode haver uma linha divisória.

É verdade que existem alguns exemplos em que a quantidade se torna qualidade. Por exemplo, água fervente: tão logo se chega à temperatura de 100º, você obtém um novo estado — gás — e se aplicam às leis dos gases, e não às leis dos líquidos. Mas o sofrimento não é assim. Em que ponto o sofrimento nega a existência de Deus? Nenhum ponto como esse pode ser mostrado. Além disso, porque não somos Deus, nós não podemos dizer quanto sofrimento é necessário. Talvez cada um dos elementos de dor no universo seja necessário. Como podemos saber?

Disfarcei uma risada.

— Suponho que uma pessoa pudesse dizer: "Se *eu estou* sofrendo dor, então isto pode significar um grande sofrimento para o mundo!"

[15] 2 Pedro 3.9: "O Senhor não demora em cumprir a sua promessa, como julgam alguns. Ao contrário, ele é paciente com vocês, não querendo que ninguém pereça, mas que todos cheguem ao arrependimento".

Kreeft riu. — Sim, é claro! —, exclamou. — Esse é o "tanto mal" subjetivo. É o caso clássico de antropomorfismo. Se eu fosse Deus, eu não permitiria tanta dor assim; Deus certamente não poderia discordar de mim; Deus permitiu essa dor; portanto, Deus não existe.

— O senhor disse instantes atrás que alguma dor poderia ser necessária. Isso indica que existe sentido no sofrimento — concluí. — Se é assim, em que consiste?

— Ao longo da história um dos fins do sofrimento é que ele conduz ao arrependimento — ponderou. — Somente depois de sofrer, somente depois do desastre, o Israel do Antigo Testamento ressurgiu. Nações e indivíduos voltam para Deus. Sejamos honestos: nós aprendemos da maneira mais difícil. Para citar C. S. Lewis: "Deus sussurra em nossos prazeres, fala em nossa consciência, mas grita em nossas dores. É o seu megafone para despertar um mundo surdo"[16]. Evidentemente o arrependimento leva a algo maravilhoso — a bem-aventurança, pois Deus é a fonte de toda a alegria e de toda a vida. O resultado é bom — de fato, mais que bom.

Em termos simples, creio que o sofrimento é compatível com o amor de Deus se ele for terapêutico, corretivo e necessário; isto é, se nós estamos muito doentes e precisamos desesperadamente de cura. Esta é a nossa situação. Jesus disse: "Não são os que têm saúde que precisam de médico, mas sim os doentes [...] Eu não vim chamar os justos, e sim os pecadores".[17]

— Mas pessoas boas sofrem tanto — ou às vezes mais — que as más — observei. — Isso é o que choca no título do livro de Kushner: *Quando coisas ruins acontecem a pessoas boas*. Como isso pode ser justo?

— Bem, a resposta é que não existem pessoas boas — Kreeft respondeu.

— E o que dizer do velho ditado: "Deus não faz gente imprestável"?

[16]*The problem of pain*, New York: Macmillan, 1962, p. 93.
[17]V. Mateus 9.12,13.

— Sim, ontologicamente nós somos bons — ainda guardamos a imagem de Deus —, mas moralmente não somos. A imagem divina em nós foi maculada. O profeta Jeremias disse que "desde o menor até o maior, todos são gananciosos"[18], e o profeta Isaías disse: "Somos como o impuro — todos nós! Todos os nossos atos de justiça são como trapo imundo".[19] Nossas boas ações estão contaminadas com o interesse pessoal e os nossos reclamos de justiça estão misturados com o desejo de vingança. Ironicamente, são as melhores pessoas que mais prontamente reconhecem e admitem suas deficiências e pecados.

— Nós somos um bom material que se estragou, uma obra de arte mutilada, um filho rebelde. Lewis observou que nós não somos simplesmente pessoas imperfeitas que precisam melhorar, porém somos rebeldes que precisam depor as armas. Com freqüência a dor e o sofrimento são os meios pelos quais nos tornamos motivados para finalmente nos rendermos a Deus e buscarmos os cuidados de Cristo.

— É disso que necessitamos mais desesperadamente. É isso o que nos levará à alegria suprema de conhecer Jesus. Qualquer sofrimento — os grandes cristãos da história lhe dirão — vale o resultado.

Suportando a dor

Recostei-me na cadeira e refleti sobre o que Kreeft havia dito até agora. Alguns de seus argumentos eram mais fortes que outros, mas pelo menos não estava simplesmente oferecendo explicações pré-fabricadas. As pistas pareciam estar levando a algum lugar.

Decido perguntar-lhe a respeito de uma citação de Agostinho, que diz: "Uma vez que Deus é o bem supremo, ele não permitiria que qualquer mal existisse em suas obras, a menos que sua onipotência e bondade fossem tais que pudessem tirar

[18]Jeremias 6.13*a*.
[19]Isaías 64.6*a*.

o bem até mesmo do mal". Depois de citar essas palavras, completei:

— Isso significa que o sofrimento e o mal contêm a predisposição para o bem?

— Sim, eu creio que todo sofrimento contém pelo menos a oportunidade para o bem — foi a sua resposta, — mas nem todos concretizam essa tendência. Nem todos aprendemos com o sofrimento e dele nos beneficiamos; é aí que entra o livre-arbítrio. Um prisioneiro de um campo de concentração vai reagir de modo bastante diferente de outro, em virtude da escolha que cada um faz para reagir ao ambiente.

— Praticamente todo ser humano pode refletir sobre o seu passado e dizer: "Eu aprendi com aquela dificuldade. À ocasião, não achei que aprenderia, mas sou uma pessoa melhor por tê-la suportado agora e perseverado". Mesmo pessoas sem fé religiosa estão cientes dessa dimensão do sofrimento. E se nós podemos tirar o bem do mal mesmo sem incluir Deus no cenário, você pode imaginar, com o auxílio de Deus, quanto mais o mal pode contribuir para o bem maior.

Contudo, incluir Deus no cenário levanta outra questão: se ele ama as pessoas, como pode tolerar emocionalmente o contínuo assédio de dor e sofrimento? Isso não deveria arrasá-lo? Peguei o livro de Templeton e li a seguinte citação para Kreeft:

> Jesus disse: "Não se vendem cinco pardais por duas moedinhas? Contudo, nenhum deles é esquecido por Deus [...] vocês valem muito mais do que muitos pardais". Mas se Deus se entristece com a morte de um pardal, como poderia o seu espírito eterno suportar a enfermidade, sofrimento e morte dos incontáveis milhões de homens, mulheres, crianças, animais, pássaros e outras criaturas sensíveis, em todas as partes do mundo, em todos os séculos desde o início dos tempos?[20]

[20]*Farewell to God*, p. 201.

— Eu acho que o sr. Templeton está usando um antropomorfismo de Deus ao dizer "Eu não posso imaginar como qualquer ser inteligente poderia suportar isso", Kreeft disse. — Sim, ele está certo — nós *não podemos* imaginar. Mas podemos crer. Deus de fato chora por cada pardal e se entristece por cada mal e cada sofrimento. Assim, o sofrimento que Cristo suportou na cruz é literalmente inimaginável. Não é simplesmente o que você e eu teríamos experimentado em nossa agonia humana finita, física e mental, mas todos os sofrimentos do mundo estavam lá.

— Voltemos à foto de Templeton mostrando a mãe faminta na África — tudo de que ela necessitava era chuva. *Onde está Deus?* Estava se envolvendo na agonia dela. Não apenas a agonia física, mas a agonia moral. *Onde está Deus? Por que ele não envia a chuva?* A resposta de Deus é a Encarnação. Ele próprio esteve envolvido nessa agonia, ele próprio suportou toda a dor deste mundo, e isto é inimaginável e devastador e ainda mais impressionante que o poder divino de criar o mundo em primeiro lugar.

— Simplesmente imagine cada dor em particular na história do mundo, tudo reunido em uma bola, comido por Deus, digerido, plenamente experimentado, eternamente. No ato de criar o mundo, Deus não somente disse que houvesse lindos coelhinhos, flores e crepúsculos, mas também sangue, entranhas e moscas zunindo em torno da cruz. Em certo sentido, Templeton está correto. Deus está intimamente envolvido com o ato de criar um mundo de sofrimento. Não foi ele quem o fez — nós o fizemos — no entanto ele disse: "Que esse mundo exista".

— Se ele fizesse isso e depois simplesmente se sentasse e dissesse: "Bem, afinal de contas, é culpa de vocês" — embora tivesse plena justificativa em fazê-lo — eu não vejo como poderíamos amá-lo. O fato de ter ultrapassado inacreditavelmente a justiça, fê-lo tomar todo o sofrimento para si, e torna-o tão fascinante que a resposta ao sofrimento é... — Os olhos de Kreeft moviam-se rapidamente pela sala enquanto buscava as palavras certas. — A resposta — continuou, "é... como você poderia deixar de amar esse ser que andou "a segunda milha"*, que praticou mais do que pregou, que entrou em nosso mundo, que sofreu as nossas dores, que se oferece a nós no meio de nossas tristezas? O que mais ele poderia fazer?

Completei:

— Com efeito, então, a resposta à indagação de Templeton acerca de como Deus poderia suportar todo aquele sofrimento é — ele o suportou.

— *Ele o suportou!* — Kreeft exclamou. — A resposta de Deus ao sofrimento foi ao âmago do problema. Muitos cristãos tentam tirar Deus da dificuldade no que tange ao sofrimento; Deus se colocou em dificuldade, por assim dizer — na cruz. Portanto, a conclusão prática é que se queremos estar com Deus, temos de estar com o sofrimento, não podemos evitar a cruz, seja em pensamento seja de fato. Temos de ir aonde ele está e a cruz é um dos lugares em que ele está. E quando nos envia o nascer do sol, nós lhe agradecemos pelo nascer do sol; quando ele nos envia o pôr-do-sol, morte, sofrimento e cruz, nós lhe agradecemos por isso.

Eu fiquei inquieto.

— É realmente possível agradecer a Deus pela dor que nos sobrevém?

— Sim. No céu nós faremos exatamente isso. Nós diremos a Deus: "Muito obrigado por esta pequena dor que não entendo agora e por aquela pequena dor que não entendi à ocasião; agora vejo que foram as coisas mais preciosas da minha vida."

— Mesmo que eu não me ache emocionalmente capaz de dizê-lo neste instante, ainda que eu não possa honestamente dizer a Deus em meio à dor "Deus, obrigado por esta dor", mas tenha de rogar "Livra-me do mal", isso é perfeitamente correto e perfeitamente honesto — no entanto, creio que essa não é a última palavra. As últimas palavras do pai-nosso não são "livra-nos do mal"; as últimas palavras são "teu é o poder e a glória".

*"A segunda milha" é referência às palavras de Jesus encontradas em Mateus 5.41. (N. do E.)

— Creio de verdade que qualquer cristão relativamente maduro pode olhar para a sua vida e identificar algum momento de sofrimento que o colocou muito mais perto de Deus do que jamais julgou possível. Antes de isso acontecer, teria dito: "Eu realmente não vejo como isso pode produzir algum bem", mas depois de sair do sofrimento ele diz: "Isso é incrível. Eu aprendi algo que nunca achei que poderia ter aprendido. Eu não achava que a minha vontade fraca e rebelde era capaz de tal força, mas Deus, com a sua graça, deu-me força por um momento". Não fosse o sofrimento, isso não teria sido possível.

— A proximidade com Deus, a semelhança com Deus, a conformidade com Deus, não somente a sensação de estar perto de Deus, mas a proximidade ontológica e verdadeira com Deus, a semelhança da alma com Deus, emerge do sofrimento com notável eficiência.

— O senhor mencionou o céu — notei. — E a Bíblia de fato fala sobre os nossos sofrimentos neste mundo como algo leve e momentâneo em comparação com o que os seguidores de Deus irão experimentar no céu. Como é que a questão do céu se encaixa em toda essa história?

Os olhos de Kreeft se abriram.

— Não fosse por isso, dificilmente haveria uma história — observou. — Retire do Novo Testamento todas as referências ao céu e vai sobrar muito pouco. Teresa d'Ávila disse: "À luz do céu, o pior sofrimento da terra, uma vida cheia das torturas mais atrozes sobre a terra, será vista como não mais séria que uma noite em um hotel inconveniente". Essa é uma declaração desafiadora ou até mesmo chocante! Mas ela não falou como estando isolada em uma bolha em que tantos de nós vivemos; falou do alto de uma vida cheia de sofrimento.

— O apóstolo Paulo utiliza outra palavra chocante em um contexto parecido quando compara os prazeres terrenos com o prazer de conhecer a Cristo. Afirmou que os privilégios da cidadania romana, de ser um fariseu entre os fariseus, de ter uma educação esmerada, de ser irrepreensível quanto a Lei

— tudo isto, em comparação com Cristo, é "esterco".[21] Essa é uma palavra bastante ousada!

— De igual modo, em comparação com conhecer a Deus eternamente, comparado com a intimidade com Deus que as Escrituras denominam casamento espiritual, nada mais tem importância. Se o caminho para tanto é por meio da tortura, bem, a tortura não é nada comparada com isso. Sim, ela é enorme em si mesma, mas comparada com isso, não é nada.

— Destarte, a resposta a Templeton é, sim, você está perfeitamente correto ao dizer que essa fotografia da mulher africana é ofensiva. Essa falta de chuva, essa fome, certamente é ofensiva em si mesma. E em certo sentido, a resposta é não entender; uma resposta é olhar para o rosto de Deus e comparar essas duas coisas.

— De um lado da balança, essa tortura ou todas as torturas do mundo; do outro lado da balança, a face de Deus — o Deus disponível a todos os que o buscam no meio da sua dor. O bem de Deus, a alegria de Deus, irá compensar infinitamente todos os sofrimentos — e até mesmo as alegrias — deste mundo.

O poder da presença de Deus

Fiquei contente por Kreeft ter retomado o tema da mulher da fotografia de Templeton. Eu não queria que a entrevista se desviasse. Ela personificava o problema do sofrimento, uma poderosa representante de um bilhão de pessoas carentes que há no mundo.

— Se ela estivesse aqui exatamente agora — indaguei a Kreeft — o que o senhor lhe diria?

Kreeft não hesitou. — Nada — retrucou curto e grosso.

Pisquei os olhos incrédulo. — *Nada?*

— Não, em princípio — respondeu. — Deixaria que ela se

[21]Filipenses 3.8: "Mais do que isso, considero tudo como perda, comparado com a suprema grandeza do conhecimento de Cristo Jesus, meu Senhor, por quem perdi todas as coisas. Eu as considero como esterco para poder ganhar Cristo".

abrisse comigo. O fundador de uma organização para deficientes múltiplos diz que trabalha com os deficientes por uma razão bastante egocêntrica: eles lhe ensinam algo muito mais valioso do que ele jamais poderia ensinar-lhes. A saber, quem ele é. Isto soa a sentimentalismo, mas é verdade.

— Um de meus quatro filhos tem uma deficiência moderada e tenho aprendido mais com ele que com os outros três. Eu tenho aprendido que sou deficiente e que todos nós somos deficientes, e ouvi-lo ajuda a que eu me entenda.

— Assim, a primeira coisa que teríamos de fazer com essa mulher é ouvi-la. Prestar atenção nela. Ver a sua dor. Sentir a sua dor. Nós vivemos em uma relativa bolha de conforto e vemos a dor como observadores, como enigma filosófico ou problema teológico. Essa é a maneira errada de olhar a dor. O que se deve fazer com a dor é penetrar nela, conviver com ela, e aí você aprende alguma coisa.

— De fato, é significativo que a maior parte das objeções à existência de Deus devido ao problema do sofrimento venha de observadores externos que se sentem bastante confortáveis, ao passo que os que realmente sofrem com muita freqüência tornam-se crentes mais fervorosos por causa do sofrimento.

Esse é um fenômeno que muitos escritores têm observado. Depois de uma ampla pesquisa sobre o tema do sofrimento, Philip Yancey escreveu: "À medida que visitava pessoas cuja dor excedia em muito a minha própria [...] fiquei surpreso com os seus efeitos. O sofrimento parecia ter tanta propensão para reforçar a fé quanto para semear o agnosticismo".[22] O teólogo escocês James S. Stewart disse: "São das fileiras dos espectadores, as pessoas que estão do lado de fora olhando para a tragédia, que vêm os céticos; não são os que de verdade estão na arena e que conhecem o sofrimento pelo lado de dentro. Na realidade, são os maiores sofredores do mundo que têm produzido os exemplos mais cintilantes de uma fé invencível."[23]

[22]*Deus sabe que sofremos*, p. 255-6

[23]Warren W. WIERSBE, *Classic sermons on suffering*, Grand Rapids, Michigan: Kregel Publications, 1984, p. 92.

— Por quê? — perguntei a Kreeft.

Sua resposta foi direta.

— Livre-arbítrio — disse. — Há uma história sobre dois rabinos em um campo de concentração. Um deles havia perdido a fé e dizia que Deus não existe; o outro havia mantido a fé e dizia: "Deus vai nos salvar". Ambos estavam na fila para entrar nas câmaras da morte. O crente olhou em volta e disse: "Deus vai nos salvar", mas quando chegou a sua vez de entrar as suas últimas palavras foram: 'Deus não existe'. Então o rabino incrédulo, que havia constantemente questionado a fé do outro rabino, entrou na câmara de gás com a oração *Shema' Ysra'el* nos lábios. Ele tornou-se crente. Livre-arbítrio, em ambas as direções. Por que algumas pessoas na África faminta ou nos campos de concentração se tornam crentes e algumas perdem a fé? Esse é o mistério da imprevisibilidade humana.

— Vamos voltar à mulher — repliquei. — O senhor disse que deveríamos ouvir e reagir a ela, o que parece uma boa coisa. Mas deve haver algo mais.

— Sim — concordou. — Nós gostaríamos de ser como Jesus, orar por ela, consolá-la, acolhê-la, chorar com ela. O nosso amor — um reflexo do amor de Deus — deveria impelir-nos a ajudá-la, bem como a outros que estão sofrendo.

Kreeft fez um gesto em direção ao corredor. — Na minha porta existe um cartum de duas tartarugas. Uma delas diz: "Às vezes eu gostaria de perguntar por que ele permite pobreza, fome e injustiça quando poderia fazer algo a respeito". A outra tartaruga diz: "Eu tenho medo de que Deus me faça a mesma pergunta". Os que têm o coração de Jesus em relação aos sofredores precisam viver concretamente a sua fé, minorando o sofrimento onde podem, fazendo a diferença, encarnando o amor de Deus de maneira prática.

— Este cartum me lembra do jeito como Deus gosta de devolver as perguntas — comentei.

— Sim, ele faz isso constantemente. Isso aconteceu com Jó. Jó estava imaginando quem era Deus, porque parecia que Deus era um sádico cósmico. No final do livro de Jó — o clássico de todos os tempos sobre o problema do sofrimento— Deus finalmente aparece com a resposta — e a resposta é uma pergunta. Ele diz a Jó: "Quem é você? Você é Deus? Você escreveu esse roteiro? Você estava lá quando eu lancei os fundamentos da terra?" E Jó percebe que a resposta é não e fica satisfeito. Por quê? *Porque ele vê Deus!* Deus não lhe escreve um livro. Ele poderia ter escrito o melhor de todos os livros sobre o problema do mal. Em vez disso, mostra-se a Jó.

— E isso o satisfez.

— Sim! *Tem de* satisfazer — isso é o que irá satisfazer-nos para sempre no céu. Eu creio que Jó teve um antegozo do céu no final do seu livro, porque ele se encontra com Deus. Se Deus lhe desse apenas palavras, significaria que Jó poderia dialogar e fazer outra pergunta e Deus daria uma boa resposta e Jó faria outra pergunta no dia seguinte e no outro, porque Jó era um filósofo muito exigente. Essa toada continuaria para sempre e jamais terminaria. O que podia pôr-lhe fim? A presença de Deus! Deus não deixou Jó sofrer porque lhe faltava amor, mas porque ele realmente amou, a fim de levar Jó ao ponto de se encontrar com Deus face a face, que é a suprema felicidade para toda a humanidade. O sofrimento de Jó cavou um grande vazio a fim de que Deus e a alegria pudessem preenchê-lo.

— Quando olhamos para o relacionamento humano, vemos que os amantes não querem explicações, mas presença. E Deus é essencialmente presença — a doutrina da Trindade diz que Deus reúne em si três pessoas que estão unidas umas às outras em perfeito conhecimento e amor. Por isso Deus é alegria infinita. E à medida que participamos dessa presença, nós também temos alegria infinita. É isso o que Jó recebe — ainda no seu monte de esterco, ainda antes de receber de volta quaisquer dos seus bens terrenos — quando contempla Deus face a face.

— Como eu disse, isso faz sentido até mesmo entre os seres humanos. Digamos quem Romeu e Julieta têm um amor muito mais profundo e mais maduro que na peça de Shakespeare. Digamos que é Julieta que Romeu mais deseja. E digamos que ele perdeu todos os seus amigos e posses, está sangrando e pensa que Julieta está morta. Então ele vê Julieta levantar-se e dizer: "Romeu, onde você está? Eu não estou morta; você está?" Estaria Romeu plenamente feliz? Sim. *Completamente* feliz? Sim. Por acaso se importa de estar sangrando, esfarrapado e pobre? De modo nenhum! Ele preferiria muito mais estar apaixonado no sul do Bronx do que divorciado em Honolulu.

Toda lágrima é uma lágrima dele

Obviamente estávamos nos encaminhando para o ponto alto da nossa discussão. As pistas que Kreeft havia mencionado no início da nossa entrevista estavam convergindo e eu podia sentir uma paixão e convicção crescentes na sua voz. Queria sentir mais do seu coração — e não ficaria desapontado.

— Desse modo, a resposta ao sofrimento — disse ao tentar resumir até onde havíamos chegado, — simplesmente não é uma resposta.

— Correto — acentuou, inclinando-se para a frente enquanto defendia a sua causa. — É Aquele que responde. É o próprio Jesus. Não é um punhado de palavras; é a Palavra. Não é um argumento filosófico bem costurado; é uma pessoa. *A* pessoa. A resposta ao sofrimento não pode ser simplesmente uma idéia abstrata, porque essa não é uma questão abstrata; é uma questão pessoal. Ela requer uma resposta pessoal. A resposta deve ser alguém; não apenas algo, porque a questão envolve alguém: "*Deus, onde está você*?".

Essa pergunta quase ecoou no seu pequeno escritório. Ela exigia uma resposta. Para Kreeft, existe uma — uma muito real. Uma Resposta viva.

— Jesus está lá, sentado ao nosso lado nos lugares mais humildes — exclamou. — Estamos partidos? Ele foi partido, como pão, por nós. Somos desprezados? Ele foi desprezado e rejeitado pelos homens. Bradamos que não agüentamos mais? Ele foi um homem de dores e experimentado no sofrimento. As pessoas nos traem? Ele mesmo foi vendido pelo traidor.

Nossos relacionamentos mais caros estão partidos? Ele também amou e foi rejeitado. As pessoas se afastam de nós? Esconderam o rosto dele como o de um leproso. Desceria a todos os nossos infernos? *Sim*, ele o fez. Das profundezas de um campo de morte nazista, Corrie ten Boom escreveu: "Não importa quão profundas sejam as nossas trevas, ele é ainda mais profundo". Ele não somente ressurgiu dentre os mortos, mas mudou o significado da morte e, portanto, de todas as pequenas mortes — os sofrimentos que antecipam a morte e fazem parte dela. Ele foi morto a gás em Auschwitz. Escarnecido em Soweto. Injuriado na Irlanda do Norte. Escravizado no Sudão. É aquele que gostamos de odiar e que escolheu nos devolver amor. Toda lágrima que derramamos se torna uma lágrima dele. Ele pode não enxugá-las já, mas o fará.

Fez uma pausa, o tom confiante mudando para um tom cauteloso. — Por fim, Deus nos tem dado somente explicações parciais — disse vacilante e lentamente. — Talvez tenha sido assim porque percebeu que uma explicação melhor não teria sido boa para nós. Não sei por quê. Como filósofo, obviamente sou curioso. Humanamente falando, eu gostaria que ele tivesse nos dado mais informações.

Dito isto, fixou o seu olhar no meu.

— Sabia que Jesus era mais que uma explicação — disse com firmeza. "Ele é o que realmente necessitamos. Se o seu amigo está doente e à morte, a coisa mais importante que ele quer não é uma explicação; quer que você se sente ao seu lado. Mais que qualquer outra coisa, ele está apavorado de ficar só. Deus não nos deixou sós.

Kreeft inclinou-se para trás e deixou-se relaxar. Havia somente mais uma coisa que queria que eu soubesse.

— E por isso — concluiu — *eu o amo*.

Extrair o bem do mal

Cerca de uma hora mais tarde, havia silêncio no carro enquanto ele serpenteava pelas ruas de Boston, molhadas e escorregadias, no caminho de volta para o aeroporto. Meu amigo Marc Harrienger, um antigo morador de Boston, havia gentilmente se oferecido para me levar ao escritório de Kreeft e me trazer de volta. Olhando distraidamente pela janela, recapitulava a entrevista em minha mente. Acima de tudo, estava imaginando como aquela mulher africana teria respondido às palavras sinceras do filósofo.

Marc tinha assistido à entrevista toda, ouvindo atentamente sentado em uma cadeira de madeira encostada à parede. Para ele, não era um assunto de especulação gratuita.

Marc rompeu o silêncio.

— É verdade — exclamou.

— O que é verdade? — perguntei.

— O que Kreeft disse — é verdade. Eu sei. Eu experimentei.

Anos antes, Marc estava tirando a neve da entrada da garagem quando sua esposa disse que iria mover o carro e pediu-lhe que vigiasse a filhinha. Quando o carro deu marcha à ré, de repente viram-se jogados no maior pesadelo que os pais podem imaginar: a pequerrucha havia sido esmagada por uma roda.

Como a mulher africana, Marc já soube o que é segurar uma criança agonizante nos braços. Embora não tenha podido falar com aquela mãe aflita, com ele pude falar.

O desespero inicial de Marc foi tão profundo que teve de pedir a Deus para ajudá-lo a respirar, ajudá-lo a comer, ajudá-lo a funcionar no nível mais elementar. Estava paralisado pela dor emocional. Contudo, cada vez mais sentia a presença de Deus, a sua graça, o seu calor, o seu consolo, e muito lentamente, ao longo do tempo, as suas feridas começaram a cicatrizar.

Tendo experimentado a realidade de Deus no momento de maior necessidade, Marc emergiria dessa provação como uma outra pessoa, ao abandonar a carreira nos negócios para freqüentar o seminário. Pelo sofrimento — embora nunca o tivesse escolhido, apesar de ter sido horrivelmente doloroso e conquanto tenha abalado profundamente a sua vida — Marc foi transformado em alguém que dedicaria o restante da sua vida para levar a compaixão de Deus a outros que estão sós em seu desespero.

No púlpito pela primeira vez, Marc pôde apelar às próprias experiências com Deus nas profundezas da dor. As pessoas ficaram cativadas porque a sua perda havia lhe dado percepção, empatia e credibilidade especiais. No final, dezenas delas responderam dizendo que também queriam conhecer esse Jesus, esse Deus de lágrimas. Outros corações estavam sendo curados pelo fato de Marc ter sido atingido. Do desespero de um casal emerge nova esperança para muitos.

— Às vezes os céticos escarnecem da Bíblia dizendo que Deus pode fazer com que o bem resulte da nossa dor se corrermos para ele em vez de nos afastarmos dele — disse Marc. — Mas tenho visto isso acontecer na minha vida. Tenho experimentado a bondade de Deus em meio a profunda dor e nenhum cético pode se contrapôr a isto. O Deus que o cético nega é o mesmo Deus que segurou as nossas mãos nos lugares profundos e escuros, que fortaleceu o nosso casamento, que aprofundou a nossa fé, que aumentou a nossa dependência dele, que nos deu outros dois filhos e que encheu nossa vida com um novo propósito e significado, o que nos permite ajudar outras pessoas.

Perguntei delicadamente:

— Para começo de conversa, você gostaria de ter tido mais respostas sobre a razão pela qual o sofrimento acontece?

— Nós vivemos em um mundo dilacerado; Jesus foi honesto o bastante para nos dizer que teríamos provas e tribulações.[24] Claro, gostaria de entender melhor por quê. Mas a conclusão de Kreeft estava certa — a resposta final é a presença de Jesus. Eu sei que isso pode parecer tolo. Mas espere um pouco — quando o seu mundo é abalado, você não quer filosofia ou teologia, prefere a realidade de Cristo. Ele *foi* a resposta para mim. Ele foi a própria resposta de que necessitávamos.

[24]Jesus disse em João 16.33: "Eu lhes disse essas coisas para que em mim vocês tenham paz. Neste mundo vocês terão aflições; contudo, tenham ânimo! Eu venci o mundo".

A existência da dor e do sofrimento é uma poderosa acusação contra Deus. A questão, todavia, é se as evidências levam à condenação dele. Concluí que a hábil análise e as analogias de Kreeft contribuíram bastante para solapar esse formidável obstáculo à fé, mas permaneceram muitas outras objeções. Esse foi só o início de uma longa jornada de descoberta e decidi suspender o meu veredicto final até que todos os obstáculos à fé fossem enfrentados e todos os fatos estivessem presentes.

Enquanto isso, o destacado pastor inglês John Stott, que reconheceu ser o sofrimento "o maior desafio isolado à fé cristã", chegou à sua conclusão:

> Eu mesmo jamais poderia crer em Deus, se não fosse pela cruz [...] No mundo real da dor, como alguém poderia adorar um Deus que fosse imune a ela? Já entrei em muitos templos budistas em diferentes países da Ásia e parei respeitosamente diante da estátua de Buda, as pernas e os braços cruzados, os olhos fechados, o fantasma de um sorriso a brincar em torno dos lábios, um olhar distante, isolado das agonias do mundo. Mas cada vez, depois de algum tempo, tive de me virar. E, na imaginação, voltei-me para aquela figura solitária, retorcida e torturada na cruz, os cravos atravessando as mãos e os pés, as costas laceradas, os membros deslocados, a fronte sangrando por causa dos espinhos, a boca intoleravelmente sedenta, lançada nas trevas do abandono de Deus. Esse é o Deus! Para mim Ele deixou de lado a sua imunidade à dor. Ele entrou em nosso mundo de carne e sangue, lágrimas e morte. Ele sofreu por nós. Nossos sofrimentos tornam-se mais manejáveis à luz dos seus. Ainda há um ponto de interrogação contra o sofrimento humano, mas em cima dele podemos estampar outra marca, a cruz, que simboliza o sofrimento divino. "A cruz de Cristo [...] é a única autojustificação de Deus em um mundo como o nosso".[25]

[25]*A cruz de Cristo*, p. 32.

Ponderações

Perguntas para reflexão ou estudo em grupo

1. Como é que as dificuldades, os desafios e até mesmo a dor moldaram o seu caráter e os seus valores? Em que sentido você é hoje diferente em conseqüência dos problemas que teve de enfrentar na vida? Você pode imaginar a idéia de agradecer a Deus algum dia pela maneira como o sofrimento moldou você? Kreeft disse: "Creio que todo sofrimento contém pelo menos a oportunidade para o bem". Isso foi verdade no seu caso?
2. Quais foram os pontos mais fortes de Kreeft? Quais foram os mais fracos? Se você tivesse a oportunidade de questioná-lo, o que você perguntaria? Com base nas outras observações dele, como você acha que ele poderia responder à sua pergunta?
3. Se você fosse Deus, teria planejado o mundo de outra maneira? Ao remover o sofrimento ou o mal e tocar no livre-arbítrio das pessoas, reflita sobre as conseqüências resultantes. Como as pessoas na sua imaginação formariam o caráter? Elas seriam motivadas a buscar a Deus em meio aos seus prazeres? Se você interviesse sobrenaturalmente para eliminar o mal, onde estabeleceria o seu limite — para impedir o assassinato? O abuso contra crianças? O roubo? A calúnia? Os maus pensamentos que podem induzir às más ações? Até que ponto as pessoas são transformadas em bonecos que carecem de livre-arbítrio e, portanto, não podem expressar verdadeiramente o amor?
4. Se Marc se sentasse ao lado da mulher na foto da revista *Life*, que três coisas você acha que ele diria a ela? Como você crê que ela poderia responder?

Outras fontes de consulta

Mais recursos sobre esse tema

- KREEFT, Peter. *Making sense out of suffering*. Ann Arbor, Michigan: Servant, 1986.
- PALAU, Luis *Where is God when bad things happen?*. New York: Doubleday, 1999.
- TADA, Joni Eareckson e ESTES, Steven *When God weeps* . Grand Rapids, Michigan: Zondervan, 1997.
- YANCEY Philip, *Deus sabe que sofremos*. São Paulo: Vida, 1985.

Segunda objeção

Uma vez que os milagres contradizem a ciência, eles não podem ser verdadeiros

O nascimento virginal, a ressurreição de Cristo, a ressurreição de Lázaro, até mesmo os milagres do Antigo Testamento, todos eles são livremente utilizados para propaganda religiosa e são muito eficientes com uma audiência de pessoas não-sofisticadas e crianças.

Richard Dawkins, ateu[1]

Não se trata somente de um rumor instigante de que Deus agiu na história, mas um fato digno da nossa convicção intelectual. Os milagres do cristianismo não são um embaraço para a cosmovisão cristã. Antes, são um testemunho da compaixão de Deus por seres humanos enredados pelo pecado e pelas circunstâncias.

Gary Habermas, cristão[2]

Tenho visto réus culpados se contorcerem e suarem no banco das testemunhas ao sentirem o laço da justiça apertar lentamente em torno do seu pescoço. Eles tentam safar-se da difícil situação por meio da mentira. Forjam histórias improváveis no fútil esforço de negar as evidências incriminadoras. Fabricam álibis claramente falsos; lançam a culpa em pessoas inocentes; tentam desacreditar a polícia e os promotores; reescrevem a história; negam, confundem e tentam enganar o juiz e os jurados.

[1]Snake Oil and Holy Water. Disponível em: www.forbes.com/asap/99/1004/235.htm. Acesso em 19 jun. 1999.

[2]*In defense of miracles*, Downers Grove, Illinois: InterVarsity Press, 1997, p. 280.

Existe, porém, uma tática que nunca vi: o réu insistir no motivo das suas impressões digitais aparecerem na arma do crime é — de algum modo, por alguma razão inexplicável, em decorrência de um ato de Deus, um acontecimento misterioso, único e sobrenatural que fez as suas impressões digitais aparecerem repentinamente em algo que nunca havia tocado.

Certa vez um réu tentou a "defesa do pãozinho recheado", afirmando dubiamente que o seu elevado nível de açúcar foi de algum modo responsável pelo comportamento criminoso, mas nem mesmo o mais audacioso réu tentaria a "defesa do milagre".

Por quê? Porque ninguém acreditaria nele! Afinal, nós somos pessoas modernas e científicas que vivem no terceiro milênio. Nós não aceitamos superstições, bruxarias ou intervenções diretas vindas de alguma fonte divina invisível. Reivindicar um milagre seria algo tão abertamente estúpido que nem o réu mais desesperado apelaria para essa estratégia.

Certa vez assisti aos mágicos-comediantes Penn e Teller escolher na platéia um menino de dez anos chamado Isaías e mostrar-lhe uma longa tira de poliéster. A seguir deram um nó na fita e cortaram-no ao meio. Sacudiram o tecido ostensivamente e — tchã, tchã, tchã, tchã! — ele estava inteiro outra vez.

— O que você acha? — Penn perguntou ao pequeno Isaías. — Isso foi um milagre ou um truque de mágica?

Isaías não hesitou.

— Um truque de mágica — respondeu confiante.

Parece que uma simples criança é inteligente o suficiente para saber que quando não conseguimos entender bem o que poderia ter causado um acontecimento misterioso, ainda assim existe sem dúvida uma explicação racional à parte do miraculoso.

Soube pela conversa com o agnóstico Charles Templeton que ele havia abandonado a sua crença em milagres há muitos anos. "Nossos antepassados buscavam interpretar os aspectos imponderáveis da vida dentro dos limites da sua experiência, geralmente atribuindo o inexplicável à intervenção de um ou mais deuses, semideuses e espíritos malignos", escreveu. "Mas seguramente [...] já é hora de nos desfazermos de especulações e superstições primitivas e encararmos a vida em termos racionais."[3]

Existem cientistas que concordam, prevendo que a marcha do conhecimento irá por fim esmagar a crença em eventos sobrenaturais. Em 1937, o físico alemão Max Planck disse: "A fé nos milagres deve ceder terreno, pouco a pouco, diante do avanço firme e constante das forças da ciência, e indubitavelmente a sua derrota total é uma simples questão de tempo."[4]

O ateu Richard Dawkins, professor de compreensão geral da ciência na Universidade de Oxford e autor de *The selfish gene* [*O gene egoísta*], crê que esse momento está chegando rapidamente. "Nós estamos trabalhando em um [...] entendimento completo do universo e de tudo o que há nele", afirmou em entrevista pelo telefone.[5]

Isso significa que, como aconteceu com a faixa magicamente restaurada de Penn e Teller, não haveria necessidade de apelar ao miraculoso para explicar o que anteriormente estivera envolto em mistério.

Mas pode uma pessoa ser cientificamente sofisticada e ainda assim crer na possibilidade de milagres? "A minha fé pode ser resumida neste grande paradoxo: eu creio na ciência e eu creio em Deus", disse o físico nuclear Hugh Siefken. "Eu pretendo continuar a dar testemunho de ambos."[6]

Ele e muitos outros cientistas não vêem qualquer conflito inato entre a profissão e a conclusão de que um Deus que realiza milagres é responsável pela criação e manutenção do universo.

Essa é uma forma de negação profissional? Pode uma pessoa rejeitar duendes e fadas como fantasiosos e ao mesmo tempo

[3]*Farewell to God*, p. 21.

[4]Citado em *Searching issues* de Nick Gruble (Eastbourne, East Sussex, Inglaterra: Kingsway Publications, 1994), p. 9.

[5]*Interviews*, de Nicky Gruble. Disponível em: www.pbs.org/faithandreason. Acesso em 21 nov. 1999.

[6]Dale e Sandy LARSEN, *Sete mitos sobre o cristianismo*, São Paulo: Vida, 2001, p. 86.

aceitar o maná do céu, o nascimento virginal e a Ressurreição como eventos fidedignos da história? Se os milagres são violações diretas de leis naturais, como pode uma pessoa racional crer que possam ocorrer?

Sabia que William Lane Craig era uma pessoa racional. E estava ciente que ele tem usado suas consideráveis habilidades intelectuais para defender a idéia de que Deus tem intervindo — e intervém — no mundo por intermédio de atos milagrosos. Telefonei e lhe perguntei se estaria disposto a deixar-me questioná-lo sobre esse assunto.

— Claro — afirmou. — Venha para cá.

Anotei uma longa lista de desafios e fiz a reserva de um vôo para Atlanta. No avião, refleti que as pessoas primitivas provavelmente teriam considerado viagens a jato como um milagre. De que outra maneira cinqüenta toneladas de metal poderiam ser mantidas no ar em uma aparente negação da lei da gravidade? Certamente a mão invisível de Deus devia estar sustentando o avião.

As pessoas de hoje sabem mais. Entendem de aerodinâmica e propulsão a jato. Mas o nosso conhecimento da ciência e da tecnologia teria realmente tornado obsoleta a crença em milagres? Ou Craig seria capaz de oferecer evidências convincentes de que uma pessoa pode ser sensata e perspicaz e ao mesmo tempo manter a validade do milagroso?

Segunda entrevista: Willian Lane Craig, PH.D.

A minha reação inicial quando vi Bill Craig foi de incredulidade. A sua barba, que por 23 anos lhe havia dado um ar sério e erudito, havia desaparecido. Meu rosto deve ter expressado o choque que senti.

— Completei 50 anos — explicou, — e comemorei o evento raspando a barba.

Craig me fez descer um lance de escadas, levando-me para o seu escritório, uma sala bem organizada dominada por uma escrivaninha de madeira escura e estantes do chão ao teto com fileiras cuidadosamente dispostas de livros e periódicos acadêmicos. Instalei-me em uma poltrona confortável enquanto Craig desabava atrás da escrivaninha numa poltrona de couro que reagiu com forte guincho.

Craig escreveu amplamente sobre milagres, especialmente a ressurreição de Jesus. Os seus livros incluem *Reasonable faith* [*Fé racional*], *Knowing the truth about the resurrection* [*Conhecendo a verdade sobre a ressurreição*], *The historical argument for the resurrection of Jesus* [*O argumento histórico a favor da ressurreição de Jesus*] e *Assessing the New Testament evidence for the historicity of the resurrection of Jesus* [*Avaliando as evidências do Novo Testamento acerca da historicidade da ressurreição de Jesus*] e contribuiu para *In defence of miracles* [*Em defesa dos milagres*], *Does God exist*? [*Deus existe*?], *Jesus under fire* [*Jesus sob fogo*] e *The intellectuals speak out about God* [*Os intelectuais falam de Deus*].

É doutor em filosofia da Universidade de Birmingham, na Inglaterra, e em teologia da Universidade de Munique, e atualmente é professor-pesquisador de filosofia na Escola de Teologia Talbot. É membro de nove sociedades de profissionais, entre as quais a Academia Americana de Religião, a Sociedade de Literatura Bíblica e a Associação Filosófica Americana, e escreve artigos para *New Testament Studies*, *Journal for the Study of the New Testament*, *Journal of the American Scientific Affiliation*, *Gospel Perspectives*, *Philosophy* e outras publicações acadêmicas.

Sem barba e usando jeans, Craig parecia dez anos mais moço, penetrantes olhos azuis, cabelo castanho penteado informalmente para o lado e um riso fácil e entusiasmado. Coçou o queixo — talvez inconscientemente, sentindo falta da barba — enquanto ouvia com atenção a minha primeira pergunta, que reconhecidamente tinha um tom de desafio.

— Muito bem, dr. Craig, o senhor é um indivíduo inteligente e culto — comecei. — Diga-me: como uma pessoa moderna e racional pode ainda crer em bebês que nascem de virgens, pessoas que caminham sobre a água e cadáveres que saem vivos de túmulos?

Craig sorriu.

— É engraçado que você pergunte especificamente sobre o nascimento virginal — ressaltou, — porque essa foi uma grande objeção para que eu me tornasse cristão. Eu achava que era totalmente absurdo.

— Verdade? — espantei-me. — O que aconteceu?

— Quando a mensagem cristã me foi comunicada pela primeira vez na minha adolescência, eu já havia estudado biologia. Sabia que, para o nascimento virginal ser verdadeiro, um cromossomo Y tinha de ser criado do nada no óvulo de Maria, porque Maria não possuía o material genético para produzir um filho. Para mim, isso era totalmente fantástico. Simplesmente não tinha sentido.

— O senhor não está sozinho — observei. — Outros céticos também têm problemas com isso. Como o senhor prosseguiu?

Craig refletiu por um momento.

— Bem, coloquei essa questão de lado e me tornei um cristão de qualquer maneira, muito embora não cresse realmente no nascimento virginal. Depois de me tornar cristão, ocorreu-me que se realmente creio em um Deus que criou o universo, para ele criar um cromossomo Y seria brincadeira!

Disse a Craig que achei interessante o fato de ele ter se tornado cristão apesar das dúvidas sobre uma doutrina tão significativa como o nascimento virginal.

— Acho que a autenticidade da pessoa de Jesus e a verdade da sua mensagem foram tão poderosas que elas simplesmente suplantaram quaisquer dúvidas residuais que eu tivesse — respondeu.

Pressionei, perguntando:

— O senhor não estava se jogando de cabeça em algo que não aceitava totalmente?

— Não, eu acho que esse pode ter sido um bom procedimento — retorquiu. Você não precisa ter respostas para todas as suas perguntas para chegar à fé. Você simplesmente tem de dizer: "O peso da evidência parece mostrar que isso é verdadeiro; assim, embora eu não tenha respostas para todas as minhas perguntas, vou acreditar e esperar pelas respostas mais tarde". Foi o que aconteceu comigo.

— Uma pessoa tem de suspender o seu juízo crítico a fim de crer em algo tão improvável como os milagres?

Craig aprumou-se na poltrona e levantou o dedo indicador para dar ênfase ao argumento.

— Somente se você crê que Deus não existe! — acentuou. — Aí eu concordaria — o miraculoso seria absurdo. Mas se existe um Criador que concebeu e trouxe à existência o universo, que sustenta a sua continuidade, que é responsável pelas próprias leis naturais que governam o mundo físico, então certamente é racional acreditar que milagres são possíveis.

Milagres *versus* ciência

Estávamos já começando a entrevista, mas ainda não tínhamos parado para definir os termos. Antes de prosseguir, estava convencido que era importante definirmos o que significa "milagre".

— Utilizamos essa palavra de modo bastante aleatório — disse. Lembrando de fatos ocorridos no dia, acrescentei: — Por exemplo, eu poderia dizer: — Foi um milagre eu ter feito um vôo até Atlanta" ou "É um milagre eu ter achado a sua casa". Seria tratar esta palavra de maneira muita vaga?

— Sim, acho incorreto falar dessas coisas como milagres — concordou. São evidentemente acontecimentos naturais com conseqüências naturais.

— Então, como o senhor define o termo?

Craig expôs sua definição de maneira precisa.

— No sentido apropriado — afirmou, — milagre é o acontecimento que não pode ser produzido pelas causas naturais que atuam no tempo e lugar em que o evento ocorre.

Enquanto ele a emitia, repeti silenciosamente a definição a fim de fixá-la na minha mente. Ponderei por alguns instantes antes de partir para a pergunta seguinte, que eu julgava lógica.

— Não haveria aí uma contradição entre ciência e milagre? — perguntei. — O filósofo ateu Michael Ruse aponta: "Os criacionistas crêem que o mundo começou miraculosamente. Mas os milagres estão fora do âmbito da ciência, que, por definição, trata do natural, do recorrente, daquilo que é governado pela lei".[7]

— Observe que Ruse não diz que os milagres são *contraditórios* com a ciência — notou Craig. — Ele diz que os milagres estão *fora* do âmbito da ciência, e isso é bem distinto. Acho que o cristão que crê em milagre concordaria com ele nesse aspecto. Ele poderia dizer que os milagres, propriamente falando, estão fora âmbito da ciência natural — mas isso não significa dizer que eles contradizem a ciência.

Tentei digerir a distinção.

— O senhor pode pensar em outro exemplo parecido? — perguntei.

Craig pensou por instantes antes de responder.

— Bem, a ética, por exemplo, está fora do âmbito da ciência — respondeu. — A ciência não faz julgamentos éticos. Portanto, não objetaria necessariamente a afirmação de Ruse. Ele está dizendo que o objetivo da ciência é buscar explicações naturais, portanto os milagres estão fora do reino científico.

Antes que eu pudesse fazer outra pergunta, Craig continuou. — Devo acrescentar, no entanto, que você pode elaborar uma forma teísta de ciência. Por exemplo, existe toda uma corrente de pessoas como o matemático William Dembski e o bioquímico Michael Behe que inferem, por meios baseados em princípios, que existe um Planejador Inteligente do universo e do mundo biológico.[8] Eles não estão sendo arbitrários — em uma perspectiva racional e científica estão concluindo, a partir das

[7]*Darwinism defended*, Londres: Addison-Wesley, 1982, p. 322.

[8]V. *The design inference*, de William Dembski (Cambridge: Cambridge University Press, 1998); *Darwin's black box*, de Michael Behe (New York: The Free Press, 1996); e *Intelligent design*, de William Dembski & Michael Behe (Downers Grove, Illinois: InterVarsity Press, 1999).

evidências, que deve haver um Criador inteligente.

— O senhor está discordando do grande cético David Hume, que definiu os milagres como violações das leis da natureza.

— Sim, com certeza. Esse é um entendimento inadequado do milagre — disse. — Veja, as leis naturais têm condições implícitas *ceteris paribus* — expressão latina que significa "todas as demais coisas sendo iguais". Em outras palavras, as leis naturais pressupõem que nenhum outro fator natural ou sobrenatural está interferindo na operação que a lei descreve.

— O senhor pode me fornecer um exemplo?

Os olhos de Craig varreram a sala em busca de uma ilustração. Finalmente encontrou uma no próprio corpo.

— Bem, é uma lei da natureza que o oxigênio e o potássio entrem em combustão quando combinados — explicou. — Mas eu tenho oxigênio e potássio no meu corpo e, no entanto, não estou entrando em combustão. Isso significa que se trata de um milagre e que estaria violando as leis da natureza? Não, porque a lei simplesmente declara o que acontece em condições ideais, pressupondo que nenhum outro fator interfira. Neste caso, porém, *existem* outros fatores que interferem na combustão, e desse modo ela não ocorre. Não se trata de uma violação da lei.

— De igual modo, se existe um agente sobrenatural que está atuando no mundo natural, então as condições ideais descritas pela lei não mais estão atuando. A lei não está sendo violada porque ela tem uma regra implícita de que nada possa estar afetando as condições ideais.

Disse a Craig que a sua explicação me fez lembrar uma conversa que tive vários anos antes com J. P. Moreland, o conhecido filósofo que escreveu *Christianity and the nature of science* [*O cristianismo e a natureza da ciência*]. Ele usou uma ilustração da lei da gravidade, que diz que se você soltar um objeto ele cairá na terra. Porém, se uma maçã cair de uma árvore e você estender a mão para apanhá-la antes que ela atinja o chão, você não está violando ou negando a lei da gravidade; está simplesmente intervindo.

— Sim, é isso o que quero dizer com as condições *ceteris paribus* — disse Craig. — A lei da gravidade declara o que irá acontecer sob condições ideais, sem a intervenção de fatores naturais ou sobrenaturais. Apanhar a maçã não subverte a lei da gravidade nem requer a formulação de uma nova lei. É simplesmente a intervenção de uma pessoa com livre-arbítrio que sobrepuja as causas naturais que atuam naquela circunstância particular. E é isso, essencialmente, o que Deus realiza quando faz ocorrer um milagre.

Aquilo fazia sentido para mim. Eu sabia, no entanto, que alguns cientistas ainda assim desprezariam o milagre como mera superstição. Decidi prosseguir com essa linha de questionamento.

Verdadeiros atos de Deus

Perguntei a Craig o que ele achava da predição do físico Max Plank de que a fé no milagre cederia inevitavelmente terreno ao avanço da ciência, e da observação do biólogo Richard Dawkin de que os cientistas algum dia entenderiam o funcionamento do universo e assim eliminariam a necessidade de explicações milagrosas. A reação de Craig me surpreendeu.

— Acho que eles estão certos — exclamou.

Levantei os olhos das minhas anotações, pensando que talvez ele tivesse entendido mal a minha pergunta. — Como é mesmo? — insisti.

— Realmente — reiterou, — acho que eles estão corretos — na medida em que algumas pessoas supersticiosas usam o milagre como desculpa para a ignorância e jogam a bola para Deus toda vez que não conseguem explicar alguma coisa. Penso que é bom que a ciência afaste esse tipo de pensamento simplista.

— Contudo esses não são os milagres dos quais estou falando. Estou me referindo a eventos por meio dos quais, em princípio, se pode inferir legitimamente que um agente sobrenatural interveio no processo. Esses milagres — *verdadeiros atos de Deus* — não serão afastados pelo avanço da ciência, porque não estão baseados no apelo à ignorância. São comprovados pelo peso das evidências científicas e históricas.

— Michael Behe comporta-se assim no seu livro *Darwin's black box* [*A caixa preta de Darwin*]. Behe explora a "complexidade irredutível" na natureza — organismos que não poderiam ter evoluído passo a passo através de um processo darwinista gradual de seleção natural e mutação genética. Ora, ele não está dizendo que isto é simplesmente inexpli-cável cientificamente. Ele está apontando para uma inferência, baseada em princípios, a um Planejador Inteligente, com base no que as evidências demonstram. Isso é racional. As suas conclusões são baseadas em sólida análise científica.

A argumentação de Craig sobre as evidências do milagre levou-me a perguntar sobre outro argumento apresentado por Hume, o cético escocês do século XVIII e o mais famoso questionador do milagre em toda a história.

— Hume disse que as evidências a favor da uniformidade da natureza são tão conclusivas que quaisquer evidências favoráveis ao milagre jamais seriam capazes de suplantá-las — observei. — Por exemplo, considere a Ressurreição. Nós temos milhares de anos de evidências uniformes de que pessoas mortas simplesmente não retornam dentre os mortos. Por conseguinte, Hume diz que nenhuma quantidade de evidência seria capaz de suplantar essa tremenda pressuposição.

Craig abanou a cabeça.

— Não há contradição entre acreditar que os homens em geral permanecem nos túmulos e que Jesus de Nazaré ressurgiu dentre os mortos. De fato, os cristãos acreditam em ambos. O oposto da afirmação de que Jesus ressuscitou dentre os mortos não é que todos os outros homens permaneceram nos túmulos; é que Jesus de Nazaré permaneceu no *seu* túmulo.

— Com o fim de argumentar contra as evidências a favor da Ressurreição, é preciso apresentar evidências contra a própria Ressurreição, e não evidências de que todas as outras pessoas sempre permaneceram em seus túmulos.

Assim, eu entendo que o argumento dele é simplesmente falacioso.

— Agora, eu concordaria com Hume no sentido de que a ressurreição *natural* de Jesus dentre os mortos, sem qualquer tipo de intervenção divina, é tremendamente improvável. Mas *não* é essa a hipótese. A hipótese é de que Deus ressuscitou Jesus dentre os mortos. Isso não contradiz as leis da natureza: homens mortos não retornam à vida *naturalmente*.

Evidências extraordinárias

Embora pudesse entender o argumento de Craig, queria insistir nesse tópico.

— Alguns críticos dizem que a Ressurreição é um acontecimento extraordinário e, portanto, requer evidências extraordinárias — disse. — Essa afirmação não tem um certo atrativo?

— Sim, isso parece uma questão de bom senso — respondeu. — Mas posso demonstrar que é falsa.

— Como assim?

— Porque esse princípio o impediria de crer em todos os tipos de acontecimentos que abraçamos racionalmente. Por exemplo, você não acreditaria na informação do noticiário vespertino de que os números sorteados na loteria da noite passada foram 4, 2, 9, 7, 8 e 3, porque esse seria um evento de extraordinária improbabilidade. As chances contra isso são de milhões e milhões contra um e, portanto, você não deve crer nessa informação quando o noticiário a transmite. Todavia, evidentemente nós cremos que somos racionais ao concluir que a notícia é verdadeira. Como isso é possível?

— Bem, os teóricos da probabilidade dizem que se deve pesar a improbabilidade da ocorrência do evento contra a probabilidade de que as evidências seriam exatamente como são se o evento não tivesse ocorrido.

Craig fez essa afirmação de modo tão rápido que tive dificuldade em assimilá-la. — Espere aí — interrompi, levantando a mão. — O senhor vai ter de ir mais devagar e dar-me um exemplo.

— Está bem, veja a coisa desse modo: se o noticiário vespertino tem uma probabilidade muito alta de estar correto, então é altamente improvável que ele informe incorretamente os números sorteados na loteria. Isso contrabalança qualquer improbabilidade no sorteio daqueles números, de modo que você é bastante racional ao crer nesse evento altamente improvável.

— Da mesma maneira, qualquer improbabilidade que você possa achar que existe na Ressurreição de Jesus é contrabalançada pela improbabilidade da ocorrência do túmulo vazio, dos aparecimentos de Jesus após a Ressurreição e da mudança repentina dos primeiros discípulos se não houvesse esse evento. Percebe o que eu quero dizer?

Este exemplo deixava claro o argumento. Por improvável que a Ressurreição possa parecer aos céticos, isso deve ser pesado contra quão improvável seria ter todas as diferentes evidências históricas da sua ocorrência caso ela nunca tivesse de fato ocorrido.

— Assim — concluiu Craig, — torna-se bastante racional crer num acontecimento como a ressurreição miraculosa de Jesus. Ademais, vejo a questão da seguinte maneira: se Deus realmente existe, então em que sentido *é* improvável que ele ressuscite Jesus dentre os mortos? Não me ocorre nenhum.

— O senhor já viu céticos que passaram a crer no cristianismo por causa da qualidade e quantidade das evidências a favor da Ressurreição? — perguntei.

Os olhos de Craig se abriram.

— Oh, sim, certamente! — disse. — Conheci recentemente um indivíduo que se tornou cristão vindo do chamado movimento do "livre pensamento". Estudou a Ressurreição e concluiu, a partir das evidências, que Deus ressuscitou Jesus dentre os mortos. Evidentemente, os seus colegas do "livre pensamento" o insultaram duramente. Ele disse: "Por que eles são tão hostis? Eu simplesmente segui os princípios do livre pensamento e foi a isso que a razão e as evidências me conduziram!"

Soltei uma gargalhada.

— O senhor está dizendo que alguns sujeitos do “livre pensamento” não são tão livres-pensadores como gostariam que as pessoas acreditassem?

— Sinceramente — respondeu, — acho que muitos céticos têm a mente fechada.”

Tendo sido cético, notei o mesmo fenômeno.

— O senhor está se referindo ao fato de que alguns deles excluem desde o início até mesmo a possibilidade do milagre? — perguntei.

— Exatamente. Os lógicos têm uma expressão: “dedução para melhor explicação”. Isso significa que você tem um grupo de dados a serem explicados e um conjunto de opções concretas ou diferentes explicações para esses dados. Você precisa escolher que explicação desse conjunto, se verdadeira, melhor explicaria os dados observados. Alguns céticos não admitem que as explicações sobrenaturais sequer integrem o conjunto de opções concretas. Conseqüentemente, se não há uma explicação natural para um evento, eles simplesmente ficam na ignorância. Isto é preconceito. À exceção de alguma demonstração de ateísmo, não há qualquer justificativa para excluir as explicações sobrenaturais de participar do conjunto de opções concretas. Se você as incluir nesse conjunto, deve então ser um investigador aberto e honesto para ver qual é a melhor explicação de qualquer acontecimento.

Os milagres de Jesus

— Digamos que o senhor seja um investigador honesto — eu disse, partindo do seu último pensamento. — O que o senhor buscaria para convencê-lo de que alguma coisa miraculosa aconteceu?

— Você teria um certo número de critérios. Teria de investigar para ver se algo não poderia ser explicado em termos das forças naturais que atuavam naquele tempo e lugar. E buscaria um contexto histórico-religioso.

Eu queria insistir nessa idéia de contexto. — Hume disse que se os historiadores concordassem uniformemente que a rainha da Inglaterra morreu e reapareceu viva um mês depois, estaria inclinado a aceitar qualquer explicação que excluísse a realização de um milagre por parte de Deus. Pedi a Craig que respondesse a isso.

— Eu concordaria que um milagre sem contexto é inerentemente ambíguo — Craig respondeu. — O contexto de um milagre pode ajudar-nos a verificar se ele provém de Deus ou não. Por exemplo, a revivificação da rainha careceria de qualquer contexto religioso e seria basicamente uma anomalia sem explicação.

— Mas não é esse o caso de Jesus. Seus feitos sobrenaturais ocorreram em um contexto carregado de significado religioso porque realizou os seus milagres e exorcismos como sinais do surgimento do Reino de Deus na história humana e eles serviram como autenticação da sua mensagem. E sua ressurreição ocorre como o ápice de sua vida e ministério sem paralelo e de suas reivindicações radicais de autoridade divina que o levaram a ser crucificado. É por isso que a Ressurreição nos faz pensar, ao passo que o retorno da rainha somente nos deixaria perplexos. Portanto, o contexto histórico-religioso é essencial para o entendimento dos eventos milagrosos.

Insisti:

— Jesus *realizou* milagres? O que o convence disso?

— O fato é que a maior parte dos atuais críticos do Novo Testamento admite que ele realizou o que nós chamaríamos milagres. Concordo, pode ser que nem todos acreditem que foram milagres *genuínos*, mas a idéia de Jesus de Nazaré como operador de milagres e exorcista é parte do Jesus histórico geralmente aceito pelos críticos atuais.

Craig girou a sua poltrona e retirou uma pasta da estante atrás da sua escrivaninha. Folheou algumas páginas até que achou a que estava buscando. — Deixe-me ler uma citação de Rudolf Bultmann, que é reconhecido como um dos críticos do Novo Testamento mais céticos do século XX:

> A comunidade cristã estava convencida de que Jesus havia feito milagres e contava muitas histórias de seus milagres. A maior parte dessas histórias, contidas nos evangelhos, é lendária ou pelo menos está revestida de lendas. Porém, não pode haver dúvida de que Jesus realizou tais feitos, os quais foram, no entendimento dele e dos seus contemporâneos, milagres; ou seja, eventos que resultaram de causalidade sobrenatural divina. Sem dúvida ele curou enfermos e expulsou demônios.[9]

Craig fechou a pasta.

— Até mesmo Bultmann diz que milagres e exorcismos pertencem ao Jesus histórico. Ora, nos dias de Bultmann essas histórias eram consideradas lendas por causa da suposta influência da mitologia greco-romana sobre os evangelhos, mas hoje os estudiosos verificam que essa influência foi praticamente nula. Agora crêem que o papel de Jesus como operador de milagres deve ser entendido à luz do contexto do judaísmo palestino do primeiro século, onde ele se encaixa perfeitamente.

— Na realidade — concluiu, — a única razão para duvidar que foram milagres genuínos em vez de curas psicossomáticas seria filosófica — você crê que tais eventos podem ocorrer ou não? A historicidade dos eventos não está em dúvida.

Milagres e lendas

As conclusões desses estudiosos eram úteis, mas eu queria mais do que isso.

— Quais são as evidências específicas de que Jesus realizou milagres? — perguntei.

— Parte da resposta é que esses acontecimentos são encontrados em todos os estratos das fontes dos evangelhos. Por exemplo, a milagre da alimentação dos cinco mil é encontrado nos quatro evangelhos, de modo que se tem uma atestação independente e múltipla desses eventos. Não há

[9] *Jesus,* Berlim, 1926, p. 159.

vestígio de um Jesus de Nazaré não-milagroso em qualquer das fontes; portanto, é muito provável que isso pertença ao Jesus histórico. Além disso, o fato se encaixa perfeitamente no ambiente judaico. Houve outros exorcistas e operadores de milagres judeus que precederam Jesus.

Isso não era suficiente para mim.

— Só porque várias pessoas disseram que algo extraordinário aconteceu — como a alimentação dos cinco mil — não significa necessariamente que isso seja verdadeiro — eu disse.

— Em certo sentido, é uma questão muito individual o que você considera convincente — respondeu. — Acho que podemos dizer com segurança que não há nenhuma razão para duvidar dessas narrativas à exceção de razões filosóficas. Em outras palavras, se você crê que Deus existe, então não há uma boa razão para ser cético quanto a esses eventos.

— Todavia, deixe-me acrescentar o seguinte: quanto ao milagre central do Novo Testamento — a Ressurreição — há uma justificativa muito boa para concluir com segurança que, sim, esse é realmente um acontecimento histórico. Veja, as evidências da Ressurreição são muito, muito mais fortes que as evidências, digamos, de que Jesus operou o milagre da cura do cego de João 9. Você tem uma grande riqueza de dados acerca do túmulo vazio, dos aparecimentos após a Ressurreição e da origem da crença dos discípulos na Ressurreição.

— Não seria mais provável que os relatos dos milagres de Jesus fossem de fato lendas que se difundiram vários anos após a sua vida? — perguntei. — O ateu George Smith diz: "Quando se passa dos evangelhos mais antigos para os posteriores, alguns dos milagres se tornam mais exagerados."[10]

— Ele ilustra essa evolução da lenda comparando Marcos 1, que diz que *todos* foram levados a Jesus e *muitos* foram curados, com Mateus 8, que diz que *muitos* foram levados a

[10]*Atheism: the case against God*, p. 215.

Jesus e *todos* foram curados, e com Lucas 4, que diz que *todos* foram levados e *todos* foram curados. Como disse o historiador Archibald Robertson: "Estamos testemunhando o crescimento progressivo de uma lenda".[11]

O rosto de Craig ficou crispado.

— Esse argumento é realmente um bocado fantasioso — disse, "porque os autores dos evangelhos não empregam as palavras "todos" ou "muitos" do mesmo modo que um relatório policial.

Empurrou para o lado a pasta de Bultmann e apanhou a sua Bíblia, abrindo-a no Novo Testamento, correndo o dedo em uma das páginas. Encontrando Marcos 1.5, leu o versículo em voz alta: "A ele vinha toda a região da Judéia e todo o povo de Jerusalém. Confessando os seus pecados, eram batizados por ele no rio Jordão.

— Muito bem, pense sobre isso — recomendou. — Diz que João Batista estava batizando toda a Judéia e Jerusalém. *Seria verdade*? *Toda* a Judéia? *Toda* Jerusalém? — disse Craig, sua voz se elevando num tom de simulada surpresa. — *Toda* a província foi esvaziada de pessoas que foram para o rio Jordão e *todas* elas foram batizadas — todos os bebês, cada ancião? Bem, obviamente que não. Essa não era uma palavra que devia ser lida rigidamente como em um relatório policial.

— Agora, voltando aos relatos que você mencionou antes — qual é o fato principal que querem mostrar? Certamente, que as multidões estavam indo a Jesus em busca de cura e exorcismo, e isto está bem atestado. O fato é que todos esses relatos concordam plenamente que houve milagres operados por Jesus e que isso envolveu muitas pessoas.

Acrescentou mais um ponto:

— É importante lembrar que em relação ao maior dos milagres, a Ressurreição, sabemos pelas pesquisas históricas

[11] *The origins of Christianity*, New York: International Publishers, 1954, p. 82.

que simplesmente não houve tempo para que uma lenda tivesse evoluído e eliminado uma sólida essência de verdade histórica.

Os "milagres" de Maomé

Supondo que existam evidências históricas de que Jesus realmente realizou feitos que as testemunhas oculares consideraram milagrosos, o que dizer dos milagres de outras religiões? Para o crítico Hume, os milagres de diferentes religiões cancelam uns aos outros como evidências da verdade.

Por exemplo, a tradição islâmica diz que Maomé subiu ao céu em uma mula, que curou a perna quebrada de um companheiro, que alimentou grandes grupos com pouco alimento, que transformou um galho de árvore em uma espada de aço e que foi responsável por outros feitos sobrenaturais.

— Se tanto ele como Jesus realizaram milagres semelhantes — disse a Craig, — isso não dilui a singularidade de Jesus e nega os milagres como evidências da sua verdade?

Craig franziu a sobrancelha.

— Acho que isso está baseado em uma falsa interpretação do islã — disse um pouco hesitante. — Corrija-me se eu estiver errado, mas quando leio o *Alcorão* basicamente não existe qualquer milagre, a não ser o suposto milagre do próprio *Alcorão*.

— Concordo — respondi. — À exceção de umas poucas passagens contestadas, considero que os estudiosos em geral interpretam o *Alcorão* dessa maneira. Mas eu disse que esses milagres são mencionados na *tradição* islâmica, que é onde eles realmente proliferam.[12]

Craig pensou e se concentrou na questão.

— Ah, sim, correto — os milagres são mencionados na tradição chamada Hadith — disse. — E aqui está o que importa: essa tradição islâmica aparece centenas de anos depois de Maomé

[12]*Enciclopédia de apologética:* respostas aos críticos da fé cristã, São Paulo: Vida, 2002.

e, portanto, não pode ser comparada com os evangelhos, que foram registrados durante a primeira geração, quando as testemunhas oculares ainda viviam.

— Por exemplo, em 1 Coríntios 15, os relatos dos aparecimentos de Jesus após a ressurreição remontam aos primeiros cinco anos seguintes. Conseqüentemente, trata-se de dados recentes que não poderiam ter resultado de uma elaboração lendária. Simplesmente não se pode comparar com essas histórias lendárias sobre Maomé que se acumularam muitíssimos anos mais tarde na tradição islâmica.

— O senhor acha significativo o fato de que o próprio *Alcorão* não dá ênfase a milagres de Maomé do modo como a Bíblia o faz a respeito de Jesus?

"Talvez no sentido de que mais tarde a Hadith pareceu achar necessário inventar milagres para Maomé. Ele nunca reivindicou tais coisas para si mesmo. Essencialmente, essas histórias ilustram como relatos não-históricos decorrem de influências lendárias ao longo dos séculos, em contraste com os evangelhos, nos quais os relatos de milagres fazem parte dos estratos mais antigos das fontes.

Ainda assim, percebia uma contradição. Se o imediatismo do relato dos milagres é importante, então certamente o *Livro de Mórmon* será aprovado no teste.

— Nele você encontra alegações de fatos miraculosos que são relatadas logo após a sua suposta ocorrência; no entanto, você não as aceitaria como verdadeiras — observei.

— Nesse caso, o que se vê é simplesmente o mais puro charlatanismo de Joseph Smith, que criou o mormonismo — Craig respondeu. — É interessante que Smith e seu pai, quando viviam em Nova York, estavam obcecados em achar o ouro enterrado do capitão Kidd. Mais tarde, o que Smith afirma ter encontrado? Placas de ouro do anjo Moroni. E então elas desaparecem e supostamente são levadas para o céu e nunca mais são vistas.

— O que se tem aqui é uma fraude elaborada, em comparação com os evangelhos, com a evidente sinceridade no relato das pessoas. O problema do mormonismo é basicamente de credibilidade, por causa da não-confiabilidade de Joseph Smith e da gritante ausência de corroboração. Ao contrário dos evangelhos, cuja credibilidade tem sido gran-demente evidenciada pela arqueologia, as descobertas arqueológicas têm deixado repetidamente de comprovar o *Livro de Mórmon*.

O lado pessoal dos milagres

Até então, a minha conversa com Craig havia sido estimulante, mas permanecera exclusivamente no plano intelectual. Queria torná-la mais pessoal, sondar a personalidade erudita de Craig e relacionar a questão dos milagres com a sua vida individual. Porém, hesitava.

Durante anos de relacionamento com Bill Craig, eu havia percebido alguns desafios físicos que estava enfrentando. Por exemplo, podia sentir quando apertávamos as mãos que a sua mão direita era um pouco retorcida. Por uma questão de cortesia, nunca havia tocado no assunto. Agora que estávamos explorando esse tópico, sua aparente limitação levantava uma questão incômoda que eu não mais podia ignorar: se Deus pode realizar milagres, por que não curou alguém que lhe é tão dedicado como Bill Craig?

Comecei paulatinamente.

— Veja, Bill — disse, — você crê que Deus ainda opera milagres hoje, não crê?

— Eu não negaria que os milagres podem acontecer hoje — expôs Craig. — Acrescentaria, porém, que não há razão para esperar que sejam tão freqüentes ou evidentes como eram com Jesus. Os milagres tendem a se concentrar em torno dos grandes momentos da história da salvação, como o Êxodo ou o ministério de Jesus, que considerou os seus milagres como sinais ao povo do surgimento do reino de Deus e os seus exorcismos como sinais da sua capacidade de destruir os poderes das trevas.

— Então me diga o seguinte — falei calmamente. — Se Deus o ama e tem o poder de curá-lo, por que ele não faz desaparecer suas aflições físicas?

Craig não pareceu ofender-se com a pergunta. Mexeu-se na poltrona e em seguida inclinou-se para a frente, enquanto sua voz mudava de um tom erudito para um tom mais suave e pessoal.

— O apóstolo Paulo tinha o que ele chamava "um espinho na carne". Pediu três vezes que Deus o removesse — começou Craig, — e a resposta de Deus foi que a sua graça lhe bastava e que a sua força se aperfeiçoava na fraqueza. Essa passagem tem sido confortadora para minha vida."

Olhou para o lado, decidindo o que mais devia dizer. Quando voltou-se para mim, a intensidade aguda e penetrante dos seus olhos azuis tornava-se mais suave em uma sinceridade vulnerável.

— Não trato muito disso publicamente — disse, — mas eu tenho uma enfermidade neuromuscular congênita que provoca uma atrofia progressiva das extremidades. No meu caso é bastante leve. Muitas pessoas com essa síndrome têm de usar suportes de metal em suas pernas. Elas ficam completamente aleijadas. Sinto-me bastante afortunado porque o meu problema não é muito grave.

— O senhor pediu um milagre? — perguntei.

Ele assentiu.

— Quando jovem cristão, orei para que Deus me curasse. Mas ele não o fez.

Muito embora eu pudesse perceber no seu tom sereno que não estava em busca de piedade, o meu coração se comoveu.

— O senhor está decepcionado — observei, minhas palavras saindo mais como observação que pergunta.

Um leve sorriso surgiu no seu rosto.

— Lee, você sabe o que tem me impressionado? — ele perguntou com um inconfundível ar de espanto. — Quando eu olho para a minha vida, percebo que Deus tem usado essa enfermidade de tantas maneiras extraordinárias para moldar a mim e a minha personalidade. Como não podia me dedicar ao atletismo, a fim de triunfar em algo fui impelido para a vida acadêmica. Devo realmente a minha existência como estudioso ao fato de ter essa enfermidade. Foi o que me impulsionou para a vida intelectual.

— A doença também afetou-me psicologicamente ao propiciar um tremendo desejo de ser bem-sucedido. Fez com que eu tivesse uma inclinação para objetivos e realizações que tem me ajudado bastante. Desse modo, tenho realmente visto acontecer muito pessoalmente o que Paulo disse — a força se aperfeiçoa na fraqueza.

— Se o senhor pudesse ter sido curado, teria gostaria?

Soltou uma gargalhada.

— Bem, *agora* talvez fosse bom, tendo aprendido as lições!.

Deu em seguida uma resposta mais séria que reproduziu os comentários anteriores de Peter Kreeft acerca do sofrimento.

— Por outro lado, já me acostumei bastante com isso. Ao olhar para trás, posso dizer honestamente que estou contente porque foi este o caminho pelo qual Deus direcionou a minha vida. Ele pode usar até mesmo as coisas ruins da vida para revelar os seus propósitos e fins supremos. Isso não significa que essas coisas não são más — elas *são* realmente más. Mas todas elas estão dentro da soberania de Deus. Até o bem pode resultar do mal.

Fé em um Deus de milagres

Bill Craig não é um homem que vive no mundo das teorias; é um homem cuja vida diária encarna a filosofia cristã. Mesmo quando se debate com a questão muito concreta da própria aflição, surge confirmando que as suas convicções estão bem assentadas. Tudo é sustentado por uma suprema confiança na racionalidade do cristianismo, uma religião cujo sustentáculo é um milagre de proporções sem precedentes.

— O senhor deu a um de seus livros mais populares o título *Reasonable faith* [*Fé racional*] — notei, — mas existem céticos que veriam nele uma contradição.

Abri a minha pasta e retirei um livro chamado *Critiques of God* [*Críticas de Deus*], abrindo-o no capítulo intitulado "Religião e razão". Foi escrito pelo ateu Richard Robinson, um filósofo formado nas Universidades de Oxford e Cornell. Li para Craig uma citação que havia sublinhado anteriormente:

> A fé cristã não é simplesmente a convicção de que existe um deus. É a convicção de que existe um deus não importa quais sejam as evidências sobre a questão. "Tenha fé", no sentido cristão, significa "creia que existe um Deus independentemente das evidências."[13]

Fechando o livro, olhei para Craig e perguntei:

— Como o senhor vê essa interação entre fé e razão? As duas são realmente contraditórias como os críticos insistem?

Craig começou com uma definição.

— Fé é confiança ou compromisso com o que você acha que é verdadeiro — respondeu. — O motivo pelo qual uma pessoa pensa que o cristianismo é verdadeiro pode diferir de um indivíduo para outro. Para uns, é porque Deus fala ao seu coração e produz uma convicção autêntica. Certamente acredito que isso é válido.

— Para outros, no entanto, pode ser que uma exploração intelectual mais sóbria das evidências os leve à mesma conclusão. Mas ninguém chegará a crer até que se concretize aquele ato de confiança ou compromisso com o que acha que é verdadeiro. Quando você entende a fé nessas categorias, poderá ver que ela é inteiramente compatível com a razão.

Quando pedi a Craig que acrescentasse detalhes a essa idéia, pensou por um minuto e ofereceu uma ilustração extraída da sua própria experiência:

— Há tempos, fiz uma cirurgia de transplante de córnea — mas assim que as palavras saíram da sua boca soltou uma gargalhada. Um problema médico a mais parecia uma redundância à

[13] New York: Prometheus Books, 1997, p. 121.

luz da nossa conversa anterior sobre a sua saúde. Craig encolheu os ombros. — A minha esposa diz que eu sou um campo de desgraça médica ambulante — sorriu, — mas a pessoa mais saudável que ela conhece!

— De qualquer maneira, antes de deixar que qualquer pessoa operasse os meus olhos, Jan e eu fizemos uma ampla pesquisa para achar o melhor cirurgião de córnea do país. Nós pesquisamos, examinamos as evidências, entramos em contato com ele, e, finalmente, depois de me convencer, com base nas evidências, que ele era o melhor, depositei nele a minha confiança e o deixei operar os meus olhos. A minha fé ou confiança estava baseada nas boas evidências que tive sobre as suas qualificações e credibilidade. Do mesmo modo, com respeito à fé em Deus ou em milagres, muitas pessoas realizam esse ato de confiança ou compromisso depois que se convencem através das evidências de que o cristianismo é verdadeiro. Nem todos tomam esse caminho, mas certamente existem pessoas que o fazem. E essa é uma abordagem lógica e racional que utiliza a razão em vez de negá-la.

O assunto das evidências abriu a porta para uma questão fundamental que estava clamando por ser explorada. Repetidamente, Craig havia se referido ao fato de que, se Deus existe, então é razoável crer que o milagre é possível. Embora isso tenha sentido, para muitas pessoas depende de um "se" muito grande.

— Que evidências afirmativas o convencem de que esse ser operador de milagres existe? — perguntei. — O senhor pode dar-me algumas razões consistentes para crer em um Criador divino e na validade do cristianismo?

Craig meneava a cabeça enquanto eu perguntava.

— Em 1986, ouvi uma palestra em que Alvin Plantinga apresentou duas dúzias de razões para crer em Deus. Ele é o filósofo cristão número um da atualidade e foi uma fantástica apresentação de argumentos teístas", respondeu Craig.[14]

[14]Two Dozen (or so) Theistic Arguments, palestra apresentada na 33.ª Conferência Anual de Filosofia, Wheaton College, Illinois, de 23 a 25 outubro 1986.

Olhei para o meu relógio.

— Que tal apontar os cinco argumentos principais? — sugeri.

— Está bem — concordou, — vou repassar um conjunto de argumentos a favor de Deus que se reforçam e acentuam.[15]

Arregaçando as mangas da camisa, Craig instalou-se na poltrona. Como autor do livro *The existence of God and the beginning of the universe* [*A existência de Deus e o início do universo*] e co-autor de *Theism, atheism, and big bang cosmology* [*Teísmo, ateísmo e a cosmologia do* big bang], publicados pela Editora da Universidade de Oxford, Craig iniciou os seus argumentos exatamente onde seria de se esperar.

Razão n.° 1: Deus dá sentido à origem do universo

— Tanto filosófica quanto cientificamente — disse Craig, — eu argumentaria que o universo e o próprio tempo tiveram um princípio em algum ponto do passado finito. Porém, como algo não pode simplesmente sair do nada, tem de haver uma causa transcendente além do tempo e do espaço que trouxe o universo à existência.

— E o universo passou a existir pelo que tem sido chamado *big bang* [Grande explosão]? — perguntei.

— Exatamente. Como disse Stephen Hawking: "Quase todos agora acreditam que o universo, e o próprio tempo, tiveram início no *bigbang*".[16] É para isso que apontam as evidências científicas esmagadoras — para um evento aproximadamente catorze bilhões de anos atrás. Agora, isso representa um enorme problema para os céticos. Como diz Anthony Kenny, da Universidade de Oxford: "Um proponente da

[15]*God, are you there?*, de Willian Lane Craig (Norcross, Geórgia: Ravi Zacharias International Ministries, 1999.

[16]*The nature of space and time* New Jersey: Princeton University Press, 1996), p. 20.

teoria do *Big Bang*, pelo menos se ele for ateu, deve crer que o [...] universo veio do nada e pelo nada".[17]

Craig riu.

— Evidentemente, algo que vem do nada não tem sentido! Lee, você tem citado bastante o famoso cético David Hume em nossa entrevista. Bem, até ele disse: "Mas deixem-me dizer-lhes que eu nunca afirmei uma proposição tão absurda como a de que alguma coisa poderia surgir sem uma causa".[18] Os ateus reconhecem isso. Por exemplo, um dos ateus mais destacados da filosofia contemporânea, Kai Nielsen, disse uma vez: "Suponha que você repentinamente ouça uma forte explosão [...] e você me pergunte: 'O que causou essa explosão?', e eu responda: 'Nada, ela simplesmente aconteceu'. Você não aceitaria isso".[19] Ele está absolutamente correto. No entanto, pense um pouco: se deve haver uma causa para uma pequena explosão, não é lógico que deve haver uma causa para uma grande explosão?

Era uma pergunta que parecia não precisar de resposta. — Assim sendo, como o senhor resumiria esse argumento inicial? — perguntei.

À medida que mencionava cada ponto, Craig agarrava um dedo para contá-los.

— Primeiro, tudo o que começa a existir tem uma causa. Segundo, o universo começou a existir. Terceiro, portanto, o universo tem uma causa. Como escreveu o eminente cientista sir Arthur Eddington: "O princípio parece apresentar dificuldades insuperáveis a menos que concordemos em encará-lo como francamente sobrenatural'.[20]

Interrompi.

— Está bem, isso aponta para um Criador, mas será que nos diz muita coisa sobre Deus?

[17]*The five ways: St. Thomas Aquinas' proofs of God's existence,* New York: Schocken Books, 1969, p. 66.

[18]John STEWART, *The letters of David Hume*, Oxford: Clarendon Press, 1932, vol. I, p. 187.

[19]*Reason and practice,* New York: Harper & Row, 1971, 48.

[20]*The expanding universe,* New York: Macmillan, 1933, p. 124.

— Na verdade, sim, ele o faz — Craig respondeu. — Nós sabemos que essa causa sobrenatural deve ser um ser não-causado, imutável, atemporal e imaterial.

— Qual é o fundamento de suas conclusões?

— Ele deve ser não-causado porque sabemos que não pode haver um retrocesso infinito de causas. Deve ser atemporal e, portanto, imutável, pelo menos sem o universo, porque foi o criador do tempo. Além disso, porque ele também criou o espaço, deve transcender o espaço e, portanto, deve ter uma natureza imaterial e não física.

Havia uma pergunta óbvia que tinha de ser feita.

— Se tudo deve ter uma causa, então quem ou o que causou Deus? — indaguei.

— Espere um pouco — nunca disse que *tudo* deve ter uma causa —, Craig respondeu. — A premissa é que tudo o que *começa a existir* deve ter uma causa. Em outras palavras, "o ser" não pode vir do "não-ser". Como Deus nunca começou a existir, ele não exige uma causa. Ele nunca passou a existir.

Disse-lhe que isso levantava a suspeita de que estaria abrindo uma exceção especial para Deus.

— Os próprios ateus costumavam se sentir muito à vontade para sustentar que o universo é eterno e não-causado — respondeu. "O problema é que eles não mais podem sustentar essa posição por causa das modernas evidências de que o universo começou com o *big bang*. Assim, eles não podem objetar legitimamente quando faço a mesma asserção acerca de Deus — ele é eterno e é não-causado.

Razão n.° 2: Deus dá sentido à complexidade do universo

— Nos últimos 35 anos —, explicou Craig, — os cientistas ficaram impressionados ao descobrir que o *big bang* não foi um acontecimento caótico, do começo dos tempos, mas antes um evento altamente ordenado que exigiu uma enorme quantidade de informações. De fato, desde o exato momento do seu surgimento, o universo teve de ser ajustado com uma precisão inimaginável para permitir a existência da vida, como a nossa. E isso aponta de modo muito convincente para a existência de um Planejador Inteligente.

— "Ajustado" é um termo subjetivo — observei. — Pode significar um bocado de coisas. O que o senhor quer dizer com isso?

— Deixe-me colocar dessa maneira — redarguiu. — Cientificamente falando, é muito mais provável a existência de um universo *proibidor* da vida de que um universo *sustentador* da vida. A vida se equilibra no fio da navalha.

Como exemplo, citou os escritos de Hawking.

— Ele calculou que se a taxa da expansão do universo um segundo após o *big bang* tivesse sido menor em até mesmo uma parte de cem mil milhões de milhões, o universo teria implodido em uma bola de fogo.[21]

Craig passou rapidamente a fornecer uma lista de várias outras estatísticas impressionantes para apoiar a sua conclusão.[22] Entre elas:

- O físico inglês P. C. W. Davies concluiu que as chances das condições iniciais serem inadequadas para a formação das estrelas — necessário para os planetas e, portanto, para a vida — é o número um seguido de pelo menos mil bilhões de bilhões de zeros.[23]
- Davies também calculou que se a força da gravidade ou da força fraca fosse alterada em somente uma parte de dez seguido por cem zeros, a vida jamais poderia ter surgido.[24]
- Existem cerca de cinqüenta constantes e quantidades — por exemplo, a quantidade de energia utilizável no

[21]Stephen W. Hawking, *A brief history of time,* New York: Bantam Books, 1988, p. 123.

[22]Para uma lista de exemplos, v. *Universes,* de John Leslie (Londres: Routledge, 1989).

[23]*Other worlds,* Londres: Dent, 1980, p. 160-1.

[24]Ibid., p. 168-9.

> universo, a diferença de massa entre prótons e nêutrons, as proporções das forças fundamentais da natureza e a proporção da matéria em relação à antimatéria — que devem ser balanceadas em um grau matematicamente infinitesimal para que qualquer vida seja possível.[25]

— Tudo isso — informa Craig, — sustenta amplamente a conclusão de que existe uma inteligência por trás da criação. De fato, as explicações alternativas simplesmente não satisfazem.

— Por exemplo, há uma teoria chamada "necessidade natural", o que significa que existe alguma desconhecida *Teoria de tudo* que explicaria a maneira como é o universo. Em outras palavras, alguma coisa na natureza tornou necessário que as coisas saíssem da maneira como são. No entanto, esse conceito desmorona quando você o estuda em profundidade. Primeiramente, todo aquele que insiste que o universo deve permitir a vida está fazendo uma afirmação radical que exige provas consistentes, mas essa alternativa é simplesmente uma asserção. Segundo, existem outros modelos do universo que são diferentes do nosso, assim deve ser possível que o universo tenha sido diferente. Terceiro, mesmo que as leis da natureza sejam necessárias, ainda assim é preciso ter condições iniciais, incluídas no princípio, sob as quais essas leis possam atuar.

Todavia, essa não era a única alternativa possível. Eu interrompi para apresentar um cenário diferente que parecia plausível na superfície.

— Que dizer da possibilidade que o ajuste preciso do universo seja resultado do puro acaso? — perguntei. — Talvez tudo isso seja simplesmente um grande acidente cósmico — um colossal jogo de dados, por assim dizer."

[25]V. The Anthropic Principle, em *Particle and Nuclear Physics,* de P. C. W. Davies (1983), p. 28; e *God: the evidence*, de Patrick Glynn, p. 29-31.

Craig suspirou.

— Lee, vou lhe dizer o seguinte: a precisão é tão imensamente fantástica, tão impressionante matematicamente, que é simplesmente a mais pura tolice pensar que poderia ter sido um acidente. Em especial pelo fato de que não estamos falando somente de uma simples aposta, mas daquilo que os teóricos chamam de 'probabilidade especificada', que elimina o acaso acima de qualquer dúvida razoável.

Eu não estava pronto para abandonar a opção do acaso. — Que tal se houvesse um número infinito de outros universos existindo separadamente do nosso? — perguntei. — Seria provável que um deles tivesse as condições certas para sustentar a vida — e é esse o caso do universo em que vivemos.

Craig já havia ouvido antes essa teoria.

— É chamada a Hipótese de Muitos Mundos — confirmou. — Hawking tem falado sobre esse conceito. O problema é o seguinte: esses outros universos teóricos são inacessíveis a nós e, portanto, não há nenhum meio possível de oferecer qualquer evidência de que isso poderia ser verdade. É simplesmente um conceito, uma idéia, sem prova científica. O proeminente cientista e teólogo inglês John Polkinghorne a denominou "pseudociência" e "adivinhação metafísica".[26]

— E pense no seguinte: se isso fosse verdade, tornaria impossível a conduta racional da vida, porque se poderia justificar qualquer coisa — não importa quão improvável — ao postular um número infinito de outros universos.

Eu não estava seguindo muito bem essa linha de raciocínio.

— O que o senhor quer dizer com isso? — perguntei.

— Por exemplo, se você estivesse dando as cartas em um jogo de pôquer, toda vez que distribuísse a si mesmo quatro ás você não poderia ser acusado de trapacear, não importa quão improvável fosse a situação. Você poderia simplesmente argumentar que em um conjunto infinito de universos existirá

[26]*Serious talk: science and religion in dialogue,* Londres: Trinity Press International, 1995, p. 6.

um universo em que, toda vez que uma pessoa dá as cartas, ela dá quatro ás para si mesma e, portanto — *sorte minha!* — acontece de eu estar nesse universo! Veja — isso é pura metafísica. Não há nenhuma pessoa de verdade que acredite na existência desses mundos paralelos. O próprio fato de que os céticos têm de inventar uma teoria tão fantasiosa é porque o ajuste preciso do universo aponta poderosamente para um Planejador Inteligente — e algumas pessoas vão apresentar qualquer hipótese para não chegar a essa conclusão.

Sabia que esse equilíbrio incrivelmente preciso do universo foi um dos principais fatores que levaram Patrick Glynn, um homem formado em Harvard, diretor associado e professor residente do Instituto de Estudos de Políticas Comunitárias da Universidade George Washington, a abandonar o ateísmo e se tornar cristão. Em seu livro *God: the evidence* [*Deus: a evidência*], faz estragos em outras teorias alternativas tais como a mecânica quântica e "universos bebês", chegando à seguinte conclusão:

> Hoje, os dados concretos apontam fortemente na direção da hipótese de Deus [...] Os que querem opor-se a ela não têm nenhuma teoria testável para apresentar, somente especulações sobre universos não vistos tecidas por uma fértil imaginação científica [...] Ironicamente, a imagem do universo legada a nós pela ciência mais avançada do século XX está mais próxima em seu espírito da visão apresentada pelo livro de Gênesis do que qualquer coisa oferecida pela ciência desde Copérnico.[27]

Razão n.° 3: Deus dá sentido aos valores morais objetivos

Craig resumiu de início o ponto seguinte:

— Um terceiro fator que aponta para Deus é a existência de valores morais objetivos no universo. Se Deus não existe, então não existem valores morais objetivos.

Isso, evidentemente, levantou a questão do que ele queria

[27]P. 53-4, 26.

dizer com valores "objetivos". Craig acrescentou rapidamente tanto uma definição quanto uma ilustração.

— Os valores morais objetivos são válidos e obrigatórios independentemente de alguém acreditar neles ou não — explicou. — Por exemplo, rotular o Holocausto objetivamente como errado significa dizer que ele foi errado ainda que os nazistas achassem que fosse certo. E continuaria sendo errado mesmo que os nazistas tivessem vencido a Segunda Guerra Mundial e conseguido fazer uma lavagem cerebral ou exterminar todos aqueles que discordassem deles. Agora, se Deus não existe, então os valores morais não são objetivos.

Eu sacudia minha cabeça.

— Espere um momento — exclamei. — Se o senhor está dizendo que um ateu não pode ter valores morais ou viver de modo essencialmente ético, então me deparo com um problema. Tenho um amigo que não acredita em Deus, mas é um indivíduo tão gentil e atencioso como muitos cristãos que conheço.

— Não, eu não estou dizendo que uma pessoa deve acreditar em Deus a fim de viver moralmente. A questão é: "Se Deus não existe, existiriam valores morais objetivos?". E a resposta é "não".

— Por que não?

— Porque se Deus não existe, então os valores morais são simplesmente produtos da evolução sócio-biológica. Na verdade, é isso o que pensam muitos ateus. Segundo o filósofo Michael Ruse: "A moralidade é uma adaptação biológica não menos que as mãos, os pés e os dentes" e a moralidade é "somente um auxílio para a sobrevivência e a reprodução [...] qualquer sentido mais profundo é ilusório".[28] Se Deus não existe, então a moralidade é somente uma questão de gosto pessoal, semelhante a afirmações como: "Os brócolis têm um bom sabor". Bem, ele tem um bom sabor para algumas pessoas e um mau sabor para outras. Não há qualquer verdade objetiva nisso; é uma questão subjetiva de gosto. E dizer que matar crianças inocentes é errado seria

[28]Evolutionary theory and Christian ethics, em *The darwinian paradigm,* Londres: Routledge, 1989, p. 262, 269.

simplesmente uma expressão de preferência, como ao dizer: "Eu não gosto da morte de crianças inocentes".

— Como Ruse e o ateu Bertrand Russell — não vejo qualquer razão para pensar que, na ausência de Deus, a moralidade desenvolvida pelo *homo sapiens* seja objetiva. Afinal de contas, se Deus não existe, então o que há de tão especial nos seres humanos? Eles são somente subprodutos acidentais da natureza que apenas recentemente evoluíram a partir de um minúsculo grãozinho de pó perdido em algum lugar de um universo sem sentido e estão condenados a perecerem para sempre em um período relativamente curto de tempo.

— Na concepção ateísta, algumas ações, como o estupro, podem não ser socialmente vantajosas e, portanto, se tornaram tabus no decurso do desenvolvimento humano. Mas isso não prova que o estupro é realmente errado. De fato, é concebível que o estupro poderia ter evoluído como algo proveitoso para a sobrevivência da espécie. Assim, sem Deus não existe nenhum certo ou errado absoluto que se imponha sobre a nossa consciência.

— Todavia, todos nós conhecemos em nosso íntimo que, de fato, *existem* valores morais objetivos. Tudo o que temos a fazer para perceber isso é simplesmente perguntar a nós mesmos: "Torturar uma criança por prazer é realmente um ato moralmente neutro?". Eu estou convencido de que você diria: "Não, isso não é moralmente neutro; é realmente errado fazer isso". E você dirá isso plenamente consciente da teoria darwinista da evolução e tudo mais. Uma boa ilustração disso é a carta para levantamento de fundos enviada em 1991 por John Healey, diretor executivo da Anistia Internacional, na qual adverte: "Eu estou lhe escrevendo hoje porque acho que você compartilha da minha profunda convicção de que certamente existem alguns absolutos morais. Quando se trata de tortura, de assassinato sancionado por governos, de 'desaparecimentos' [...] todos esses são ultrajes contra todos nós".[29] Atos como o

[29]John HEALEY, carta para solicitação de contribuições, 1991.

estupro e o abuso sexual de crianças não são simplesmente comportamentos socialmente inaceitáveis — são claramente abominações morais. Eles são objetivamente errados. E coisas tais como amor, igualdade e auto-sacrifício realmente são boas em um sentido objetivo. Todos sabemos dessas coisas no nosso íntimo. Como esses valores morais objetivos não podem existir sem Deus, e eles inquestionavelmente existem, então segue-se lógica e inevitavelmente que Deus existe.

Razão n.° 4: Deus dá sentido à ressurreição

Nesse ponto, Craig disse que iria mudar de marcha um pouco.

— Nós dissemos que se tivermos boas razões para crer em Deus, então podemos crer em milagres — afirmou. — Eu tenho oferecido razões que apontam para a existência de Deus. Mas os próprios milagres também podem ser parte das evidências cumulativas a favor de Deus. Isso é verdade, por exemplo, quanto à Ressurreição. Se Jesus de Nazaré realmente retornou dentre os mortos, então nós temos um milagre divino em nossas mãos e, assim, uma evidência da existência de Deus.

Pedi a Craig para recapitular por que acredita nas evidências históricas que apontam para essa conclusão

—Mas — acentuei, — não pressuponha que o Novo Testamento é a palavra inspirada de Deus.

Ele concordou, por causa de sua resposta em considerar o Novo Testamento simplesmente uma coleção de documentos gregos do primeiro século que podem ser submetidos a análise como quaisquer outros registros antigos.

— Existem pelo menos quatro fatos sobre o destino de Jesus que, a partir de uma perspectiva ampla, são largamente aceitos pelos historiadores do Novo Testamento — começou Craig — O primeiro é que, depois de ter sido crucificado, Jesus foi sepultado num túmulo por José de Arimatéia. Isso é importante, porque significa que a localização do túmulo era igualmente conhecida pelos judeus, cristãos e romanos.

— Que evidências o senhor tem disso? — perguntei.

— O sepultamento de Jesus é informado em relatos extremamente antigos que Paulo incluiu na sua primeira carta à igreja de Corinto.[30] Esses relatos podem ser datados dentro dos cinco anos posteriores à morte de Jesus, de modo que não eram lendas. Além disso, a história do sepultamento é parte do material muito antigo que Marcos utilizou para escrever seu evangelho, e sua história carece de sinais de elaboração lendária. Não há indícios de qualquer história concorrente acerca do sepultamento. E mais, seria inexplicável que qualquer pessoa inventasse o envolvimento de José, uma vez que ele era membro do Sinédrio que condenou Jesus.

— O segundo fato é que, no domingo posterior à crucificação, a sepultura de Jesus foi encontrada vazia por um grupo de suas seguidoras. Isso está comprovado pelo antigo relato de Paulo aos coríntios, que enfatiza o túmulo vazio, e pelo material muito antigo das fontes de Marcos. Assim, nós temos outra vez uma comprovação antiga e independente. E temos muito mais. Por exemplo, a história do túmulo vazio não apresenta sinais de floreios lendários e a mais antiga reação judaica conhecida à proclamação da ressurreição de Jesus pressupõe que a sepultura estava vazia. Além disso, está registrado que foram mulheres que encontraram o túmulo vazio. Ora, o testemunho de mulheres era considerado tão pouco fidedigno que não podiam testemunhar nos tribunais judaicos. A única razão para incluir o detalhe altamente embaraçoso de que mulheres descobriram o túmulo vazio é que os autores dos evangelhos estavam registrando fielmente o que realmente aconteceu.

— O terceiro fato é que, em muitas ocasiões e sob várias circunstâncias, diferentes indivíduos e grupos de pessoas presenciaram manifestações de Jesus ressurreto dentre os mortos. Isso é quase universalmente reconhecido pelos estudiosos do Novo Testamento por diversas razões. Por exemplo, a lista das testemunhas oculares da ressurreição

[30]V. 1 Coríntios 15.4ss.

de Jesus, dada por Paulo aos coríntios, garante que tais acontecimentos ocorreram. Considerando-se a data remota das informações e a própria familiaridade de Paulo com as pessoas envolvidas, tal fato não pode ser desprezado como algo lendário. Além disso, as narrativas contadas nos evangelhos oferecem comprovações múltiplas e independentes dos indícios. Até o cético crítico do Novo Testamento Gerd Lüdemann concluiu: "Pode-se considerar historicamente correto que Pedro e os discípulos experimentaram situações, após a morte de Jesus, nas quais Jesus lhes apareceu como o Cristo ressurreto."[31]

— O quarto fato é que os primeiros discípulos repentina e sinceramente passaram a acreditar que Jesus foi ressuscitado dentre os mortos, apesar da sua predisposição para o contrário. As crenças judaicas afastavam a idéia de que alguém pudesse ressurgir dos mortos antes da ressurreição geral no fim do mundo. Mesmo assim, os primeiros discípulos subitamente passaram a acreditar tão fortemente que Deus havia ressuscitado Jesus que estavam dispostos a morrer por essa crença. O estudioso do Novo Testamento, Luke Johnson, escreveu: "Algum tipo de experiência poderosa e transformadora é necessário para gerar o tipo de movimento que foi o cristianismo dos primórdios".[32]

— Está bem — disse, — então, qual o senhor acha que é a melhor explicação para esses quatro fatos?

— Honestamente, não há em absoluto qualquer explicação naturalista que se encaixe — respondeu. — Todas as antigas teorias tais como "os discípulos roubaram o corpo" ou "Jesus não estava morto realmente" foram universalmente rejeitadas pelos estudos modernos. Pessoalmente, acho que a melhor explicação é a dada pelas testemunhas oculares: que Deus ressuscitou Jesus dentre os mortos. De fato, essa hipótese é aprovada facilmente nos seis testes utilizados pelos historiadores

[31]*What really happened to Jesus?*, Louisville, Kentucky: Westminster John Knox Press, 1995, p. 8.

[32]*The real Jesus,* San Francisco: Harper San Francisco, 1996, p. 136.

para averiguar qual é a melhor explicação para um determinado conjunto de fatos históricos.[33]

Razão n.° 5: Deus pode ser experimentado imediatamente

Craig disse que este último ponto não era tanto um argumento a favor da existência de Deus, — e sim a afirmação de que se pode saber que Deus existe, inteiramente à parte dos argumentos, ao se ter uma experiência imediata dele. Os filósofos chamam isso uma 'convicção apropriadamente básica'.

Craig olhou diretamente para mim.

— Lee, deixe-me ilustrar esse conceito com uma pergunta — adiantou. — Você pode provar que o mundo externo existe?

A pergunta me pegou desprevenido. Tentei achar a resposta e não consegui encontrar nenhuma seqüência lógica de argumentos que comprovasse a assertiva de modo incontroverso.

— Eu não estou certo de como faria isso — admiti.

— Está certo — respondeu. — A sua crença na realidade do mundo exterior é "apropriadamente básica". Você não pode provar que o mundo exterior existe. Afinal, você poderia ser apenas um cérebro em um tonel sendo estimulado por eletrodos por um cientista louco, de modo a achar que está vendo um mundo externo. Mas você teria de ser louco para pensar assim. Desse modo, essa "crença apropriadamente básica" no mundo exterior é inteiramente racional. Por outras palavras, está apropriadamente fundamentada na sua experiência. Da mesma maneira, no contexto de uma experiência imediata de Deus, é racional crer em Deus de um modo apropriadamente básico. E eu tenho essa experiência. Deus invadiu a minha vida aos dezesseis anos e por mais de trinta anos tenho caminhado com ele dia após dia, ano após ano, como uma realidade viva na minha experiência.

[33]Para uma lista desses testes históricos, v. *Justifying historical descriptions*, de C. Behan (Cambridge: Cambridge University Press, 1984), p. 19. Para ver como a Ressurreição satisfaz esses critérios, v. *God, are you there?*, de William Lane Graig, p. 46-7.

— Na ausência de argumentos esmagadores a favor do ateísmo, parece-me perfeitamente racional continuar a acreditar na realidade dessa experiência. Era assim que as pessoas conheciam Deus nos tempos bíblicos. Como John Hick escreveu: "Para elas Deus não era uma proposição que fechava um silogismo, ou uma idéia adotada mentalmente, mas a realidade experimental que dava significado à sua vida".[34]

— Porém — exclamei, — como é que fica se um ateu disser a mesma coisa — que ele tem uma "crença apropriadamente básica" na ausência de Deus? Fica-se num impasse.

Craig respondeu:

— O filósofo William Alston diz que, nesse caso, o cristão deve fazer tudo o que é possível para encontrar um terreno comum, como a lógica ou fatos empíricos, para demonstrar de um modo não-circular que a concepção é correta.[35]

— Foi isso o que tentei demonstrar nesses outros quatro argumentos. Eu sei que Deus existe de um modo apropriadamente básico, e tentei provar que ele existe recorrendo aos fatos comuns da ciência, da ética, da história e da filosofia. Tomados em conjunto, constituem um argumento poderoso a favor de Deus e do cristianismo.

Uma batida na porta

Fiquei observando Craig à medida que desfiava suas razões para crer em Deus e notei que ele revelava uma serena confiança no que estava dizendo. Antes de terminarmos, quis chegar ao âmago do que fundamentava esta convicção.

— Tão verdadeiro quanto você estar sentado aqui e agora, o senhor tem a convicção do fundo da sua alma de que o cristianismo é verdadeiro? — perguntei.

[34]Introduction, em *The existence of God*, New York: Macmillan, 1964, p. 13-4.

[35]V. Religious diversity and perceptual knowledge of God, de William Alston, em *Faith and Philosophy* 5 (1988), p. 433-48.

Sem hesitar, ele respondeu:

— Sim, eu tenho.

— Em última análise, como o senhor tem essa certeza?

— Em última análise, a maneira pela qual o cristão realmente sabe que o cristianismo é verdadeiro se dá por meio do testemunho autocomprobatório do Espírito de Deus — afirmou. — O Espírito Santo sussurra ao nosso espírito que pertencemos a Deus.[36] Essa é uma de suas funções. Outras evidências, ainda que válidas, são essencialmente confirmatórias.

Craig pensou por um momento e indagou:

— Você conhece Peter Grant, não conhece?

Respondi que sim, que era amigo desse pastor de Atlanta.

— Bem — prosseguiu Craig —, "ele criou uma expressiva imagem de como isso funciona.

— Digamos que você esteja indo para o escritório para ver se o seu patrão está lá. Vê o seu carro no estacionamento. Pergunta à secretária se ele está e ela diz: "Sim, acabei de falar com ele". Você vê luz na soleira da porta do seu escritório. Ouve sua voz ao telefone. Com base em todas essas evidências, você tem boas razões para concluir que o seu patrão está no escritório. Mas poderia fazer algo bem diferente. Você poderia ir até a porta, bater e encontrar o patrão face a face. Nessa altura, as evidências do carro no estacionamento, do testemunho da secretária, da luz debaixo da porta e da voz ao telefone — tudo isso ainda seria válido, mas assumiria um papel secundário, porque agora você encontrou o patrão face a face. Da mesma maneira, quando nos encontramos com Deus, por assim dizer, face a face, todos os argumentos e evidências a favor da sua existência — embora ainda perfeitamente válidos — assumem um papel secundário. Eles agora se tornam ratificadores do que o próprio Deus nos mostrou, de modo sobrenatural, pelo testemunho do Espírito Santo em nosso coração.

[36]Romanos 8.16: "O próprio Espírito testemunha ao nosso espírito que somos filhos de Deus".

— E essa experiência imediata de Deus está disponível a quem a buscar?

"Com toda a certeza. A Bíblia diz que Deus está batendo na porta da nossa vida e que se a abrirmos nós o encontraremos e teremos com ele uma experiência pessoal. Ele diz em Apocalipse 3.20: "Eis que estou à porta e bato. Se alguém ouvir a minha voz e abrir a porta, entrarei e cearei com ele, e ele comigo"".

Craig apontou para o gravador que estava registrando a nossa conversa.

— Nós falamos hoje um bocado acerca de milagres — disse por fim. — Não é exagero afirmar que conhecer Deus pessoalmente e vê-lo transformar vidas é o maior milagre de todos.

Estendi a mão e desliguei o gravador. Devido à minha experiência com Deus, depois de viver por anos no atoleiro da imoralidade como ateu, sabia que ele estava certo.

Com base no modo como Deus tem transformado a minha vida, minhas atitudes, meus relacionamentos, minhas motivações, meu casamento e minhas prioridades por meio de sua presença muito real e contínua, compreendi naquele momento que milagres como o maná do céu, o nascimento virginal e a Ressurreição, afinal, são "brincadeiras" para um Deus como esse.

Ponderações

Perguntas para reflexão ou estudo em grupo

1. Depois de ler esta entrevista, você crê que os milagres são possíveis? O que o convenceria de que algo miraculoso aconteceu? Você acredita que as evidências históricas comprovam que a ressurreição miraculosa de Jesus de fato ocorreu? Por que sim ou por que não?
2. Qual dos argumentos de Craig a favor da existência de Deus foi mais persuasivo? Por quê? Tomados em conjunto, esses cinco pontos o convencem de que é racional crer na existência de um Deus que opera milagres?

Se não, de que outra maneira você explicaria essas cinco categorias de evidências?

3. Craig orou para que Deus curasse milagrosamente seu problema médico, mas ele não o fez. O que você acha da sua reação? Você já orou para que Deus interferisse com um milagre na sua vida? O que aconteceu? Como isso tem afetado a sua atitude para com Deus? De que maneira a reação de Craig à situação dele foi ou não útil para você?

Outras fontes de consulta

Mais recursos sobre esse tema

- COVER, J. A. Miracles and Christian theism. Em *Reason for the hope within*, org. Michael J. MURRAY, 345-74. Grand Rapids, Michigan: Eerdmans, 1999.
- CRAIG, William Lane. The problem of miracles. Em *Reasonable faith*, p. 127-55. Wheaton, Illinois: Crossway, 1994.
- GEISLER, Norman L. *Miracles and the modern mind*. Grand Rapids, Michigan: Baker, 1992.
- GEIVETT, R. Douglas e HABERMAS Gary R. , org. *In Defense of miracles*. Downers Grove, Illinois: InterVarsity, 1997.
- LEWIS, C. S. *Miracles: a preliminary study*. New York: Macmillan, 1947.

Terceira objeção

A evolução explica a origem da vida, de modo que Deus não é necessário

Charles Darwin não quis assassinar Deus, como disse certa vez. Mas ele o fez.

Revista *Time*[1]

[A teoria da evolução] ainda é, como era na época de Darwin, uma hipótese altamente especulativa inteiramente desprovida de apoio factual direto e muito distante do axioma autocomprobatório no qual alguns de seus defensores mais agressivos gostariam que acreditássemos.

Michael Denton, biólogo molecular[2]

Os investigadores policiais estavam buscando desesperadamente algum elemento de evidência física que ligasse o suspeito Ronald Keith Williamson ao brutal assassinato que havia chocado a tranqüila cidade de Ada, Oklahoma, três anos antes.

Tinham dificuldade em reunir provas sólidas contra Williamson, que negava insistentemente ter estrangulado Debra Sue Carter, de 21 anos. Até então, as únicas evidências consistiam em uma testemunha que havia visto Williamson falando com Carter horas antes na noite em que foi morta; o reconhecimento de Williamson que certa vez sonhou que a havia matado e o testemunho de uma

[1]Iconoclast of the century, Charles Darwin (1809-1882), p. 31, Dec. 1999.

[2]*Evolution:* a theory in crisis, Chevy Chase, Maryland: Adler & Adler, 1986, p. 77.

informante presa que afirmava tê-lo ouvido casualmente falar sobre o crime. Evidentemente, a polícia necessitava de mais provas se quisesse incriminá-lo. Finalmente, os detetives apresentaram o argumento decisivo. Segundo noticiou um jornal, um perito pegou quatro fios de cabelo que haviam sido encontrados no corpo da vítima e em outros lugares da cena do crime, examinou-os em microscópio e concluiu que combinavam com amostras tiradas de Williamson. Estando o inquérito sustentado por evidências científicas, os investigadores prenderam Williamson e o levaram a julgamento.

Não levou muito tempo para o júri concluir pela culpa do ex-jogador de beisebol da segunda divisão e despachá-lo para o Corredor da Morte. Tendo sido o horrível crime finalmente esclarecido, a população de Ada deu um suspiro coletivo de alívio. A justiça tinha sido feita. O assassino iria pagar com a vida.

Havia, porém, um grande problema: Williamson estava dizendo a verdade sobre a sua inocência. Depois que ele definhou na prisão por doze anos — nove deles aguardando a execução — uma análise de DNA constatou que outra pessoa havia cometido o assassinato. No dia 15 de abril de 1999, Williamson finalmente foi solto.[3]

Espere um momento — e quanto à evidência da comparação dos fios de cabelo que apontou para a culpa de Williamson? Se fios do seu cabelo foram encontrados na cena do crime, isso não o implicava no assassinato? A resposta é desconcertante: evidências ligadas aos cabelos com freqüência pretendem provar mais do que realmente o fazem.

A notícia do jornal havia omitido alguns detalhes importantes. Os fios de cabelo da cena do crime não "combinaram" realmente com o cabelo de Williamson. Um criminologista havia meramente concluído que eles eram "consistentes" um

[3]V. DNA tests clear two men in prison, de Charles T. Jones, publicado em *The Oklahoman*, 16/4/1999.

com o outro. Ou seja, sua cor, forma e textura pareciam semelhantes. Assim, os fios de cabelo da cena do crime podiam ter vindo de Williamson — ou talvez pudessem ter vindo de outra pessoa.

Longe de ser tão incriminadora como as impressões digitais, a análise de fios de cabelo tem sido chamada "pseudo-ciência" por alguns analistas jurídicos. Com freqüência os jurados ouvem testemunhos impressionantes sobre o que parece ser uma prova cientificamente válida e concluem — incorretamente — que ela demonstra a culpa do réu. Sabe-se que alguns promotores, no calor da batalha judicial, têm até mesmo caracterizado erroneamente ou exagerado sutilmente o valor da análise de cabelos no decorrer de seus argumentos finais.[4]

No caso de Williamson, um juiz federal denominou a prova do cabelo "não-confiável cientificamente" e disse que nunca deveria ter sido utilizada contra o réu. O que é ainda mais perturbador, nos últimos 25 anos a prova do cabelo havia sido usada contra dezoito prisioneiros do Corredor da Morte que posteriormente foram declarados inocentes.[5]

O caso de Ronald Keith Williamson é um exemplo clamoroso de uma justiça equivocada. Sua condenação infundada demonstra como é fácil que jurados tirem conclusões radicais que não estão realmente alicerçadas em fatos científicos concretos. E, em certo sentido, a história de Williamson estabeleceu um paralelo com a minha investigação de um dos mais poderosos elementos de evidência científica que são comumente usados contra a existência de Deus.

O feito de Darwin

Embora muitas coisas tenham contribuído, acho que poderia dizer que perdi os últimos resquícios da minha fé em Deus

[4]V. Convicted by a hair, de Steven Mills e Ken Armstrong, publicado em *The Chicago Tribune*, 18/11/1999.

[5]Ibid.

nas aulas de biologia do colégio. A experiência foi tão profunda que me fez lembrar até da carteira em que me sentava quando me ensinaram pela primeira vez que a teoria da evolução explicava a origem e o desenvolvimento da vida. As implicações eram claras: a teoria de Charles Darwin eliminava a necessidade de um Criador sobrenatural ao demonstrar como processos naturais podiam explicar a crescente complexidade e diversidade dos seres vivos.

A minha experiência não foi incomum. O estudioso Patrick Glynn descreveu como ele enveredou por um caminho semelhante e que terminou no ateísmo:

> Abracei o ceticismo bem jovem, quando tomei conhecimento pela primeira vez da teoria de Darwin sobre a evolução, imaginem só, em um colégio católico. Ocorreu-me imediatamente que, ou a teoria de Darwin era verdadeira, ou veraz era a história da criação no livro de Gênesis. As duas não podiam ser verdadeiras, foi o que disse em aula à pobre freira. Assim começou uma longa odisséia de afastamento da fé sincera e prática religiosa, que havia caracterizado a minha infância, em direção à perspectiva cada vez mais secular e racionalista.[6]

Na cultura popular, o caso, em favor da evolução, é geralmente considerado encerrado. "O darwinismo continua sendo uma das teorias científicas mais bem-sucedidas já publicadas", escreveu a revista *Time* em sua recapitulação do segundo milênio.[7] Para Charles Templeton, está simplesmente fora de questão que "qualquer vida é resultado de forças evolucionárias imemoriais."[8]

O biólogo Francisco Ayala disse que "o maior feito" de Darwin foi mostrar como o desenvolvimento da vida é "resultado de

[6]*God:* the evidence, de Patrick Glynn, p. 2-3.
[7]Iconoclast of the Century, Charles Darwin (1809-1882), Dec. 1999, p. 31.
[8]*Farewell to God*, p. 232.

um processo natural, a seleção natural, sem qualquer necessidade de apelar a um Criador".[9] Michael Denton, biólogo e físico molecular australiano, concordou que o darwinismo "rompeu a ligação do homem com Deus" e conseqüentemente "o deixou vagando no cosmo sem propósito".[10] E acrescentou:

> No que diz respeito ao cristianismo, o advento da teoria da evolução [...] foi catastrófico [...] Provavelmente o declínio da crença religiosa pode ser atribuído mais à propagação e defesa da teoria darwinista da evolução pela comunidade intelectual e científica do que a qualquer outro fator isolado.[11]

Como declara o livro didático *Evolutionary Biology* [*Biologia evolutiva*]: "Ao associar variações não-dirigidas e sem propósito com o processo cego e implacável da seleção natural, Darwin tornou supérfluas as explicações teológicas ou espirituais dos processos da vida".[12] O biólogo inglês Richard Dawkins falou em nome de muitos quando disse que Darwin "tornou possível ao indivíduo ser um ateu intelectualmente realizado."[13]

Com efeito, o destacado evolucionista William Provine, da Universidade Cornell, admitiu honestamente que, se o darwinismo for verdadeiro, existem então cinco implicações inevitáveis: não existem evidências a favor de Deus; não existe vida após a morte; não existe um fundamento absoluto para o certo e o errado; não existe um sentido último para a vida; e as pessoas realmente não têm livre-arbítrio.[14]

[9]*Creative evolution*, NewYork: James and Bartlett, 1994, p. 4-5.

[10]*Evolution:* a theory in crisis, p. 67.

[11]Ibid., p. 66.

[12]Douglas FUTUYAMA, *Evolutionary biology*, Sunderland, Massachusetts: Sinauer, 1986, p. 3.

[13]*The blind watchmaker*, New York: Norton, 1987, p. 6.

[14]Phillip E. JOHNSON, *Darwin on trial*, Downers Grove, Illinois: InterVarsity Press, 1993, p. 126-7.

Contudo, é o darwinismo verdadeiro? Encerrei minha educação formal convencido que sim. Todavia, quando a minha jornada espiritual começou a me levar para o âmbito da ciência, comecei a ter um sentimento de crescente inquietação. Do mesmo modo que a prova da comparação de fios de cabelo no caso de Williamson, será que a prova a favor da evolução significa provar mais do na verdade o faz?

Quanto mais investigava o assunto, mais percebia como havia subestimado certos detalhes significativos, num juízo apressado que lembrava o julgamento do assassinato de Oklahoma. Quando examinei a matéria meticulosamente, comecei a questionar se as radicais conclusões dos darwinistas são realmente justificadas por fatos científicos concretos. (A propósito, uma viagem semelhante ajudou a levar Glynn de volta à fé em Deus.)

Esse não é, logo descobri, um caso de religião *versus* ciência; é antes, uma questão de ciência *versus* ciência. Em anos recentes, cada vez mais biólogos, bioquímicos e outros pesquisadores — não somente cristãos — têm levantado sérias objeções à teoria da evolução, asseverando que as suas amplas conclusões às vezes estão baseadas em dados frágeis, incompletos ou defeituosos.

O que à primeira vista parece uma prova científica acabada a favor da evolução começa a se desfazer mediante um exame mais detido. Novas descobertas feitas nos últimos trinta anos têm levado um número cada vez maior de cientistas a contradizer Darwin, concluindo que houve um Planejador Inteligente por trás da criação e do surgimento da vida.

"O resultado desses esforços cumulativos no sentido de investigar a célula — investigar a vida no plano molecular — é um brado forte, claro e penetrante de 'desígnio!'", disse o bioquímico Michael Behe, da Universidade Lehigh, na sua crítica pioneira do darwinismo.[15] E prosseguiu:

[15]*Darwin's black box,* New York: The Free Press, 1996, p. 232.

> A conclusão do desígnio inteligente flui naturalmente dos próprios dados — não de livros sagrados ou crenças sectárias [...] A hesitação da ciência em abraçar a conclusão do desígnio inteligente [...] não tem um fundamento justificável [...] Muitas pessoas, inclusive muitos cientistas importantes e respeitados, simplesmente não *querem* que exista algo além da natureza.[16]

Essa última frase me tocou. Estava mais que feliz em me agarrar ao darwinismo como desculpa para descartar a idéia de Deus, de modo que eu pudesse pôr em prática descaradamente a minha agenda de vida, sem restrições morais.

"No entanto, alguém que me conhece bem certa vez me descreveu como um indivíduo 'ávido pela verdade'."[17] Minha formação em jornalismo e direito me impele a desencavar opiniões, especulações e teorias, até chegar aos fundamentos dos fatos concretos. Por mais que tentasse, não conseguia dar as costas para as persistentes inconsistências que estavam solapando as bases da teoria de Darwin.

Uma história de detetive dos primórdios

Todo mundo admite que a evolução é verdadeira até certo ponto. Inegavelmente existem variações dentro de certas espécies de animais e plantas, o que explica a existência de mais de duzentas variedades diferentes de cães, a criação de vacas que permitem melhor produção de leite e a adaptação e desenvolvimento das bactérias com imunidade contra os antibióticos. Isso é denominado "microevolução".

Mas a teoria de Darwin vai muito além disso, insistindo que a vida começou há milhões de anos com simples criaturas unicelulares e depois desenvolveu-se através de mutações e seleção natural no vasto conjunto de vida vegetal e animal que povoa o planeta. Os seres humanos entraram em cena vindos

[16]Ibid., p. 193, 251, 243 (grifo do original).

[17]Introdução de Bill Hybels, em: Lee Strobel, *Inteligência espiritual*, 2.ed., São Paulo: Vida, 2001.

de um mesmo ancestral comum com o macaco. Os cientistas chamam essa teoria mais controvertida de "macroevolução".

Inicialmente, pareceu-me perturbadora a pequena quantidade de evidências fósseis para as transições entre diferentes espécies de animais. O próprio Darwin admitiu que a falta desses fósseis "é talvez a objeção mais óbvia e séria" contra a sua teoria, embora tenha confiado de maneira plena que futuras descobertas iriam prová-la.

Saltemos para 1979. David M. Raup, o curador do Museu Field de História Natural, em Chicago, afirmou o seguinte:

> Já se passaram cerca de cento e vinte anos desde Darwin e o conhecimento do registro de fósseis expandiu-se enormemente. Temos agora um quarto de milhão de espécies de fósseis, mas a situação não mudou muito [...] Temos na verdade menos exemplos de transição evolutiva que tínhamos na época de Darwin.[18]

O que o registro de fósseis *realmente* mostra é que em rochas que remontam a cerca de 570 milhões de anos ocorre o súbito aparecimento de quase todas as divisões primárias do reino animal, e elas aparecem plenamente formadas, "sem vestígio dos ancestrais evolutivos que os darwinistas reivindicam".[19] É um fenômeno que aponta mais diretamente para um Criador do que para o darwinismo.

Esse não é o único argumento contrário à evolução. No seu livro *Origem das espécies*, Darwin também admitiu: "Se pudesse ser demonstrado que existiu qualquer órgão complexo que não pudesse ter sido formado por numerosas, sucessivas e ligeiras modificações, então a minha teoria cairia por terra inteiramente".[20] Aceitando esse desafio, o premiado livro de

[18]Conflicts between Darwin and paleontology, *Bulletin, Field Museum of Natural History*, Jan. 1979.

[19]Phillip E. Johnson, *Darwin on trial*, p. 54.

[20]Charles Darwin, *Origin of species*, New York: New York University Press, 1988, p.154.

Behe, *Darwin's black box* [*A caixa preta de Darwin*], mostrou como algumas recentes descobertas bioquímicas têm encontrado numerosos exemplos exatamente desse tipo de "complexidade irredutível".

Todavia, eu estava particularmente interessado em uma questão mais fundamental. A evolução biológica somente pode ocorrer depois de existir algum tipo de matéria viva que possa reproduzir-se e em seguida tornar-se mais complexa por meio de mutações e da sobrevivência dos mais aptos. Eu queria retroceder ainda mais e levantar a questão angular da existência humana: a origem da vida.

A origem da vida tem intrigado por séculos tanto os teólogos quanto os cientistas. "A coisa mais assombrosa para mim é a própria existência", disse o cosmólogo Allan Sandage. "Como é que a matéria inanimada pode organizar-se para meditar em si mesma?"[21]

Realmente, como? A teoria de Darwin pressupõe que substâncias químicas inanimadas, se dispuserem de quantidade certa de tempo e circunstâncias, podem transformar-se por si mesmas em matéria viva. Inegavelmente, essa concepção tem encontrado ampla aceitação popular ao longo dos anos. Mas existiriam dados científicos para sustentar essa convicção? Ou será que, como a evidência da comparação de cabelos no julgamento de Oklahoma, essa análise é pródiga de especulações mas carente de fatos concretos?

Sabia que, se os cientistas pudessem demonstrar de modo convincente que a vida surgiu simplesmente por intermédio de processos químicos naturais, então não haveria necessidade de Deus. Por outro lado, se as evidências apontam na outra direção para um Planejador Inteligente, então todo o castelo de cartas evolutivo de Darwin desabaria.

Essa história de detetive dos primórdios levou-me a uma viagem a Houston, Texas, onde aluguei um carro e segui pelo

[21]George JOHNSON, Science and religion: bridging the great divide, *The New York Times*, 30/6/1998.

interior cortando fazendas de gado em direção à cidade de College Station, sede da Universidade A & M do Texas. Caminhando uma quadra a partir da escola, deparei-me com uma modesta casa de dois pavimentos. Bati na porta de um dos especialistas mais influentes de como surgiu a vida no primitivo planeta terra.

A segunda entrevista: Walter L. Bradley, PH.D.

Walter L. Bradley causou sensação em 1984 quando publicou em co-autoria o criativo livro *The mystery of life's origin* [*O mistério da origem da vida*], uma análise demolidora das teorias sobre a criação da matéria viva. Algumas sobrancelhas se ergueram porque o prefácio foi escrito pelo biólogo Dean Kenyon, da Universidade Estadual de San Francisco, cujo livro *Biological predestination* [*Predestinação biológica*] tinha defendido anteriormente que, sob condições apropriadas, os elementos químicos tinham a capacidade inata de evoluir para células vivas. Chamando o livro de Bradley "relevante, original e convincente", Kenyon concluiu: "Os autores acreditam, e eu agora concordo, que existe um defeito fundamental em todas as atuais teorias das origens químicas da vida."[22]

Desde então, Bradley tem escrito e falado amplamente sobre o tema de como a vida começou. Ele contribuiu para os livros *Mere creation* [*Criação pura e simples*] e *Three views of creation and evolution* [*Três perspectivas sobre criação e evolução*], ao passo que ele e o químico Charles B. Thaxton escreveram o ensaio "Information and the Origin of Life" [*Informação e a origem da vida*] para o livro *The creation hypothesis* [*A hipótese da criação*]. Seus artigos mais técnicos são em co-autoria em "A statistical examination of self-ordering of amino acids in proteins" [*Uma análise*

[22]Charles B. THAXTON, Walter L. BRADLEY e Roger L. OLSEN, *The mystery of life's origin*, Dallas, Texas: Lewis and Stanley, 1984, contracapa.

estatística da auto-ordenação dos aminoácidos nas proteínas], publicado em *Origins of life and evolution of the biosphere* [*As origens da vida e a evolução da biosfera*], que reflete as suas pesquisas pessoais no campo da origem da vida.

Bradley obteve o doutorado em ciência de materiais na Universidade do Texas, em Austin, e foi professor de engenharia mecânica na Universidade A & M do Texas por 24 anos, trabalhando como chefe de departamento por quatro anos. Sendo um especialista em polímeros e termodinâmica, ambos decisivamente importantes na discussão sobre a origem da vida, Bradley é diretor do Centro de Tecnologia de Polímeros, na Universidade A&M, e recebeu dotações para pesquisa no valor total de quatro milhões de dólares.

Tem sido consultor de corporações como Dow Chemical, 3M, B. F. Goodrich, General Dynamics, Boeing e Shell Oil, e foi testemunha especializada em cerca de 75 processos judiciais. Além disso, é membro do Centro para a Renovação da Ciência e da Cultura, do Instituto Discovery, e foi eleito membro da Sociedade Americana de Materiais e da Associação Científica Americana.

Bradley é um homem reservado e afável, que se expressa no lento sotaque do Texas e é fortemente ligado à família. Seus dois filhos e cinco netos moram todos perto uns dos outros em College Station e se reúnem com freqüência. Sua esposa Ann, a filha Sharon e os netos Rachel, Daniel e Elizabeth almoçaram conosco na mercearia local, depois da nossa entrevista.

Como um cientista preocupado com a precisão, Bradley responde às perguntas com frases cuidadosas e completas, fazendo questão de reconhecer nuanças e de não exagerar as suas conclusões. Ele fala de maneira respeitosa dos evolucionistas com os quais tem debatido ao longo dos anos, incluindo o renomado professor de química Robert Shapiro, da Universidade de Nova York, que denominou *The mystery of life's origin* [*O mistério da origem da vida*] "uma importante contribuição" que "reúne os principais argumentos científicos que demonstram a inadequação das atuais teorias."[23]

Sentado à mesa da sala de jantar, Bradley, aos 56 anos, apresentava-se descontraído e genial. Havia se aposentado da Universidade A&M há apenas três meses. Estava confortavelmente vestido com uma camisa esporte azul-clara, jeans e meias brancas sem sapatos. Ficou claro desde o início que ele viera preparado para a nossa conversa: perto dele havia um grande número de trabalhos de pesquisa cuidadosamente empilhados. Como um eterno cientista, queria estar apto a respaldar tudo o que dizia.

Estabelecendo um ponto de partida, iniciei a nossa conversa voltando ao próprio Darwin.

— Sua teoria da evolução procurou explicar como as formas de vida puderam desenvolver-se por longos períodos de tempo, tornando-se criaturas cada vez mais complexas — confirmei. — Mas isso ignora a importante questão da origem da vida. Qual era a teoria de Darwin sobre isso?

Bradley apanhou um livro enquanto respondia.

— Bem, de fato ele não tinha uma idéia muito clara de como a vida surgiu — disse Bradley, colocando seus óculos de leitura com aros de ouro. — Em 1871, escreveu uma carta em que fez algumas especulações — não era sequer uma hipótese, somente algumas idéias soltas. Bradley leu as palavras de Darwin:

> Diz-se, com freqüência, que estão presentes agora todas as condições que antes jamais poderiam ter estado, para a primeira produção de um organismo vivo. Mas se (e oh!, que enorme se!) pudéssemos imaginar que, em uma pequena lagoa aquecida, com a presença de todos os tipos de amônia e sais fosfóricos, luz, calor eletricidade, etc., fosse formado quimicamente um composto de proteína, pronto para experimentar mudanças ainda mais complexas, essa matéria nos dias atuais seria instantaneamente devorada ou absorvida, o

[23]*The mistery of life's origin*, contracapa.

que não teria acontecido antes das criaturas vivas terem se formado.[24]

Fechando o livro, Bradley reafirma:

— Darwin foi o primeiro a teorizar que a vida surgiu a partir de substâncias químicas que reagiram em alguma "pequena lagoa aquecida".

— Parece bastante fácil — observei.

— Darwin pode ter subestimado o problema porque naquela época se imaginava amplamente que a vida se desenvolvesse naturalmente em toda parte — respondeu. — As pessoas achavam que os vermes surgiriam espontaneamente da carne em decomposição. Simultaneamente com a publicação de *A Origem das espécies*, de Darwin, Francesco Redi demonstrou que a carne, protegida das moscas, nunca produzia vermes. Louis Pasteur então demonstrou que o ar contém microorganismos que podem se multiplicar na água, dando a ilusão da geração espontânea de vida. Anunciou na Sorbonne, em Paris, que "a doutrina da geração espontânea nunca irá se recuperar do golpe mortal deste simples experimento".[25]

Bradley deixou esta declaração de Pasteur calar fundo em mim antes de prosseguir.

— Na década de 1920, alguns cientistas disseram que concordavam com Pasteur no sentido de que a geração espontânea não ocorre em um curto período de tempo. Porém, teorizaram que, se você dispusesse de *bilhões* e *bilhões* de anos — como o finado astrônomo Carl Sagan gostava de dizer —, então isso poderia afinal acontecer.

— E essa — concluí, — é a base da idéia que substâncias químicas inanimadas podem combinar-se para formar células vivas, caso tenham tempo suficiente.

— Exatamente — confirmou.

[24]Francis Darwin, *The life and letters of Charles Darwin*, New York: D. Appleton, 1887, p. 202.

[25]R. Vallery-Radot, *The life of Pasteur*, New York: Doubleday, 1920, p. 109.

Os elementos básicos da vida

Contei a Bradley que no colégio e na faculdade me ensinaram que a terra primitiva era coberta de lagos naturais de substâncias químicas e tinha uma atmosfera favorável para a formação da vida. Graças à energia proporcionada pelos relâmpagos, as substâncias dessa "sopa pré-biótica" se uniram — num período de bilhões de anos — e surgiu uma forma de vida simples. A partir daí, entrou em cena a evolução.

— Quem concebeu esse cenário? — perguntei.

— O bioquímico russo Alexander Oparin propôs em 1924 que as combinações moleculares complexas e as funções da matéria viva evoluíram a partir de moléculas mais simples que pré-existiam na terra original — disse. — Em 1928, o biólogo inglês J.B.S. Haldane teorizou que a luz ultravioleta, atuando na atmosfera primitiva da terra, fez com que os açúcares e os aminoácidos se concentrassem nos oceanos, e a vida então emergiu finalmente a partir desse caldo original.

— Mais tarde, o ganhador do Prêmio Nobel Harold Urey sugeriu que a atmosfera primitiva da terra teria favorecido o surgimento de compostos orgânicos. Urey foi o orientador de doutorado de Stanley Miller na Universidade de Chicago, e Miller decidiu testar essa teoria experimentalmente.

O nome de Miller lembrou algo. Recordo-me de ter ouvido na escola sobre a inédita experiência em que recriou em um laboratório a atmosfera da terra primitiva e nela descarregou eletricidade para simular os efeitos dos relâmpagos. Em pouco tempo ele descobriu que haviam sido criados aminoácidos — os elementos básicos da vida. Posso recordar o meu professor de biologia narrando a experiência com entusiasmo contagiante, sugerindo que ela provava conclusivamente que a vida poderia ter surgido a partir de substâncias químicas inanimadas.

— Esse experimento foi saudado como uma grande conquista naquela época, não foi? — perguntei.

— Oh, com certeza! — Bradley declarou. — Sagan o denominou o passo isolado mais significativo no sentido de convencer muitos cientistas de que a vida provavelmente é abundante no cosmos.[26] O químico William Day disse que o experimento demonstrou que esse primeiro passo na criação da vida não foi um evento fortuito, mas inevitável.[27] O astrônomo Harlow Shapley disse que Miller havia provado que "o surgimento da vida é em essência um desdobramento bioquí-mico automático que ocorre naturalmente quando as condições físicas são apropriadas".[28]

Esse fato certamente foi impressionante.

— Será que isso encerrou a questão? — perguntei.

— Longe disso — respondeu Bradley. — Por algum tempo, os evolucionistas ficaram eufóricos. Mas houve um grande problema com a experiência que invalidou os resultados.

Nunca ouvira na escola que o experimento de Miller tinha um defeito fatal.

— Qual foi o problema? — perguntei.

— Miller e Oparin não tinham nenhuma prova concreta de que a antiga atmosfera da terra era composta de amônia, metano e hidrogênio, que Miller utilizou em sua experiência. Basearam sua teoria na química física. Queriam obter uma reação química favorável e assim sugeriram que a atmosfera era rica nesses gases. Oparin era inteligente o suficiente para saber que se começasse com gases inertes como o nitrogênio e o dióxido de carbono, eles não reagiriam.

Arregalei os olhos. — Era uma crítica arrasadora do experimento de Miller.

— O senhor está dizendo que o cenário foi preparado de antemão para obter os resultados desejados? — indaguei com um tom de incredulidade.

[26]Robert Shapiro, *Origins*, New York: Summit Books, 1986, p. 99.

[27]*Genesis on planet Earth*, East Lansing, Michigan: House of Talos, 1979, p. 7.

[28]*Evolution after Darwin*, Chicago: University of Chicago Press, 1960, vol. 1, p. 57.

— Essencialmente, sim — respondeu.

— Como era o verdadeiro ambiente da terra original?", perguntei.

— A partir de 1980, os cientistas da NASA demonstraram que a terra primitiva nunca teve metano, amônia ou hidrogênio em quantidades consideráveis — informou. — Era composta de água, dióxido de carbono e nitrogênio —e você simplesmente não pode obter os mesmos resultados experimentais com essa mistura. Simplesmente não vai funcionar. Experiências mais recentes têm-no confirmado.

Afundei na poltrona, impressionado com as implicações do que Bradley havia revelado. Lembrei-me imediatamente de meu professor de biologia, que parecia absolutamente confiante de que o experimento de Miller validava a evolução química da vida. Certamente, era esse o pensamento dominante da época. Agora, novas descobertas haviam mudado tudo — todavia, existem gerações de ex-estudantes que ainda vivem sob a impressão de que a questão da origem da vida já foi resolvida.

— Desse modo, hoje o valor científico do experimento de Miller... — principiei, levando Bradley a concluir a minha frase.

— ... é zero — completou. — Quando os livros escolares descrevem o experimento de Miller, deveriam ser suficientemente honestos para dizer que foi algo interessante do ponto de vista histórico, mas não muito relevante para mostrar como a vida de fato surgiu.[29]

Assobiei levemente. A analogia com o julgamento de Oklahoma provava-se ser ainda mais precisa do que eu havia imaginado.

Compondo uma célula

Antes de prosseguirmos, achei que seria importante entender alguns pontos fundamentais quanto à matéria viva para

[29]V. Origin of life and evolution in biology textbooks — a critique, de Gordon C. Mills, Malcolm Lancaster & Walter L. Bradley, publicado em *The American Biology Teacher*, Feb. 1993.

verificar se é razoável crer que ela poderia ter sido produto de reações químicas espontâneas.

— Vamos começar estabelecendo a diferença entre um sistema vivo e um que não é vivo — disse a Bradley.

— Um sistema vivo precisa fazer pelo menos três coisas: processar energia, armazenar informações e reproduzir-se — informou. "Todos os sistemas vivos comportam-se assim. Os seres humanos realizam essas três funções, embora as bactérias as realizem de maneira muito mais rápida e eficiente. As coisas inanimadas não as realizam.

Rememorando os dias de Darwin, perguntei:

— Darwin considerava que a matéria viva básica — digamos, por exemplo, um organismo unicelular — era essencialmente simples?

— Sim, sem dúvida — foi a resposta. — Darwin provavelmente não achava que seria muito difícil criar vida a partir da ausência de vida, pois a distância entre as duas não parecia muito grande para ele. Em 1905, Ernst Haeckel descreveu as células vivas simplesmente como "glóbulos homogêneos de plasma".[30] Naquele tempo era impossível verificar a complexidade que existe dentro da membrana celular. Mas a verdade é que um organismo unicelular é mais complicado que qualquer coisa que tenhamos conseguido recriar por meio de supercomputadores.

— Uma pessoa descreveu organismo unicelular de modo muito criativo — mas bastante preciso — como uma indústria de alta tecnologia, completada com linguagens artificiais e sistemas de decodificação, bancos centrais de memória que armazenam e localizam quantidades impressionantes de informações, sistemas de controle de precisão que regulam a montagem automática dos componentes, mecanismos de revisão e controle de qualidade que protegem contra erros, sistemas de montagem que utilizam princípios de pré-fabricação e construção modular e um completo sistema de duplicação que

[30]*The wonders of life*, Londres: Watts, 1905, p. 111.

permite ao organismo reproduzir-se a uma velocidade estonteante.

— Isso é extremamente impressionante — disse. — Mas talvez os organismos unicelulares sejam mais complicados hoje por terem se desenvolvido e evoluído ao longo das eras. Talvez as primeiras células produzidas primitivamente no planeta fossem muito mais elementares, portanto, mais fáceis de criar.

— Vamos aceitar essa teoria — admitiu Bradley. — Mas mesmo quando você tenta imaginar como teria sido a célula viva mínima, ainda assim ela não é nada simples.

— O que entraria na formação de um organismo vivo? — perguntei — e, antes que Bradley pudesse abrir a boca para responder, acrescentei rapidamente: — E o manteria simples.

— Bem — disse, limpando a garganta. — Essencialmente, começa-se com os aminoácidos. Eles vêm em oitenta tipos diferentes, mas somente vinte deles são encontrados em organismos vivos. O segredo, então, é isolar somente os aminoácidos certos. Depois, os aminoácidos certos precisam ser conectados na seqüência correta a fim de produzir moléculas de proteínas. Imagine aquelas formações desmontáveis de plástico com as quais as crianças brincam — você precisa montar os aminoácidos certos de maneira correta para finalmente obter funções biológicas.

Imaginar crianças brincando com brinquedos de plástico fazia esse processo parecer — bem, brincadeira.

— Isso não parece muito difícil — disse.

— Não seria se você estivesse aplicando seus conhecimentos ao problema, selecionando intencionalmente e reunindo os aminoácidos um de cada vez. Mas, lembre-se, essa é uma evolução química. Ela não seria dirigida por nenhum auxílio externo. E existem muitos outros fatores complicadores a considerar.

— Tais como o quê?

"Por exemplo, outras moléculas tendem a reagir mais prontamente com aminoácidos que os aminoácidos reagem uns com os outros. Agora você tem o problema de como eliminar essas moléculas estranhas. Mesmo na experiência de Miller, somente dois por cento do material produzido era composto de aminoácidos, de modo que você teria muitos outros materiais químicos a entravar o processo.

— Há ainda um outro fator complicador: existe um número igual de aminoácidos destros e canhotos, e somente os canhotos atuam na matéria viva. Agora, você precisa ter somente esses aminoácidos seletos para interligar na seqüência correta. E você também precisa do tipo certo de ligações químicas — a saber, as ligações de peptídeos — nos lugares certos para que a proteína seja capaz de dobrar-se de um modo tridimensional específico. De outro modo, ela não irá funcionar.

— É mais ou menos como um linotipista que pinça letras de um cesto e compõe as palavras, como se costumava fazer, à mão. Se você conduzir o processo com sua inteligência, não haverá problema. Mas se você simplesmente escolhesse as letras ao acaso e as juntasse aleatoriamente — até de cabeça para baixo e de trás para a frente — então qual seria a chance de obter palavras, sentenças e parágrafos que tivessem sentido? É extremamente improvável.

— Da mesma maneira, talvez cem aminoácidos precisem ser reunidos de maneira exatamente correta para fazer uma molécula de proteína. E lembre-se que esse é somente o primeiro passo. Criar uma molécula de proteína não significa que você criou a vida. Agora é preciso reunir um conjunto de moléculas de proteína — talvez duzentas delas — com as funções certas, para obter uma célula viva típica.

Puxa! Agora eu estava começando a perceber a enormidade do desafio. Mesmo que Miller estivesse certo quanto à facilidade com que os aminoácidos poderiam ser produzidos na atmosfera da terra primitiva, contudo o processo de reuni-las em moléculas de proteínas e depois associar estas últimas em uma célula viva seria estarrecedor.

— Nos sistemas vivos — prosseguiu Bradley, — a orientação necessária para juntar qualquer coisa vem do DNA. Cada célula de cada planta e animal precisa ter uma molécula de DNA. Pense nela como um pequeno microprocessador que controla tudo. O DNA trabalha em estreita associação com o RNA para dirigir a seqüência correta dos aminoácidos. Ele é capaz de fazer isso através de instruções bioquímicas — isto é, informações — que estão codificadas no DNA."

Isso levantava uma questão óbvia. "De onde veio o DNA?", indaguei.

— Fazer o DNA e o RNA seria um problema ainda maior do que criar proteínas — respondeu. Eles são muito mais complexos e existe uma série de problemas práticos. Por exemplo, a síntese dos elementos constitutivos básicos do DNA e do RNA não foi feita com êxito, exceto sob condições muito pouco plausíveis, sem qualquer semelhança com as da terra primitiva. Klaus Dose, do Instituto de Bioquímica de Mainz, na Alemanha, admitiu que as dificuldades para sintetizar o DNA e o RNA "estão presentemente além da nossa imaginação."[31] Honestamente, a origem desse sistema sofisticado, que é ao mesmo tempo rico de informações e capaz de se reproduzir, tem sido um enorme obstáculo para os cientistas da origem da vida. Como disse o ganhador do Prêmio Nobel *sir* Francis Crick: "A origem da vida parece ser quase um milagre, tantas são as condições que teriam de ser satisfeitas para torná-la uma realidade".[32]

Mesmo assim, os cientistas têm tentado elaborar teorias criativas que procuram explicar como os biopolímeros (tais como as proteínas) foram montados precisamente com as estruturas básicas certas (aminoácidos) e somente com os isômeros corretos (aminoácidos canhotos), unidos somente pelas ligações de peptídeos certas, somente na seqüência

[31]The origin of life: more questions than answers, *Interdisciplinary Science Reviews* 13, 1988, p. 348.

[32]*Life itself*, New York: Simon and Schuster, 1981.

correta. Eu resolvi pedir a Bradley uma análise das hipóteses mais comuns que os cientistas têm proposto nos últimos anos.

Teoria n.º 1: Acaso fortuito

Eu havia aprendido na escola que, se as substâncias químicas tivessem uma grande quantidade de tempo para interagir na "pequena lagoa aquecida" da terra nos primórdios, finalmente o improvável se tornaria provável e a vida surgiria. Porém, levando em conta a descrição feita por Bradley do que teria de acontecer, pude ver por que essa teoria perdeu apoio nos últimos anos.

— Antes os cientistas acreditavam na idéia de que o acaso fortuito mais o tempo produzem a vida porque — igualmente acreditavam na teoria do estado permanente do universo —, disse Bradley. — Isso significava que o universo era infinitamente antigo e quem sabe o que poderia acontecer se você tivesse uma quantidade infinita de tempo? Porém, com a descoberta da radiação de fundo em 1965, a teoria do *big-bang* veio a dominar a cosmologia. A má notícia para a teoria da evolução foi que isso significava que o universo tinha somente por volta de 14 bilhões de anos. Pesquisas mais recentes constataram que a terra provavelmente tem menos de 5 bilhões de anos.

— Ainda assim — exclamei — isso é muito tempo. Muita coisa pode acontecer em 5 bilhões de anos.

— Na realidade, não é tanto tempo quanto você imagina. A terra passou muito tempo esfriando até a temperatura em que a vida pudesse ser mantida. Com base na descoberta de microfósseis, os cientistas agora calculam que o período de tempo transcorrido desde que a terra atingiu a temperatura adequada até o primeiro surgimento da vida foi de apenas 400 milhões de anos. Isso não é muito tempo para a ocorrência da evolução química. De fato, Cyril Ponnamperuma, da Universidade de Maryland, e Carl Woese, da Universidade de

Illinois, sugeriram que a vida pode ser tão antiga quanto a terra e que a sua origem pode ter praticamente coincidido com o nascimento do planeta.[33]

— E não somente o tempo foi curto demais, mas as probabilidades matemáticas de se formar um organismo vivo são tão astronômicas que ninguém ainda acredita que o acaso fortuito explique a origem da vida. Mesmo que as condições fossem ideais, isso não iria funcionar. Se você tomasse todo o carbono que existe no universo e o colocasse na face da terra, permitisse que ele reagisse quimicamente no ritmo mais rápido possível e o deixasse ficar por um bilhão de anos, a probabilidade de se criar uma só molécula funcional de proteína seria de uma em 10 seguido de 60 zeros.

Essa probabilidade é tão infinitesimal que a mente humana não pode compreendê-la.

— Comparado a isso, ganhar na loteria é quase uma certeza — brinquei.

— Certamente. Behe disse que a probabilidade de encadear somente cem aminoácidos para criar uma molécula de proteína por acaso seria o mesmo que um homem de olhos vendados encontrar um grão de areia específico em algum lugar da vastidão do Deserto do Saara — e fazê-lo não somente uma vez, mas em três ocasiões diferentes.[34] *Sir* Frederick Hoyle expressou isso de maneira jocosa quando disse que esse cenário é tão provável quanto um furacão atingir um ferro velho e montar acidentalmente um Boeing 747 plenamente funcional.

— Para todos os propósitos práticos a probabilidade é zero. É por isso que, muito embora algumas pessoas não treinadas nessa área ainda acreditem que a vida surgiu por acaso, os cientistas simplesmente não mais crêem nisso.

[33]How did life begin?, *Newsweek*, 6/8/1979.

[34]J. BUELL & G. HEARN, eds., *Darwinism:* science or philosophy?, Dallas, Texas: Foundation for Thought and Ethics, 1994, p. 68-9.

Teoria n.º 2: Afinidade química

Tendo sido o acaso fortuito firmemente rejeitado como explicação para a origem da vida, os cientistas se voltaram para outra teoria: a de que deve haver alguma atração inata que faria com que os aminoácidos se ligassem espontaneamente na seqüência correta para criar as moléculas de proteínas de que são feitas as células vivas. Essa idéia foi popularizada em um livro de 1969, tendo Kenyon como co-autor, ao argumentar que o surgimento da vida de fato pode ter sido "predestinado quimicamente" por causa dessas preferências de ligação química.[35]

De fato, os pesquisadores estudaram o *Atlas of protein sequence and structure* [*Atlas de seqüência e estrutura de proteínas*] para verificar se certos aminoácidos se posicionavam preferencialmente perto de um vizinho em particular. Eles observaram dez proteínas e realizaram um experimento de apoio que parecia sugerir que havia mérito nessa hipótese.

— Essa parece ser uma explicação plausível — disse a Bradley. — O que há de errado com ela?

Embora não o soubesse naquele momento, estava fazendo a pergunta ao cientista que fez parte da equipe que refutou essa hipótese em 1986.

— Nós criamos um programa de computador para analisar não apenas dez proteínas, mas cada uma das duzentas e cinqüenta proteínas do *Atlas* — Bradley respondeu. — Os resultados demonstraram conclusivamente que a seqüência não tinha nada a ver com preferências químicas. Conseqüentemente, essa teoria caiu por terra.[36] Até mesmo Kenyon, um de seus maiores defensores, repudiou a idéia.

[35]V. Dean Kenyon & G. Steinman, *Biological predestination* de Dean Kenyon e G. Steinman, New York: McGraw Hill, 1969.

[36]V. A statistical examination of self-ordering of amino acids in proteins, de Randall A. Kok, John A. Taylor & Walter L. Bradley, publicado em *Origins of Life and Evolution of the Biosphere* 18 (1988).

Teoria n.° 3: Tendências auto-ordenatórias

Essa teoria vem com um título intimidador: "termodinâmica de não-equilíbrio". Basicamente, esse conceito diz que, sob certas circunstâncias, se a energia atravessar um sistema em uma velocidade consideravelmente elevada, o sistema se torna instável e irá de fato reorganizar-se em uma forma alternativa e um tanto mais complexa.

Um exemplo disso é a água que escorre pelo ralo de uma banheira. Inicialmente, as moléculas de água simplesmente escoam aleatoriamente. Mas no fim, a saída se torna muito mais ordenada à medida que as moléculas espontaneamente formam um redemoinho.

— Alguns cientistas têm sugerido que essa tendência das moléculas se tornarem mais ordenadas poderia ser uma analogia de como a natureza se organiza espontaneamente sob determinadas circunstâncias — disse a Bradley.

Ele estava plenamente familiarizado com essa hipótese.

— O problema é que o nível de organização de que você está falando é bastante baixo. Até mesmo Ilya Prigogine, o especialista em termodinâmica que especulou acerca dessa teoria, admitiu recentemente que "ainda existe uma diferença entre as estruturas mais complexas que podemos produzir em situações de não-equilíbrio na química e a complexidade que encontramos na biologia."[37]

— Ele está certo. Compare o redemoinho de uma banheira com a complexidade estonteante que descrevi na criação da matéria viva e você verá que é uma diferença incrivelmente grande.

Outros cientistas têm apresentado a "termodinâmica do equilíbrio" como outra possível solução. Por exemplo, se a água é resfriada, transforma-se em gelo. As moléculas do gelo são mais ordenadas que as moléculas aleatórias da água. Algumas pessoas têm apontado para isso como outra maneira pela qual a natureza se organiza.

[37]*The end of certainty:* time, chaos, and the new laws of nature, New York: The Free Press, 1997, p. 71.

Mas Bradley desprezou essa teoria por uma razão semelhante.

— Outra vez — afirmou, — você precisa de um nível muito baixo de informação para criar cristais de gelo em comparação com o elevado nível de informação necessário para organizar os aminoácidos com o fim de criar moléculas de proteína. É por isso que essa teoria também não colou.

Bradley disse que há uma diferença significativa entre a "ordem" encontrada em algumas coisas inanimadas e a "complexidade específica" das células vivas.

— Os cristais de gelo exigem uma certa dose de ordem, mas ela é simples, repetitiva e necessita de uma baixa quantidade de informações, mais ou menos como preencher um livro com as palavras "eu amo você, eu amo você" eu amo você' muitas e muitas vezes. Em contraposição, o tipo de complexidade que vemos na matéria viva tem um alto conteúdo de informações que especificam como reunir os aminoácidos na seqüência certa, a exemplo de livro que foi escrito com frases de significado preciso e que contam uma história. Inquestionavelmente, a energia pode criar padrões de ordem simples. Por exemplo, você pode ver marcas na areia de uma praia e saber que foram criadas pela ação das ondas. Mas se você visse as palavras "João ama Maria" e um coração com uma flecha, você saberia que a energia sozinha não criou aquilo. É por isso que o renomado teórico de informações H. P. Yockey disse: "As tentativas de relacionar a idéia de ordem[...] com organização biológica[...] devem ser consideradas um jogo de palavras que não pode resistir a um exame cuidadoso."[38]

Teoria n.° 4: Semeadura vinda do espaço

Frustrados com os obstáculos aparentemente intransponíveis quanto à evolução química na terra, alguns cientistas — incluindo Crick, um dos descobridores do DNA — propuseram

[38]A calculation of the probability of spontaneous biogenesis by information Theory, *Journal of theoretical Biology* 67, p. 380.

que as estruturas básicas da vida viriam de algum outro lugar do espaço. Hoyle e N. C. Wickramasinghe especularam que partículas do tamanho de células vivas poderiam alcançar a terra sem serem incineradas pela atmosfera. Enquanto no espaço, uma fina camada de pó de grafite poderia protegê-las dos raios destrutivos de luz ultravioleta.

Essa teoria foi amparada pela descoberta de aminoácidos no famoso meteorito Murchison, que caiu na Austrália em 1969, bem como em outro meteorito que mergulhou na Artártida há cerca de 3,8 bilhões de anos.[39]

Crick e Leslie Orgel foram ainda mais longe ao sugerir que esporos de vida podem ter sido enviados intencionalmente para a terra por uma civilização avançada, talvez, alguns têm especulado, com a intenção de fazer da terra uma área de preservação, um zoológico ou um depósito de lixo cósmico.[40]

— Tudo isso parece bastante bizarro — sugeri a Bradley. — Mas, por outro lado, talvez não seja tão bizarro quanto a idéia de que Deus criou tudo.

O rosto de Bradley transmitiu a sua insatisfação com esse enfoque.

— O fato que os cientistas formulem esse tipo de propostas grotescas demonstra que simplesmente não conseguem imaginar nenhum modo pelo qual a vida poderia ter surgido naturalmente sobre a terra, e eles estão seguros disso — ressaltou. — Gosto da maneira como Phillip Johnson o expressou: "Quando um cientista do calibre de Crick sente que precisa invocar homens do espaço indetectáveis, é hora de considerar se o campo da evolução pré-biológica não chegou a um beco sem saída".[41]

— O maior defeito dessa teoria é que ela não resolve o problema da origem da vida — explicou Bradley. — Pense no

[39]V. *The mystery of life's origin*, de Charles B. Thaxton, Walter L. Bradley & Roger L. Olsen p. 191-6.

[40]Ibid., 194.

[41]*Darwin on trial*, p. 111.

seguinte: se você disser que a vida surgiu em algum outro lugar, isso simplesmente transfere o problema para outro local! Os mesmos obstáculos persistem.

Embora a observação de Bradley certamente fosse verdadeira, insisti em outra possibilidade.

— Talvez outro planeta tivesse uma atmosfera de amônia, metano e hidrogênio, mais propícia para a produção dos elementos básicos da vida — sugeri.

— Mesmo que fosse esse o caso — respondeu, — como foi que esses aminoácidos e proteínas foram reunidos para formar matéria viva? Esse é um problema de informação — como ordenar a seqüência dos átomos da maneira certa — e esse problema independe de como é a atmosfera. Mesmo que meteoritos tenham trazido aminoácidos para a terra, ainda se tem o problema da ordenação.

— Como disse A. Dauvillier em *The photochemical origin of life* [*A origem fotoquímica da vida*], essa teoria "é uma hipótese simplista, um subterfúgio que procura evitar o problema fundamental da origem da vida".[42] Até mesmo Stanley Miller não vê utilidade nessa teoria. Disse à revista *Discover*: "Matéria orgânica do espaço exterior — isso é realmente besteira".[43]

Bradley apanhou um relatório da conferência internacional de cientistas da origem da vida realizada em julho de 1999 e leu um trecho para mim: "Antes do final do segundo dia da conferência, os pesquisadores tiveram de concordar que a transferência extraterrestre *não* poderia ter fornecido todas as moléculas pré-bióticas necessárias".[44] O relatório prosseguia dizendo que o evolucionista Shapiro tinha estudado o meteorito Murchison e "demonstrado que reações colaterais impediriam eficazmente que quaisquer moléculas pré-bióticas existentes

[42]New York: Academic Press, 1965, p. 2.

[43]Peter Radetsky, How did life start?, *Discover*, Nov. 1992.

[44]Fazale R. Rana & Hugh Ross, Life from the heavens? Not this way, *Facts for Faith*, Oct. 2000 (grifo do original).

no meteorito *jamais* formassem espontaneamente moléculas de vida."[45]

— Enquanto isso — acrescentou Bradley, "Christopher Chyba, um cientista planetário da NASA, disse que, embora as naves espaciais tenham confirmado alguns compostos orgânicos em cometas no espaço exterior, "nessas velocidades, pelo menos 16 a 24 km por segundo, as temperaturas alcançadas no impacto são tão elevadas que qualquer coisa acaba sendo incinerada".[46] Além disso, mesmo que tenham chegado à terra, você ainda tem o problema de como teriam sido reunidos para formar matéria viva.

Teoria n.° 5: Respiradouros no oceano

Em 1977, cientistas a bordo do submarino de pesquisa *Alvin*, oitocentos metros abaixo da superfície do Pacífico, a oeste do Equador, descobriram exóticos respiradouros termais no leito do oceano. Vermes tubulares, moluscos e bactérias, cuja fonte primária de energia são os compostos de enxofre que saem dos respiradouros, abundavam nas proximidades. Desde então, dezenas de outros respiradouros têm sido encontrados em vários locais subaquáticos.

Isso levou Jack Corliss, um biólogo marinho que agora trabalha no Centro de Vôos Espaciais Goddard, da NASA, a sugerir que esses respiradouros poderiam ter criado o ambiente onde teria sido produzido o início da vida.

"O importante acerca das fontes termais é que elas fornecem um processo bom, seguro e contínuo pelo qual se pode ir desde moléculas muito simples até células vivas e bactérias primitivas", disse à revista *Discover*.[47]

Alguns periódicos de divulgação científica, pródigos em especulações, mas pobres em dados específicos, têm popularizado

[45]*Facts for faith* (grifo do original).
[46]Peter RADETSKY, How did life start?, *Discover*, Nov. 1992.
[47]Ibid.

esse conceito. Todavia, quando o escritor científico, Peter Radetcky, indagou ao pesquisador da origem da vida, Miller, sobre o respiradouro, deparou-se com aberta hostilidade. "A hipótese do respiradouro é uma coisa simplesmente furada. Não entendo por que temos ainda de discuti-la", retrucou um irritado Miller.[48]

Bradley também se mostrou cético quando mencionei essa teoria.

— Tudo bem, os respiradouros poderiam constituir uma fonte incomum de energia que poderia levar algumas substâncias químicas a se tornarem reagentes — consentiu. — Mas eles simplesmente não abordam o problema da ordenação. Essa teoria nada faz para resolver o problema de como montar os elementos básicos da vida na seqüência correta e com as conexões corretas. Mais que isso, aduziu, algumas experiências de Miller e Jeffrey Bada na Universidade da Califórnia, em San Diego, sugeriram que as elevadas temperaturas desses respiradouros superaquecidos destruiriam os compostos orgânicos complexos, ao invés de criá-los.

Bradley explicou:

— Considera-se hoje em dia que toda a água do oceano é reciclada periodicamente através desses respiradouros. Se você finalmente obtivesse algumas moléculas que estavam por se tornar maiores e mais complexas, elas seriam tão frágeis que seriam destruídas pelo calor quando fossem recicladas. Isso significa que a escala de tempo para a evolução química seria encurtada de modo dramático. Os respiradouros fariam você voltar e começar tudo de novo a intervalos bastante curtos — e isso atuaria contra o desenvolvimento da vida.

Teoria n.° 6: Vida procedente da argila

Uma outra hipótese popularizada pela mídia nos últimos anos foi a sugestão do químico escocês A. G. Cairns-Smith

[48]How did life start, *Discover*, Nov. 1992.

de que a vida de algum modo surgiu de argilas cuja estrutura cristalina tinha suficiente complexidade para, de algum modo, estimular as substâncias químicas pré-bióticas a se juntarem.[49]

— O que dizer dessa abordagem? — perguntei a Bradley.

"Em certo sentido, as argilas poderiam ajudar, porque as moléculas não gostam de reagir na água e a superfície da argila poderia dar-lhes um meio menos úmido — Bradley respondeu. Mas como a argila seria capaz de transmitir as informações necessárias para agrupar as substâncias químicas de maneira correta? O melhor que a argila cristalina pode fazer é fornecer informações de agrupamento de grau muitíssimo baixo, e isso será muito repetitivo. É como o livro de que falei há pouco, cheio de "Eu amo você, eu amo você, eu amo você" muitas e muitas vezes. É algo ordenado? Sim. Tem muita informação? Não. O cristal é isso — nada mais que informações redundantes. Está muitíssimo aquém da complexidade específica de que a matéria viva necessita. Até Cairns-Smith reconheceu os problemas suscitados por esta idéia. Ele admitiu em 1991: "Ninguém foi capaz de induzir a argila a fazer qualquer coisa que se assemelhe à evolução em um laboratório e ninguém encontrou na natureza qualquer coisa que se assemelhe a um organismo baseado na argila".[50]

A conclusão mais razoável

Tentativa após tentativa, os cientistas da origem da vida acabam de mãos vazias quando tentam teorizar sobre como as substâncias químicas poderiam evoluir até se tornarem matéria viva. Recentemente, alguns deles têm utilizado modelos de computador para tentar mostrar como as reações químicas

[49]V. *Genetic takeover and the mineral origins of life*, New York: Cambridge University Press, 1982.

[50]Information and the origin of life, *The creation hypothesis*, Downers Grove, Illinois: InterVarsity Press, 1994, p. 194.

poderiam ter ocorrido na terra primitiva, mas esses cenários somente funcionam se o computador for programado para eliminar alguns dos obstáculos intransponíveis que as substâncias químicas teriam efetivamente encontrado no mundo real.

Quando um cientista do Instituto Santa Fé, onde algumas simulações de computador têm sido feitas, comentou: "Se Darwin tivesse um computador em sua mesa, quem sabe o que ele poderia ter descoberto", comentou maldosamente o especialista em origem da vida John Horgan: "De fato, Charles Darwin poderia ter descoberto muita coisa sobre computadores e muito pouco sobre a natureza."[51]

Com tantas teorias se evaporando sob o crivo do exame minucioso, pedi a Bradley sua avaliação pessoal do estado das pesquisas sobre o surgimento da vida.

— Não há qualquer dúvida que a ciência, pelo menos neste momento, está em um beco sem saída — respondeu. — O otimismo dos anos 50 já se foi. O estado de ânimo na conferência internacional de 1999 sobre a origem da vida foi descrito como sombrio — cheio de frustração, pessimismo e desânimo.[52] Ninguém faz de conta que qualquer alternativa ofereça uma explicação racional de como a vida evoluiu espontaneamente desde as substâncias químicas simples até as proteínas e daí até as formas básicas de vida.

Bradley apanhou um livro e localizou rapidamente a citação que buscava.

— Klaus Dose, o bioquímico que é considerado um dos maiores especialistas na área, sintetizou muito bem a situação disse Bradley, lendo as palavras dele:

> Mais de trinta anos de experiências sobre a origem da vida nos campos da evolução química e molecular levaram a uma melhor percepção da imensidão do problema da origem da vida na terra, em vez da solução. Presentemente,

[51]William A. Dembski, *Mere creation*, p. 46.

[52]Fazale R. Rana & Hugh Ross, Life from the heavens? Not this way, *Facts for Faith*, 1.° trimestre, 2000.

todas as discussões sobre teorias e experimentos de princípios nessa área terminam em impasse ou em uma confissão de ignorância.[53]

Bradley continuou:

— Shapiro argumenta incisivamente que todas as atuais teorias estão falidas.[54] Crick afirmou movido pela frustração: "Toda vez que escrevo um trabalho sobre a origem da vida, juro que nunca mais escreverei outro, porque existe um excesso de especulação correndo atrás de muito poucos fatos".[55] Mesmo Miller, cerca de quarenta anos após a famosa experiência, declarou ao periódico *Scientific American*, minimizando a questão: "O problema da origem da vida acabou sendo muito mais difícil do que eu e a maior parte das pessoas havíamos imaginado".[56]

Por coincidência, mais ou menos na mesma época da minha entrevista com Bradley, o loquaz evolucionista Stephen Jay Gould, da Universidade Harvard, foi convidado a escrever um ensaio para a revista *Time* respondendo se os cientistas algum dia descobrirão como a vida começou. O resultado foi um texto vago, equivocado e hesitante que nunca chegou perto de sugerir uma única hipótese sequer para explicar como a vida conseguiu surgir da matéria inanimada.[57]

— O que fazer com esse impasse científico? — perguntei a Bradley.

— Isto depende bastante da metafísica — afirmou. — Shapiro, a quem muito respeito, diz que devem existir algumas leis físicas que ainda não descobrimos, que finalmente nos mostrarão como a vida surgiu naturalmente. Porém, não há nada na ciência que garanta uma explicação

[53]The origin of life: more questions than answers, *Interdisciplinary Science Review* 13, 1998, p. 348.

[54]Robert SHAPIRO, *Origins*, p. 99.

[55]Francis CRICK, *Life itself*, p. 153.

[56]J. HORGAN, In the beginning..., *Scientific American*, Feb., 1991.

[57]V. Will we figure out how life began?, *Time*, 10/4/2000.

natural para o início da vida. A ciência é neutra com relação ao resultado. É difícil imaginar novas leis naturais, porque elas terão características necessariamente consistentes com as que já são conhecidas.

Perguntei então:

— Qual é a sua hipótese favorita?

Bradley não respondeu de imediato. Olhou para a pilha de trabalhos de pesquisa, refletindo por instantes antes de olhar novamente para mim. Quando os nossos olhos se encontraram, prosseguiu.

— Se não existe uma explicação natural e parece não haver a possibilidade de se encontrar, creio então que é apropriado levar em conta uma explicação sobrenatural. Eu acho que essa é a conclusão mais razoável com base nas evidências.

Parecia ser uma enorme concessão para alguém treinado em ciência.

— O senhor não vê problema em dizer que a melhor explicação parece ser um Planejador Inteligente?

— De maneira alguma. Acho que as pessoas que acreditam que a vida surgiu de modo natural precisam ter muito mais fé que as pessoas que concluem racionalmente que existe um Planejador Inteligente.

— O que impede que mais cientistas cheguem a essa conclusão?

— Muitos *já* chegaram a essa conclusão. Porém, em alguns casos, a filosofia atrapalha. Se eles estão persuadidos de antemão que Deus não existe, então, não importa quão convincentes sejam as evidências, sempre negarão: "Aguarde e nós encontraremos algo melhor no futuro". Mas esse é um argumento metafísico. Os cientistas não são mais objetivos que qualquer outra pessoa. Todos eles se aproximam de questões como essa com idéias pré-concebidas.

Exclamei incontinenti:

— Sim, mas o senhor veio com a idéia pré-concebida de que *existe* um Deus.

Bradley assentiu.

— Claro — admitiu. — Fiquei agradavelmente surpreso, porque um nível inferior de evidência provavelmente me teria satisfeito. Mas o que achei é uma evidência absolutamente esmagadora que aponta para um Planejador Inteligente.

— Então o senhor acha que os fatos apontam de modo convincente para um Criador?

— *Convincente* é um termo muito leve — ele respondeu. — As evidências são compulsórias. "Convincente" sugere que é um pouco mais provável que improvável; "compulsório" traduz que você realmente tem de se esforçar muito para não chegar àquela conclusão.

— Mas isso parece tão... — interrompi, hesitando um pouco enquanto procurava a palavra certa, — *pouco científico* — disse finalmente.

— Ao contrário — Bradley respondeu, — é muito científico. Nos últimos cento e cinqüenta anos, os cientistas têm usado argumentos baseados em analogias com coisas que não compreendemos para formular novas hipóteses em áreas emergentes de pesquisa científica. E é disso que estamos falando.

Raciocínio por anologia

O método analógico foi descrito no século XIX pelo astrônomo John F. W. Herschel, que escreveu: "Se a analogia de dois fenômenos for muito próxima e marcante, embora, ao mesmo tempo, a causa de um seja muito evidente, torna-se quase impossível deixar de admitir a ação de uma causa análoga na outra, embora a analogia não seja tão evidente."[58]

— Como isso se aplica à questão da origem da vida? — perguntei a Bradley.

— Se virmos informação escrita pelo menos uma vez — seja uma pintura na parede de uma caverna ou um romance do

[58]*Preliminary discourse on the study of natural philosophy,* Londres: Longman, Rees, Orme, Brown & Green, 1831, p. 149.

Amazon.com — é porque existe uma inteligência por trás dela. Isto também não seria verdadeiro em relação à própria natureza? — retrucou Bradley .

— Em outras palavras, o que está codificado no DNA de cada célula de cada criatura viva é pura e simplesmente informação escrita. Nós usamos em inglês um alfabeto de 26 letras; no DNA, existe um alfabeto químico de quatro letras que se combinam em diferentes seqüências para formar palavras, frases e parágrafos. Elas compreendem todas as instruções necessárias para ordenar o funcionamento da célula. Expressam de forma codificada as instruções sobre como uma célula produz proteínas. Isso funciona exatamente como as seqüências de letras alfabéticas em nossa língua. Agora, quando vemos uma linguagem escrita, podemos concluir, com base em nossa experiência, que ela tem uma causa inteligente. E podemos usar legitimamente o raciocínio analógico para concluir que as notáveis seqüências de informações do DNA também tiveram uma causa inteligente. Portanto, isso significa que a vida na terra veio de "alguém", e não de "algo".

Inegavelmente, tratava-se de um argumento poderoso e persuasivo. Bradley parecia refletir sobre ele por alguns momentos antes de oferecer uma ilustração que iria arrematar o seu arrazoado.

— Você viu o filme *Contatos imediatos de terceiro grau*?

— Claro — eu disse. — Foi baseado no livro de Carl Sagan.

— Correto — respondeu. — No filme, os cientistas estão vasculhando o céu em busca de sinais de vida inteligente no espaço. Os seus radiotelescópios só recebem estática — sons aleatórios do espaço. É razoável supor que não houvesse nenhuma inteligência por trás dela. Certo dia eles começam a receber uma transmissão de números primos, números que são divisíveis apenas por si mesmos e por um. Os cientistas raciocinam que é muitíssimo improvável que houvesse uma causa natural por trás de uma série de números como essa. Não se tratava de mera estática não organizada; era informação, uma mensagem com conteúdo. A partir disso, concluíram que havia uma causa inteligente por trás desse fato. Como o próprio Sagan disse certa vez, "o recebimento de uma única mensagem do espaço" seria suficiente para sabermos que existe uma inteligência lá fora.[59] Isso é raciocínio por analogia — nós sabemos que onde existe comunicação inteligente, existe uma causa inteligente.

Os olhos de Bradley penetraram nos meus quando apresentou sua conclusão.

— E se uma única mensagem do espaço é suficiente para concluirmos que existe inteligência, então o que dizer da enorme quantidade de informações contidas no DNA de cada planta e animal vivos?", disse, crescentemente enfático. Cada célula do corpo humano contém mais informações que todos os trinta volumes da *Enciclopédia Britânica*. Certamente é razoável chegar à conclusão que isso não é produto casual de natureza espontânea, mas é o sinal inconfundível de um Planejador Inteligente.

Era um argumento sem resposta.

— Então — eu disse, — a origem da vida é o calcanhar de Aquiles da evolução.

— Exato. Como disse Phillip Johnson: "Se os darwinistas quiserem manter o Criador fora da equação, terão de oferecer uma explicação natural para a origem da vida."[60]

— Lee, eles não conseguiram fazer isso. A despeito de todos os seus esforços, nem mesmo apresentaram uma única possibilidade que tenha sentido, ainda que remotamente. E não há qualquer probabilidade de que o farão. De fato, tudo está apontando na direção oposta — na inconfundível direção de Deus. Hoje é preciso bastante fé para ser um cientista honesto e ao mesmo tempo ateu.

"Eu construo moléculas"

Por acaso, na cidade próxima de Houston, o cientista infinitesimal James Tour, professor do Departamento de Química

[59]*Broca's brain,* New York: Random House, 1979, p. 275.
[60]*Darwin on trial,* p. 103.

e do Centro de Ciência e Tecnologia em Escala Infinite-simal da Universidade Rice, tinha acabado de pronunciar um discurso.

Com um doutorado em química orgânica da Universidade Purdue e estudos de pós-doutoramento na Universidade Stanford e na Universidade de Wisconsin, Tour está na vanguarda da pesquisa do mundo molecular. Ele escreveu mais de cento e quarenta artigos técnicos de pesquisa e detém dezessete patentes nos Estados Unidos.

— Construo moléculas como meio de vida — disse ao se apresentar. — Mal posso lhes dizer como esse trabalho é difícil.

O propósito da sua palestra não era fascinar a audiência com descrições de seus mais recentes esforços de alta tecnologia no sentido de armazenar enormes quantidades de informações em escala microscópica, substituindo os CHIPS de silício que são grandes e difíceis de manejar. Queria mais era descrever algo que ele descobriu quando mais profundamente sondava as impressionantes maravilhas moleculares: as impressões digitais de um Planejador Inteligente.

— Fico extasiado com Deus em virtude do que ele tem feito por meio da sua criação — exclamou. — Somente um principiante que nada sabe sobre ciência diria que a ciência prejudica a fé. Se você realmente estudar a ciência, ela o levará para mais perto de Deus.[61]

Que irônico, pensei. Outrora, um entendimento rudimentar da ciência evolutiva me havia impelido para o ateísmo; agora, uma crescente compreensão da ciência molecular estava cimentando minha confiança em Deus. Como o caso de assassinato em Oklahoma, o meu veredicto inicial havia se baseado em evidências falhas que produziram uma conclusão falsa.

A idéia de que processos espontâneos pudessem de algum modo ser responsáveis por transformar substâncias químicas inertes em toda a complexidade dos seres vivos certamente é,

[61]V. Leading nanoscientist builds big faith, de Candece Adams, publicado em *Baptist Standard*, 15/3/2000.

como observou o microbiologista Denton: “nada mais nada menos que o grande mito cosmogênico” do nosso tempo.[62]

A revista *Time* estava errada: Darwin não assassinou Deus. Existem simplesmente muitíssimos indícios poderosos — especialmente na impressionante complexidade dos átomos invisíveis e na fantástica linguagem codificada na dupla hélice do DNA — para comprovar que o Criador está vivo e passa bem.

Ponderações

Perguntas para reflexão ou estudo em grupo

1. Descreva os ensinamentos que você recebeu da teoria da evolução. De que maneira eles afetaram a sua perspectiva acerca de Deus?
2. Antes de ler esta entrevista com Bradley, quão especificamente você acreditava que a vida havia surgido na terra? A entrevista mudou o seu ponto de vista? Como e por quê?
3. Com base nas evidências, você acredita que é racional concluir por existência de um Planejador Inteligente? Por que sim ou por que não? À luz dos fatos, você acredita que seria necessário mais fé para crer que a vida surgiu naturalmente ou através de uma causa inteligente?

Outra fontes de consulta

Mais recursos sobre esse tema

- DEMBSKI, William A. *Mere creation*. Downers Grove, Illinois: InterVarsity Press, 1998.
- DENTON ,Michael. *Evolution: A theory in crisis*. Chevy Chase, Maryland: Adler & Adler, 1986.
- HANEGRAAF, Hank. *The face that demonstrates the farce of evolution*. Nashville: Word, 1998.
- JOHNSON, Phillip E. *Darwin on trial*, 2d ed. Downers Grove, Illinois: InterVarsity Press, 1993.

[62]*Evolution: a theory in crisis*, p. 358.

- MORELAND, J. P., org. *The creation hypothesis*. Downers Grove, Illinois: InterVarsity Press, 1994.
- THAXTON, Charles B., BRADLEY, Walter L & OLSEN,Roger L. *The mystery of life's origin*. Dallas: Lewis and Stanley, 1984.

Quarta objeção

Se Deus mata crianças inocentes, ele não é digno de adoração

A Bíblia nos diz para sermos como Deus e, depois, página após página, descreve Deus como um assassino em massa.

Robert A. Wilson[1]

Mas tu, Senhor, és Deus compassivo e misericordioso, muito paciente, rico em amor e em fidelidade.

Rei Davi[2]

Quando passei pelos detectores de metal e pelos guardas uniformizados, pude sentir uma atitude de expectativa na Casa Branca. Apesar do esforço em projetar uma imagem de rotina, era claro que algo muito importante estava ocorrendo por trás das aparências. O escândalo que envolveu Monica Lewinsky vinha crescendo e aumentava a pressão para que o Presidente Clinton se explicasse antes que o promotor especial Kenneth Starr entregasse o relatório longamente esperado.

Clinton chegou meia hora atrasado para o café, sentando-se diretamente na minha frente. Seu rosto estava tenso, seus olhos cansados e inchados. Preocupado com a sua saúde, perguntei-lhe como estava se sentindo.

— Fiquei acordado até as 3 horas da manhã — respondeu com um rouco sussurro.

Os jornalistas procuravam ruidosamente uma boa posição no fundo da sala, com as câmeras a girar e os lápis e blocos

[1]Citado em Garry Poole & Judson Poling, *Tough questions 4,* Grand Rapids: Zondervan, 1998, p. 12.

[2]Salmos 86.15.

preparados. Clinton se pôs de pé e deu alguns passos em direção ao pódio. O silêncio tomou conta do ambiente. A loquacidade usual do presidente havia desaparecido.

— Hoje eu poderei não ter tanta facilidade com as palavras como tenho tido em anos passados — disse a um pequeno grupo de líderes religiosos. — Fiquei acordado até bem tarde na noite passada, meditando e orando sobre o que deveria dizer hoje.

Encaixou os óculos para poder ler o que estava escrito em um pedaço de papel. O que se seguiu foi o pronunciamento mais emotivo e dramático desde que a notícia do seu caso amoroso repercutiu na mídia.

— Eu não creio que haja um meio elegante de dizer que pequei — disse com os olhos marejados e uma expressão de dor no rosto. — É importante para mim que todos os que foram feridos saibam que o pesar que eu sinto é genuíno — acima de tudo a minha família, e também os meus amigos, minha equipe, meu Gabinete, Monica Lewinsky e sua família, e o povo americano. Eu já pedi o perdão de todos. Estou arrependido... preciso do auxílio de Deus para ser a pessoa que quero ser.

Ali estava ele, o indivíduo mais poderoso do mundo, dizendo que carregava um "espírito quebrantado" por causa da sua conduta flagrantemente imoral com a ex-estagiária. Todas as suas iniciativas na economia, todos os seus esforços em política externa e os seus programas sociais haviam ficado em segundo plano. O que estava no centro das atenções era a questão inflexível e comprometedora do caráter.

Espera-se que os políticos construam uma imagem pública positiva, fazendo-a reluzir por meio de comunicados de imprensa marcados pela auto-promoção e por uma hábil camuflagem dos erros, mas o seu verdadeiro caráter se revela com freqüência por meio de suas escolhas privadas, longe dos refletores. Certamente, as decisões morais de uma pessoa por trás dos bastidores — fidelidade conjugal e honestidade básica nos relacionamentos — são reveladoras de como conduzirá os negócios da população. Afinal de contas, elas põem à mostra o verdadeiro ser.

Quando era ateu, achava que os cristãos podiam ensinar aos políticos alguns truques sobre como criar uma imagem pública positiva. Os cristãos se concentravam incessantemente em alguns aspectos atraentes do caráter de Deus — amor, graça, perdão, compaixão, misericórdia —, mas subestimavam ou ignoravam as passagens bíblicas que pareciam revelar alguns aspectos mais perturbadores do seu caráter.

Quando se concentra a atenção em algumas histórias pouco conhecidas do Antigo Testamento que falam de massacres e de outras atrocidades em larga escala, repentinamente Deus passa a ser visto de uma perspectiva diferente. Como Clinton, cuja imagem pública cuidadosamente trabalhada se esfacelou tão logo foram documentadas algumas histórias verossímeis de aventuras extraconjugais, a imagem de Deus como divindade amorosa e benevolente é questionada por histórias de um comportamento aparentemente cruel e vingativo. Será que esses relatos brutais revelam o verdadeiro caráter de Deus? E se o fazem, ele merece ser venerado?

Charles Templeton tinha opinião própria. "O Deus do Antigo Testamento é totalmente diferente do Deus em que acredita a maior parte dos cristãos praticantes", disse. "Sua justiça é, segundo os padrões modernos, detestável... Ele é preconceituoso, queixoso, vingativo e cioso de suas prerrogativas."[3]

O ateu George H. Smith concorda. "O Deus do Antigo Testamento reuniu uma respeitável lista de atrocidades", afirmou. "O próprio Iavé apreciava exterminar pessoalmente um grande número de pessoas, geralmente por meio de pestes ou fome, amiúde por causa de crimes um tanto incomuns".[4] Smith gosta de citar o ex-presidente Thomas Jefferson, segundo o qual os relatos do Antigo Testamento revelam um Deus "cruel, vingativo, caprichoso e injusto."[5]

[3]*Farewell to God*, p. 71.
[4]*Atheism: the case against God*, p. 77.
[5]Ibid., p. 76.

Esse problema já é perturbador o suficiente, mas além disso existe uma questão colateral que exige ser explorada. Ao se avaliar o caráter de Deus, tanto os críticos como os cristãos citam a Bíblia como fonte de informações. Mas seria realmente um livro fidedigno? Não estaria a Bíblia totalmente cheia de contradições e inconsistências que solapam sua confiabilidade? As referências à história não têm sido questionadas pela arqueologia moderna? Não seria mais provável que seja uma coleção de lendas fantasiosas que uma descrição fiel do Criador do universo?

Essas duas questões — o caráter de Deus e a confiabilidade do livro — constituíram-se em grandes obstáculos quando estava procurando a verdade. Naquela ocasião, mergulhei em livros e artigos para tentar chegar a algumas conclusões bem fundamentadas. Gostaria de ter feito então o que estava por fazer agora: sentar-me para entrevistar um estudioso, um dos mais conhecidos e eficientes defensores do cristianismo em todo o mundo.

A terceira entrevista: Norman L. Geisler, PH.D.

Norman Geisler pode ser um debatedor tenaz e intimidador quando está compilando referências bíblicas, achados arqueológicos, descobertas científicas e eventos históricos para refutar alguém que esteja inclinado a desacreditar o cristianismo. Sua memória enciclopédica e ágil argumentação têm assustado muitos críticos ao longo dos anos.

No entanto, foi um Geisler de voz branda e atitude paternal que me recebeu em seu escritório modesto, porém confortável, no Seminário Evangélico do Sul, em Charlotte, Carolina do Norte, do qual é presidente. Vestido de maneira informal com uma camisa azul de colarinho abotoado sob um suéter multicolorido, estampava um sorriso fácil e um senso de humor contundente.

Geisler, autor prodigioso e premiado, já escreveu, ajudou a escrever ou editou mais de cinqüenta livros, incluindo-se obras básicas como *General introduction to the Bible* [*Introdução geral à Bíblia*], *Inerrancy* [*Inerrância*], *Introduction to Philosophy* [*Introdução à filosofia*], *Philosophy of Religion* [*Filosofia da religião*], *When Skeptics Ask* [*Quando os céticos perguntam*], *Manual popular de dúvidas, enigmas e "contradições" da Bíblia* e *When Cultists Ask* [*Quando os adeptos de seitas perguntam*]. Um de seus volumes mais recentes é a ambiciosa *Enciclopédoa de apologética: respostas aos críticos fé cristã*, com mais de 800 páginas, que discute sistematicamente tópicos que vão acognosticismo ao zen-budismo.

Estudou no Wheaton College, na Universidade de Detroit, na Universidade Estadual Wayne, no William Tyndale College e na Universidade do Noroeste, tendo recebido o doutorado em filosofia da Universidade Loyola, em Chicago. Foi catedrático de filosofia da religião na Trinity Evangelical Divinity School, em Deerfield, Illinois, e professor de teologia sistemática no Seminário Teológico de Dallas. É membro da Sociedade Filosófica Americana, da Associação Científica Americana e da Academia Americana de Religião, entre outras.

Geisler percorreu longas distâncias, viajando todos os cinqüenta estados norte-americanos e para vinte e cinco países em seis continentes, dando palestras sobre as evidências a favor do cristianismo e debatendo com céticos bem conhecidos, como o humanista Paul Kurtz. Conseqüentemente, sabia que haveria pouca possibilidade de pegá-lo inteiramente de surpresa. Entretanto, cheguei armado com algumas das perguntas mais difíceis.

Ao nos sentarmos frente a frente em poltronas de couro avermelhadas, apanhei um pedaço de papel em que transcrevi as palavras mordazes de um estimado patriota americano cuja crítica ao cristianismo é proverbial.

— Em 1794 — comecei, — Thomas Paine escreveu em *The age of reason* [*A idade da razão*]: "Toda vez que lemos sobre a histórias obscenas, as orgias voluptuosas, as execuções cruéis e tormentosas e a incessante atitude de vingança que preenchem mais da metade da Bíblia, seria mais consistente que nós a chamássemos a obra de um demônio e não a palavra de Deus.[6]

Fixei o olhar em Geisler a fim de ver se estava sobressaltado com a ferroada das palavras de Paine.

— Esse é um desafio muito duro — disse. — Como o senhor lhe responderia se ele estivesse sentado aqui hoje?

Geisler ajustou os óculos de aros dourados e logo comentou com uma risada: "Em primeiro lugar, eu diria que é uma pena que ele não tivesse uma Bíblia. Quando escreveu a primeira parte de *A idade da razão*, ele não a possuía. Além disso, acho que ele está confundindo duas coisas: o que a Bíblia registra e o que a Bíblia aprova.

— Dê-me alguns exemplos desta diferença — pedi.

— Por exemplo, a Bíblia registra mentiras as de Satanás e o adultério de Davi, mas não os aprova — explicou. — É verdade que existem muitas histórias chocantes na Bíblia. O livro dos Juízes relata o estupro de uma mulher que, em seguida, foi cortada em doze pedaços que foram enviados a cada uma das tribos de Israel.[7] Mas a Bíblia certamente não aprova isso. Em segundo lugar, acho que Paine está simplesmente errado em termos factuais. A Bíblia não aponta quaisquer execuções cruéis e torturantes que Deus tenha ordenado.

Levantei a mão para protestar.

— Davi foi chamado um homem segundo o coração de Deus e, no entanto, a Bíblia diz que ele torturou os seus inimigos — observei. — A Bíblia diz que ele "os colocou debaixo de serras, e debaixo de machados ou ferros, e os fez passar pelos fornos de tijolos".[8] Isso me parece cruel e tormentoso!

— Vamos devagar — Geisler advertiu. — Você está citando a *Versão do Rei Tiago* de linguagem extremamente arcaica nesta

[6]Citado em George H. SMITH, *Atheism:* the case against God, p. 78.
[7]Juízes 19.25,29.
[8]2 Samuel 12.31.

passagem. A *Nova Versão Internacional* aclara a terminologia hebraica original e diz que Davi "trouxe também os seus habitantes, designando-lhes trabalhos com serras, picaretas e machados, além da fabricação de tijolos". Isso é trabalho — e não tortura — e é bastante humano em comparação com as crueldades que seus inimigos haviam perpetrado. Além disso, esse é outro caso em que a Bíblia registra alguma coisa, mas não a aprova necessariamente.

Eu me rendo, pensei comigo mesmo. Refazendo-me rapidamente, prossegui.

— Deixando de lado essa passagem, ainda assim existe um bocado de carnificina no Antigo Testamento — comentei. — Não está patente uma grande diferença entre o Deus cruel do Antigo Testamento e o Deus amoroso do Novo Testamento?

Geisler sorriu.

— É interessante que você pergunte isso — respondeu, — porque acabo de levantar quantas vezes a Bíblia usa a palavra que a Versão do Rei Tiago traduz por "misericórdia". Descobri que ela ocorre 261 vezes na Bíblia — 72% delas no Antigo Testamento. Essa é uma proporção de três para um. Depois eu estudei a palavra "amor" e descobri que aparece 322 vezes na Bíblia, cerca de metade em cada testamento. Portanto, tem-se a mesma ênfase no amor em ambos.

— Ironicamente — acrescentou, — pode-se argumentar que Deus é mais propenso a julgar no Novo Testamento que no Antigo. Por exemplo, o Antigo Testamento fala muito pouco sobre a punição eterna, mas o Novo Testamento o faz.

— Não há então uma evolução no caráter de Deus?

— Correto. Com efeito, diz a Bíblia: "Eu, o SENHOR, não mudo".[9] Nos dois testamentos você tem um Deus idêntico, imutável — aquele que é tão santo que não pode contemplar o pecado e, no entanto, aquele cujo coração amoroso, misericordioso, bondoso e compassivo quer derramar o perdão sobre todos os que se arrependem.

[9]Malaquias 3.6*a*.

Compassivo? Pensei comigo mesmo. *Misericordioso*? Havia chegado a hora de abordar o ponto crucial da questão do caráter.

Deus ordena matar

Olhei atentamente para os olhos de Geisler. Minha voz deixou transparecer sarcasmo quando apresentei a objeção mais específica ao caráter de Deus.

— O senhor fala em compaixão e misericórdia — disse — mas essas qualidades são difíceis de entender quando vemos Deus ordenar o genocídio, dizendo aos israelitas em Deuteronômio 7 que "destruam totalmente" os cananeus e seis outras nações, e "não tenham piedade delas".

Passei a apresentar uma lista.

— Esse não foi um incidente isolado — continuei, ganhando ímpeto à medida que prosseguia. — Deus ordenou a execução de cada primogênito egípcio; enviou o dilúvio e matou incontáveis milhares de pessoas; disse aos israelitas: "Agora vão, ataquem os amalequitas e consagrem ao SENHOR para destruição tudo o que lhes pertence. Não os poupem; matem homens, mulheres, crianças, recém-nascidos, bois, ovelhas, camelos e jumentos".[10] Isso mais parece um Deus violento e brutal que um Deus amoroso. Como se pode esperar que as pessoas o adorem se ele ordena que crianças sejam massacradas?

A despeito da severidade da pergunta, Geisler manteve um tom calmo e equilibrado.

— Isso mostra — disse —, que o caráter de Deus é absolutamente santo e que ele tem de punir o pecado e a rebeldia. Ele é um justo juiz; inquestionavelmente, isso é parte de sua essência. Mas, em segundo lugar, o seu caráter também é misericordioso. Ouça: se alguém quer escapar, ele permite que o faça."

Geisler fez uma pausa. Minhas perguntas obviamente exigiam uma resposta mais longa.

[10]1 Samuel 15.3.

— Lee, você apresentou um bocado de boas perguntas e elas merecem uma resposta consciente — redargüiu. — Você se importa se analisarmos essas passagens com um pouco mais de cuidado? Porque, se assim o fizermos, creio que veremos a mesma postura, caso a caso.

Fiz um gesto para que prosseguisse.

— Por favor — eu disse — analise-as. Eu realmente quero entender.

— Vamos começar pelos amalequitas — ele disse. — Ouça, Lee, eles estavam longe de ser inocentes. *Longe* disso. Não eram boas pessoas. Na verdade, eram absoluta e totalmente depravados. Sua missão era destruir Israel. Em outras palavras, cometer genocídio. Como se isso não fosse suficiente, leve em conta o que estava pesando na balança. Os israelitas eram o povo escolhido por quem Deus traria salvação ao mundo todo através de Jesus Cristo.

— Então, o senhor está dizendo que mereciam ser destruídos? — perguntei.

— A destruição da nação foi uma exigência da gravidade do pecado — disse Geisler. — Se um remanescente empedernido tivesse sobrevivido, poderiam retomar sua agressão contra os israelitas e o plano de Deus. Era um povo persistente, cruel e belicoso. Para ilustrar como eram intoleráveis, haviam seguido os israelitas e massacrado covardemente as pessoas mais vulneráveis — os fracos, os idosos e os inválidos que tinham ficado para trás.

— Eles queriam eliminar até o último dos israelitas da face da terra. Deus podia ter lidado com eles por meio de um desastre natural, como uma enchente, mas em vez disso usou Israel como seu instrumento de juízo. Agiu não somente por causa dos israelitas, mas também, em última análise, em benefício de cada pessoa ao longo da história, cuja salvação seria oferecida pelo Messias que haveria de nascer entre eles.

— Mas as crianças — protestei. — Por que crianças inocentes tinham de ser mortas?”

— Vamos ter em mente — disse, — que estritamente ninguém é de fato inocente. A Bíblia diz no salmo 51 que todos nós nascemos em pecado, isto é, com a propensão para nos rebelarmos e cometer transgressões. Além disso, precisamos ter em mente a soberania de Deus sobre a vida. Certa vez, um ateu levantou esse assunto em um debate e eu respondi dizendo: "Deus criou a vida e ele tem o direito de tirá-la. Se você pode criar a vida, então você pode ter o direito de tirá-la. Mas se você não pode criá-la, você não tem esse direito". E a audiência aplaudiu. — As pessoas supõem que o que é errado para nós é errado para Deus. No entanto, é errado que eu tire a sua vida, porque não a fiz e não a possuo. Por exemplo, é errado que eu entre no seu jardim e arranque os seus arbustos, corte-os, mate-os, transplante-os ou mude-os de lugar. Eu posso fazer isso no meu jardim, porque eu sou o dono dos arbustos do meu jardim. — Pois bem, Deus é soberano sobre toda a vida e tem o direito de tirá-la se o quiser. De fato, nós temos a tendência de esquecer que Deus tira a vida de cada ser humano. Isso é chamado morte. A única questão é quando e como, coisas que devemos deixar para ele resolver.

E quanto às crianças?

Intelectualmente, poderia até aqui entender a resposta de Geisler. Emocionalmente, todavia, ela não avançava o suficiente. Eu continuava inquieto.

— Mas as crianças... — insisti.

Geisler, ele mesmo pai de seis filhos e avô de nove, simpatizava com a idéia.

— Física e socialmente, o destino das crianças ao longo da história sempre esteve ligado aos seus pais, seja para o bem ou para o mal — observou.

— Lee, você precisa compreender a situação dos amalequitas. Naquela cultura inteiramente ímpia, violenta e depravada, não havia esperança para aquelas crianças. Essa nação estava tão corrompida quanto uma gangrena que estivesse se apossando da perna de uma pessoa; Deus tinha de amputar a perna, senão a gangrena se espalharia e não sobraria nada. Em certo sentido, a ação de Deus foi um ato de misericórdia.

— Misericórdia? — espantei-me. — Como assim?

— De acordo com a Bíblia, toda criança que morre antes da idade da razão vai para o céu a fim de passar a eternidade na presença de Deus — respondeu. — Ora, se elas tivessem continuado a viver naquela sociedade horrível além da idade da razão, certamente iriam se corromper e assim perder-se para sempre.

— O que o faz pensar que as crianças vão para o céu quando morrem? — indaguei.

— Isaías 7.16 fala de certa idade antes que a criança seja moralmente responsável, antes que a criança "saiba rejeitar o erro e escolher o que é certo". O rei Davi falou em estar com o seu filho que morreu ao nascer. Jesus disse: "Deixem vir a mim as crianças, não as impeçam; pois o Reino de Deus pertence aos que são semelhantes a elas", o que indica que elas irão para o céu.[11] Ainda existem muitas outras evidências bíblicas em defesa dessa posição.

Apontei uma aparente inconsistência.

— Se, em última análise, foi melhor que aquelas crianças morressem antes da idade da razão, porque assim elas iriam para o céu, por que não se pode dizer o mesmo quanto a crianças ainda não nascidas que são abortadas em nossos dias? — perguntei. — Se elas forem abortadas, certamente irão para o céu, mas se nascerem e crescerem poderão rebelar-se contra Deus e acabar no inferno. Esse não é um forte argumento a favor do aborto?

A resposta de Geisler veio rapidamente.

— Não, essa é uma falsa analogia — insistiu. — Primeiro, Deus não ordena a ninguém que faça hoje em dia um aborto; de fato, isso é contrário aos ensinamentos da Bíblia. Lembre-se, ele é o único que pode decidir tirar uma vida porque ele é

[11]Marcos 10.14.

o autor último da vida. Segundo, não temos hoje uma cultura que seja tão completamente corrompida como a sociedade amalequita. Naquela cultura, não havia esperança; hoje, existe esperança.

— Nesta ordem de idéias — disse, — o senhor não acha que Deus estava sendo pouco razoável ao ordenar a destruição dos amalequitas.

— Você precisa lembrar que essas pessoas tiveram muitas oportunidades para mudar seus caminhos e evitar tudo isto — afirmou. — De fato, se você considerar todos os cananeus junto com os amalequitas, tiveram quatrocentos anos para se arrepender. Isso é muitíssimo tempo. Finalmente, depois de esperar por séculos para dar-lhes a oportunidade de abandonar o caminho para a autodestruição, a natureza de Deus exigiu que ele cuidasse da maldade intencional dos amalequitas. Certamente não agiu de modo precipitado. Agora, precisamos ter em mente que os que quiseram sair dessa situação já o tinham feito; tiveram amplas oportunidades ao longo dos anos. Certamente aqueles que quiseram ser salvos da destruição fugiram e foram poupados. Em Josué 6, onde a Bíblia fala sobre a destruição de Jericó e dos cananeus, você tem o mesmo modelo. Era uma cultura inteiramente má, tanto assim que a Bíblia diz que dava náuseas a Deus. Estavam envolvidos na brutalidade, crueldade, incesto, bestialidade, prostituição religiosa e até mesmo sacrifício de crianças na fogueira. Era uma cultura agressiva que queria aniquilar os israelitas. Novamente, eis pessoas malignas que foram destruídas, exceto os justos que viviam entre elas e foram salvos. Por exemplo, Raabe, que protegeu os espiões israelitas, não foi julgada ao lado de outras pessoas. E veja o que aconteceu com os corruptos habitantes da cidade de Nínive. Deus iria julgá-los porque mereciam, mas eles se arrependeram e Deus salvou todo mundo. Assim, a questão é a seguinte: *Deus está disposto a salvar a quem se arrepende*. É importante lembrar disso.

— Veja, o propósito de Deus nesses exemplos foi destruir a nação corrupta porque a estrutura nacional era inerentemente má, e não destruir pessoas se elas estivessem dispostas a se arrepender. Muitos versículos indicam que o principal desejo de Deus era expulsar essas pessoas más da terra pois sabiam que havia sido prometida há muito tempo a Israel. Dessa maneira, Israel poderia entrar e ficar relativamente livre da corrupção externa que poderia destruí-lo como um câncer. Queria criar um ambiente em que o Messias poderia advir para o bem de milhões de pessoas ao longo da história."

— A norma, portanto, era que as pessoas tiveram um bocado de advertências? — perguntei.

— Certamente — respondeu. — E leve em conta o seguinte: a maior parte das mulheres e crianças teria fugido antecipadamente antes do início da luta propriamente dita, deixando atrás de si os guerreiros para enfrentar os israelitas. Os combatentes que permaneceram teriam sido os mais endurecidos, aqueles que se recusaram obstinadamente a partir, os defensores da cultura corrupta. De qualquer maneira é bastante questionável quantas mulheres e crianças poderiam estar envolvidas nisso.

— Além disso, face as regras de conduta que Deus havia estabelecido aos israelitas, sempre que entravam em uma cidade inimiga, primeiro deviam propor ao povo uma oferta de paz. O povo tinha uma escolha: podia aceitar a oferta, nesse caso não seriam mortos, ou podiam rejeitar o oferecimento por sua conta e risco. Isso é apropriado e justo.

Tive de admitir que essas considerações lançavam nova luz sobre a situação, especialmente os comentários sobre as muitas advertências que haviam sido dadas e a probabilidade de que as mulheres e crianças talvez tivessem deixado a região antes de qualquer batalha. Por mais inquietantes que sejam essas passagens, foi útil saber que Israel oferecia a paz antes de travar um combate e que a norma bíblica é que as pessoas arrependidas recebam a oportunidade de evitar o julgamento.

— Deus não estaria sendo caprichoso?

— Ele não é caprichoso, não é arbitrário, não é cruel. Todavia, Lee, preciso dizer-lhe uma coisa: ele é inegavelmente justo. Sua natureza exige que trate das pessoas corruptas que, de maneira obstinada e deliberada, persistem no mal. E não é isso o que ele deveria fazer? Não é isso o que nós queremos – que a justiça seja feita? Uma das principais coisas que devemos lembrar é que ao longo da história, para os que se arrependem e se voltam para ele, Deus é compassivo, misericordioso, bondoso e generoso. No final, todos nós assistiremos à sua justiça.

Ainda assim, havia outro episódio perturbador — outra vez envolvendo crianças — que parecia questionar a opinião de Geisler de que Deus não age de modo arbitrário. Isto constitui-se num dos episódios mais estranhos de toda a Bíblia.

Massacre cósmico?

O profeta Eliseu estava percorrendo a estrada para Betel quando se encontrou com alguns meninos que o importunaram fazendo graça da sua calvície. "Suma daqui, careca!", eles caçoaram. "Suma daqui, careca!" Ele reagiu amaldiçoando-os em nome de Deus. Então, em um impressionante ato de punição, duas ursas repentinamente saíram do bosque e despedaçaram 42 meninos.[12]

— Dr. Geisler, o senhor insistiu que Deus não é caprichoso — rebati. — Mas isso parece uma reação excessiva para uma ofensa pequena e tola. Despedaçar 42 criancinhas inocentes só porque fizeram troça de um indivíduo careca é rigoroso demais.

Geisler estava bem familiarizado com a questão.

— A pressuposição da sua pergunta está errada — respondeu. — Não se tratava de criancinhas inocentes.

Tendo previsto sua resposta, peguei uma fotocópia desta passagem bíblica e a empurrei em sua direção.

— Sim, eram — retruquei. — Veja bem aí — disse apontando para as palavras. — Diz "criancinhas".

[12]V. 2 Reis 2.23-25.

Geisler olhou rapidamente para a folha, reconhecendo imediatamente a fonte.

— Infelizmente, a Versão do Rei Tiago tem uma tradução equivocada — disse. — Os estudiosos verificaram que o original hebraico é melhor traduzido como "jovens". A Nova Versão Internacional traduz a palavra como "meninos". Até onde podemos saber, tratava-se de um bando violento de adolescentes perigosos, comparável a uma moderna gangue de rua. A vida do profeta estava correndo perigo simplesmente pelo grande número deles — se 42 foram despedaçados, quem sabe quantos ao todo o estavam ameaçando?

— Ameaçando-o? — perguntei. — Tenha paciência! Eles só estavam fazendo graça de sua calvície.

— Quando você entender o contexto, verá que era algo muito mais sério que isso — Geisler respondeu. "Os comentaristas têm observado que os escárnios visavam questionar a condição de profeta de Eliseu. Em essência, estavam querendo dizer: "Se você é um homem de Deus, por que não sobe para o céu como fez o profeta Elias? Aparentemente, estavam zombando da obra anterior de Deus quando levou Elias para o céu. Desrespeitavam com sua incredulidade o que Deus havia feito por intermédio desses dois profetas. E o comentário de Eliseu ser calvo com toda a probabilidade era uma referência ao fato de que os leprosos daqueles dias raspavam a cabeça. Eles estavam injuriando Eliseu — um homem dotado de dignidade e autoridade como profeta de Deus — como um pária detestável e desprezível. Estavam lançando uma mancha não somente sobre o caráter dele, mas também sobre o caráter de Deus, uma vez que Eliseu era o representante de Deus.

— Ainda assim — reiterei —, não seria uma ofensa um tanto pequena?

— Não no contexto daqueles dias — explicou. — Eliseu com razão sentiu-se ameaçado pelo bando. A sua vida corria perigo. Eles estavam, com efeito, atacando-o e a Deus. Foi um tipo de golpe preventivo para infundir temor no coração de quem quisesse repetir o ato, que poderia ser um precedente perigoso. Se um bando ameaçador de adolescentes saísse ileso e Deus não viesse em auxílio do profeta, pense no efeito negativo que isso teria sobre a sociedade. Poderia abrir as portas para outros ataques contra profetas e conseqüentemente o desprezo da mensagem urgente de Deus que estavam tentando difundir. De fato, como disse um comentarista, "em vez de demonstrar crueldade desenfreada, o ataque das ursas mostra como Deus tenta repetidamente trazer o seu povo de volta por meio de juízos menores evitando que o pecado do povo cresça demais e o juízo precise vir com força total [...] A desastrosa queda de Samaria teria sido evitada caso o povo tivesse se arrependido após o ataque das ursas".[13]

— Por último — Geisler acrescentou, — eu diria uma vez mais que precisamos considerar a soberania de Deus. Não foi Eliseu que tirou a vida deles; foi Deus que os criou e deixou as ursas à solta. Se ele criou a vida, tem todo o direito de tirá-la. O ataque desse bando contra o profeta revelou a sua verdadeira atitude para com Deus e quando alguém amaldiçoa arrogantemente e se opõe obstinadamente a Deus sempre envereda por um caminho perigoso que leva à destruição."

Dobrei a fotocópia.

— Então é uma leitura incorreta do texto original considerar essas pessoas como simples crianças — disse.

— Certo — respondeu. — O termo hebraico usado para descrevê-los [*n*^{e}*'ārîm*] indica que muito provavelmente estavam entre as idades de 12 e 30 anos. Com efeito, a mesma palavra hebraica é usada em outro trecho para descrever homens do exército.[14] Como você pode ver, quando tudo é colocado em perspectiva se tem uma imagem muito diferente do que se supunha originalmente.

[13]Walter C. KAISER Jr., Peter H. DAVIDS, F. F. BRUCE & Manfred T. BRAUCH, *Hard sayings of the Bible*, Downers Grove, Illinois: InterVarsity Press, 1996, p. 233-4.

[14]Ibid., V. tb. 1 Reis 20.14,15.

A essa altura, as respostas de Geisler haviam esvaziado boa parte dos argumentos contra o caráter de Deus, trazendo algum equilíbrio e contexto para se entender a sua aparente intenção nesses episódios controvertidos. Embora essas passagens ainda fossem questões não inteiramente resolvidas, ver o outro lado tornava mais fácil dar a Deus o benefício da dúvida, especialmente à luz da preponderância de outras evidências de sua compaixão e amor.

Todavia, também havia uma questão correlata acerca do caráter de Deus que preocupa a muitas pessoas nos dias de hoje: como ele tratou os animais. Por que ele criou um mundo em que os predadores constantemente espreitam as suas vítimas e no qual a morte violenta é uma parte integrante da vida? Mais fundamentalmente, isso não revela algo inquietante sobre a atitude de Deus?

A dor dos animais

Charles Templeton levantou a questão do sofrimento no reino animal quando escreveu em seu livro *Farewell to God* [*Adeus a Deus*]:

> A realidade terrível e inevitável é que toda vida implica em morte. Toda criatura carnívora precisa matar e devorar outras criaturas [...] Como um Deus amoroso e onipotente poderia criar tamanhos horrores? [...] Certamente não estaria além da competência de uma divindade onisciente criar um mundo animal que pudesse ser sustentado e perpetuado sem sofrimento e morte.[15]

— Que dizer disto? — perguntei a Geisler após ler a citação de Templeton.

— Tem muito de verdade aí — Geisler respondeu.

Não era a resposta que estava esperando.

— O senhor acha? — perguntei.

[15]P. 197 (grifo suprimido), 198-9.

— Sim — retrucou. — Infelizmente é como um copo de água saudável com uma gota de arsênico. A água é boa, mas está envenenada.

— Como assim?

— A água boa é, sim, que Deus pode criar o mesmo tipo de animais. E o fato é que ele o fez. O paraíso original tinha esse tipo de animais e o paraíso por vir — o paraíso restaurado — terá esse tipo de animais. Com efeito, temos a informação de que Deus originalriamente criou os animais e os seres humanos para serem herbívoros.

Geisler estendeu a mão para baixo da poltrona e apanhou uma Bíblia. Abriu-a no início; seus olhos percorreram a página até se deterem próximo do final do primeiro capítulo, lendo o seguinte:

> Disse Deus: "Eis que lhes dou todas as plantas que nascem em toda a terra e produzem sementes, e todas as árvores que dão frutos com sementes. Elas servirão de alimento para vocês. E dou todos os vegetais como alimento a tudo o que tem em si fôlego de vida; a todos os grandes animais da terra, a todas as aves do céu e a todas as criaturas que se movem rente ao chão". E assim foi.[16]

Fechando o livro, Geisler continuou.

— Deus não determinou que os animais fossem comidos no paraíso e que os animais comessem uns aos outros. O profeta Isaías disse que um dia Deus irá criar "novos céus e nova terra", nos quais "o lobo e o cordeiro comerão juntos e o leão comerá feno, como o boi".[17] Em outras palavras, não haverá o tipo de mortandade que ocorre agora. Em suma, tudo o que Deus criou era bom. O que mudou as coisas foi a Queda. Quando foi dito a Deus, com efeito, que ele se ausentasse, ele o fez

[16]Gênesis 1.29,30. Após o Dilúvio, Deus disse a Noé e seus filhos em Gênesis 9.3: "Tudo o que vive e se move servirá de alimento para vocês. Assim como lhes dei os vegetais, agora lhes dou todas as coisas".

[17]Isaías 65.17,25.

parcialmente. Romanos 8 diz que toda a criação foi afetada — isso inclui a vida vegetal, os seres humanos, os animais, tudo. Houve alterações genéticas fundamentais; vemos, por exemplo, como a duração da vida declinou rapidamente depois da Queda. O plano de Deus não foi concebido para ser assim; somente ficou assim por causa da pecado. No final isso será corrigido.

— Mas ao instituir o sistema de sacrifícios de animais no Antigo Testamento Deus não estava sendo cruel com os animais? — perguntei.

— A maneira pela qual esses animais eram mortos era bastante humana. Era a maneira mais indolor de morrer. E não havia desperdício. Os israelitas comiam a carne, usavam a pele para fazer vestes, de modo que em essência eles estavam criando animais. Não se tratava de uma tentativa de eliminar uma espécie. E evidentemente havia uma razão importante para os sacrifícios de animais – eles apontavam para o sacrifício supremo de Jesus Cristo, o cordeiro de Deus, na cruz, como pagamento pelo nosso pecado."

— E quanto à dor toda que existe no mundo como resultado dos animais caçarem e matarem outros animais? — perguntei. — A soma total de sofrimento que Deus permite é absolutamente enorme.

— Acho que toda essa pressuposição está errada — rebateu. — Como disse C. S. Lewis, não existe uma soma total de dor. É uma denominação imprópria. Nenhuma pessoa ou animal experimenta a soma total da dor. A rigor, nenhuma pessoa experimenta em dado momento a soma total da dor de toda a sua vida. Se você tivesse trinta gramas de dor dispersas ao longo de trinta anos, você teria apenas um grama por ano, portanto, somente uma fração de grama por dia. No que diz respeito aos animais, temos de lembrar que a Bíblia proíbe claramente que eles sejam maltratados. Os cristãos devem se opor a quaisquer maus tratos contra os animais. Todavia, eu contesto a premissa do movimento pelos direitos dos animais de que os animais têm direitos morais. Eles não são criaturas morais. Agora, pessoas morais podem fazer coisas imorais aos animais, porém a Bíblia diz: "O justo cuida bem dos seus rebanhos".[18] Eles devem servir-nos e ajudar-nos, e é moralmente errado sermos cruéis.

Pode-se confiar na Bíblia?

Ao avaliar o caráter de Deus, Geisler apoiava-se na Bíblia. Tendo escrito um livro sobre a inerrância da Escritura, suas opiniões são bem conhecidas: ele crê que a Bíblia é singularmente inspirada por Deus e real em tudo o que ensina e menciona. Ainda assim, existiria algum motivo racional para se acreditar que a Bíblia realmente revela de modo preciso a verdade sobre Deus?

George H. Smith, o filósofo ateu, acha que não. "A Bíblia não mostra qualquer vestígio de influência sobrenatural", escreveu. "Bem ao contrário, ela é obviamente produto de homens supersticiosos que, em algumas ocasiões, estiveram dispostos a enganar se isso pudesse promover as suas doutrinas."[19]

Templeton educadamente rejeita a maior parte da Bíblia como "contos populares floreados", acrescentando que "não é mais possível que um homem ou uma mulher informados creiam que [...] a Bíblia seja um documento fidedigno [...] ou, como insiste a igreja cristã, a infalível Palavra de Deus."[20]

Nos meus anos como ateu, zombava das histórias fantásticas e da mitologia flagrante que, segundo acreditava, desqualificavam a Bíblia como um livro divinamente inspirado — uma opinião que, a propósito, me isentava comodamente de qualquer necessidade de seguir os seus ditames morais. Embora nunca tivesse estudado a fundo seu conteúdo, rejeitava a Bíblia de pronto a fim de me sentir livre para viver um estilo de

[18]Provérbios 12.10.
[19]*Atheism:* the case against God, p. 210-1.
[20]*Farewell to God*, p. 38.

vida corrompido que estava em flagrante conflito com os seus preceitos.

O tempo que passei com Geisler foi uma rara oportunidade para ouvir em primeira mão a razão de ter chegado à conclusão oposta para defender tão zelosamente a Bíblia como um livro fidedigno. Levantei-me para esticar as pernas, caminhando até uma estante para passar uma vista de olhos informalmente nos títulos. Voltei-me e disse:

— Tudo depende de a Bíblia ser verdadeira. Qual é o seu motivo para crer que ela o seja?

Com a segurança característica, Geisler respondeu:

— Existem mais evidências de que a Bíblia é uma fonte confiável do que em qualquer outro livro do mundo antigo.

Para mim, no entanto, isso mais parecia uma conclusão que uma evidência.

— O senhor terá de dar-me alguns fatos para sustentar isso — disse, sentando-me na ponta da poltrona, antecipando-me à resposta de Geisler.

— Existem muitas evidências das quais eu poderia falar", começou. — Poderia falar da unidade da Bíblia — 66 livros escritos em diferentes estilos literários por talvez quarenta autores diferentes, com formação diferente, durante 1 500 anos, e ainda assim a Bíblia apresenta de modo notável um drama contínuo com uma mensagem central. Isso aponta para a existência da Mente divina que os escritores afirmaram tê-los inspirado. Outra coisa é o poder transformador da Bíblia — desde o início ela tem renovado pessoas; tem-lhes dado esperança, coragem, propósito, sabedoria, direção e poder; e tem sido uma âncora para a sua vida. Enquanto o islamismo em seu início foi difundido pela espada, o cristianismo dos primórdios se expandiu pelo Espírito, embora muitos cristãos estivessem sendo mortos pelas espadas romanas.

— Contudo, creio que as evidências mais convincentes repousam em duas categorias. Primeiro, existe confirmação arqueológica da sua confiabilidade e, em segundo lugar, existe confirmação miraculosa da autoridade divina.

Razão n.º 1: Confirmação pela arqueologia

Geisler iniciou a análise das evidências arqueológicas citando as palavras de Jesus: "Eu lhes falei de coisas terrenas e vocês não creram; como crerão se lhes falar de coisas ce-lestiais?"[21]

— Inversamente — disse Geisler, — se pudermos confiar na Bíblia quando nos fala de coisas terrenas específicas que podem ser verificadas, então poderemos confiar nela em áreas nas quais não podemos comprová-la diretamente de modo empírico.

— Como é, então, que a Bíblia tem sido corroborada? — perguntei. Tendo investigado uma parte da confirmação arqueológica do Novo Testamento em meu livro anterior, *Em defesa de Cristo*, estava especialmente interessado em arqueologia e no Antigo Testamento, e pedi a Geisler que começasse deste ponto.

— Tem havido milhares — e não centenas — de achados arqueológicos no Oriente Médio que confirmam o quadro apresentado nos registros bíblicos. Há não muito tempo, houve uma descoberta que confirmou a existência do rei Davi. Os patriarcas — as narrativas sobre Abraão, Isaque e Jacó — foram outrora considerados lendários, mas, à medida que achados se tornam conhecidos, essas histórias vão ficando cada vez mais confirmadas. A destruição de Sodoma e Gomorra era considerada mitológica até que foram descobertas evidências de que todas as cinco cidades mencionadas em Gênesis estavam de fato situadas exatamente onde dizia o Antigo Testamento. No que se refere à sua destruição, o arqueólogo Clifford Wilson disse que existem "evidências permanentes da grande conflagração que ocorreu no passado longínquo".[22]

— Ademais — Geisler acrescentou, — diferentes aspectos do cativeiro judaico foram confirmados. Cada referência do Antigo Testamento a um rei assírio tem sido comprovada; uma

[21]João 3.12.

[22]V. *Rocks, relics and biblical reliability,* de Clifford A. Wilson (Grand Rapids, Michigan: Zondervan, 1977), p. 42.

escavação feita na década de 1960 confirmou que os israelitas podiam de fato ter entrado em Jerusalém no reinado de Davi através de um túnel; existem evidências de que o mundo realmente tinha um único idioma em certa época, como diz a Bíblia; o local do templo de Salomão está sendo escavado presentemente; e assim por diante. Muitas vezes, os arqueólogos mostram-se céticos em relação ao Antigo Testamento, mesmo quando novas descobertas corroboram o relato bíblico.

— Por exemplo... — solicitei.

— Por exemplo, Samuel diz que após a morte de Saul sua armadura foi colocada no templo de Astarote, que era uma deusa cananéia da fertilidade, em Bete-Seã, ao passo que Crônicas relata que a sua cabeça foi colocada no templo de um deus filisteu do milho chamado Dagom. Ora, os arqueólogos achavam que devia haver um equívoco e que, portanto, a Bíblia não era fidedigna. Eles não achavam que inimigos teriam tido templos no mesmo lugar ao mesmo tempo."

— O que descobriram os arqueólogos? — perguntei.

— Eles confirmaram por meio das escavações que havia dois templos naquele local, um de Dagom e outro de Astarote. Eram separados por um corredor. Acontece que os filisteus aparentemente haviam adotado Astarote como uma de suas deusas. A Bíblia estava certa, afinal. Esse tipo de fenômeno tem ocorrido com freqüência. A Bíblia faz cerca de 36 referências aos hititas, mas os críticos costumavam acusar que não havia evidências de que esse povo alguma vez tivesse existido. Agora, alguns arqueólogos que estão escavando na moderna Turquia descobriram os registros dos hititas. Como declarou o grande arqueólogo William F. Albright. "Não pode haver dúvida de que a arqueologia confirmou a historicidade substancial da tradição do Antigo Testamento".[23]

Pedi a Geisler que prosseguisse, fazendo um breve resumo por que ele crê que a arqueologia corrobora o Novo Testamento.

[23]*Archeology and the religion of Israel,* Baltimore, Maryland: Johns Hopkins Press, 1953, p. 176.

O respeitado historiador do período romano Colin J. Hemer, em *The book of acts in the setting of hellenistic history* [*O livro de Atos no contexto da história helenística*], mostra como a arqueologia confirmou, não dezenas, mas centenas e centenas de detalhes do relato bíblico da igreja primitiva — disse Geisler. — Até mesmo pequenos detalhes têm sido corroborados, como a direção em que sopra o vento, qual a profundidade da água a certa distância da praia, que tipo de doença existia em uma ilha em particular, os nomes dos funcionários locais e assim por diante. Ora, Atos foi escrito pelo historiador Lucas. Hemer fornece mais de doze razões pelas quais Atos tinha de ter sido escrito antes de 62 A.D., ou cerca de trinta anos após a crucificação de Jesus. Ainda antes disso, Lucas escreveu o seu evangelho, que é substancialmente igual aos outros relatos bíblicos da vida de Jesus.

— Você tem aqui um historiador impecável, que demonstrou estar correto em centenas de detalhes e nunca se comprovou estar errado ao escrever toda a história de Jesus e da igreja primitiva. E ela foi escrita no espaço de uma geração, quando as testemunhas oculares ainda viviam e poderiam tê-la contestado se fosse exagerada ou falsa. Você não tem nada semelhante a isso em qualquer outro livro religioso do mundo antigo.[24]

— Seria Hemer uma voz solitária? — perguntei.

— De modo algum — foi a resposta. — O destacado historiador *sir* William Ramsay era inicialmente um cético, mas depois de estudar o livro de Atos concluiu que "em distintos detalhes a narrativa mostrou uma maravilhosa verdade".[25] O grande historiador clássico da Universidade de Oxford, A. N. Sherwin-White, disse: "Quanto a Atos, a confirmação da historicidade é esmagadora" e que "qualquer tentativa

[24]V. Colin J. HEMER, *The book of Acts in the setting of hellenistic history*, Winona Lake: Eisenbrauns, 1990.

[25]*St. Paul the traveler and the roman citizen*, Grand Rapids, Michigan: Baker, 1982, p. 8.

de rejeitar a sua historicidade básica deve agora parecer absurda".[26] Mencionei anteriormente o arqueólogo William F. Albright, que foi um líder da Escola Americana de Pesquisa Oriental durante 40 anos. Começou como liberal, mas se tornou mais e mais conservador à medida que estudava o registro arqueológico. Ele concluiu que os críticos radicais do Novo Testamento são "pré-arqueológicos" e suas concepções, "bastante antiquadas".[27]

Reclinei-me na poltrona de couro enquanto refletia sobre a enxurrada de fatos e citações apresentada por Geisler. O argumento era forte: se a arqueologia mostra que a Bíblia está correta no que pode ser verificado, por que seria menos exata nos demais aspectos? O argumento arqueológico isoladamente já !comprova muito.

— Mesmo que a arqueologia confirme que a Bíblia é historicamente precisa, isso não significa que ela tem autoridade divina — disse.

— Correto — confirmou Geisler, incisivo. — A única razão pela qual alguém deve aceitar a Bíblia como um livro dotado de autoridade divina é o fato de que ela tem milagrosa confirmação.

Razão n.º 2: Evidências de origem divina

Geisler folheou sua Bíblia bastante gasta até chegar à sua sentença inicial, colocando o livro aberto sobre as pernas.

— Tudo depende do primeiro versículo da Bíblia ser verdadeiro quando afirma: "No princípio Deus criou os céus e a terra" — Geisler disse. — Eu creio que existem evidências científicas esmagadoras de que é verdadeiro — tudo o que tem um início tem um iniciador; o universo teve um início, portanto,

[26]*Roman society and roman law in the New Testament*, Oxford: Clarendon Press, 1963, p. 189.

[27]V. William F. Albright, Retrospect and prospect in New Testament archeology, em *The teacher's yoke*, Waco, Texas: Baylor University, 1964, p. 288ss.

teve um iniciador; o universo foi moldado e ordenado desde o próprio momento da criação para o surgimento da vida; e assim por diante.

Interrompi para informar que já havia entrevistado William Lane Craig sobre as evidências que apontam para a origem divina do universo.

— Que bom — disse. "O que as pessoas esquecem com freqüência é que se esse primeiro versículo é verdadeiro, os milagres não somente são possíveis, mas são uma realidade, porque o maior milagre já aconteceu — fazer algo a partir do nada. O que é mais difícil: Jesus transformar água em vinho ou pegar um punhado de nada e fazer água? É muito mais difícil fazer água a partir do nada que fazer vinho a partir da água. "Alguém disse-me certa vez: "Eu não creio na Bíblia porque ela contempla milagres". Desafiei: "Mostre um". Ele retrucou: "Transformar água em vinho. Você acredita nisso?" Respondi: "Sim, acontece o tempo todo". Ele: "O que você quer dizer?" Eu: "Bem, a chuva passa pela videira, segue para a uva e a uva a transforma em vinho. Tudo o que Jesus fez foi agilizar um pouco esse processo". A questão é a seguinte: se você tem um Deus que pode fazer algo a partir do nada, então ele pode fazer milagres. A única coisa que temos de averiguar é que livro na história do mundo foi confirmado miraculosamente. Existe somente um, a Bíblia.

— Está bem — concedi. — Mostre-me como.

Geisler levantou dois dedos.

— De duas maneiras — explicou. "Primeiro, a Bíblia é confirmada miraculosamente através do cumprimento de profecias preditas e, em segundo lugar, confirmada pelos milagres realizados por aqueles que alegaram estar falando em nome de Deus.

Confirmação pelas profecias

Geisler começou com uma sentença radical:

— A Bíblia é o único livro do mundo que contém predições específicas e precisas feitas com antecedência de centenas de anos e que foram cumpridas literalmente.

Apontando para um dos livros que enchiam as suas estantes, prosseguiu dizendo:

— De acordo com *Barton Payne's encyclopedia of biblical prophecy* [*Enciclopédia de profecia bíblica de Barton Payne*], existem 191 predições no Antigo Testamento sobre a vinda de Cristo, incluindo sua ascendência, a cidade em que iria nascer, o fato de que nasceria de uma virgem, a época exata da história em que morreria e assim por diante.

— De fato, o salmo 22.16 diz que suas mãos e pés seriam perfurados, o versículo 14 diz que os seus ossos seriam desconjuntados; o versículo 18 fala como os guardas jogaram a sorte para ganhar suas vestes; e Zacarias 12.10 diz que ele seria traspassado, como Jesus o foi com uma lança. Obviamente isso é uma imagem de sua crucificação — no entanto, foi escrito antes mesmo da crucificação ser aplicada pelos romanos como método de execução. Naquela época, os judeus matavam as pessoas por apedrejamento. E, claro, Isaías 53.2-12 talvez tenha as predições mais impressionantes sobre Cristo em todo o Antigo Testamento. Esse texto prevê doze aspectos da sua paixão que foram todos cumpridos — ele seria rejeitado, seria um homem de dores, teria uma vida de sofrimento, seria desprezado pelos outros, levaria as nossas dores, seria ferido e afligido por Deus, seria traspassado por causa de nossas transgressões, seria ferido por causa de nossos pecados, sofreria como um cordeiro, morreria com os ímpios, seria sem pecado e intercederia por outros.

Interrompi.

— Espere um momento — exclamei. — Se o senhor falar com um rabino, ele lhe dirá que essa passagem se refere simbolicamente a Israel, e não ao Messias.

Geisler sacudiu a cabeça.

— Na época do Antigo Testamento, os rabinos *consideravam* que esta era uma profecia referente ao Messias. Essa é a opinião que de fato importa — refutou. Somente mais tarde, depois que os cristãos comentaram que a profecia evidentemente se referia a Jesus, é que eles começaram a dizer que na verdade se referia à nação judaica sofredora. Mas isso evidentemente está errado. Isaías se refere habitualmente ao povo judeu na primeira pessoal do plural, como "nosso" ou "nós", mas sempre se refere ao Messias na terceira pessoa do singular, como "ele" ou "lhe" — e foi isso o que ele fez em Isaías 53. Além disso, qualquer pessoa que interprete verá prontamente que se refere a Jesus. Talvez seja por isso que essa passagem é geralmente omitida nas sinagogas hoje em dia. Você tem aqui algumas predições incríveis que foram cumpridas literalmente na vida de um homem, muito embora não tivesse qualquer controle sobre a maior parte delas. Por exemplo, ele não poderia ter providenciado sua ascendência, a época do seu nascimento e assim por diante. Essas profecias foram escritas com uma antecedência de duzentos a quatrocentos anos. Nenhum outro livro do mundo tem isso. A Bíblia é o único livro confirmado sobrenaturalmente dessa maneira.

Refleti sobre isso.

— Mas os profetas do Antigo Testamento não foram os únicos da história que fizeram predições que se concretizaram de modo surpreendente. Nostradamus, o médico e astrólogo que viveu no século XVI, ficou famoso por ter feito previsões sobre o futuro. Ele não previu a ascensão de Hitler e a Alemanha nazista? — insisti mais como uma afirmação do que como uma pergunta. — Se ele pode fazer isto, o que há de tão especial quanto às profecias preditas da Bíblia?

— O problema de Nostradamus e de tantos outros chamados videntes é que as suas predições freqüentemente são enigmáticas, ambíguas e imprecisas — Geisler redarguiu.

— E quanto à predição sobre Hitler? — exigi. — Isso é bastante específico.

— Na realidade, ela não foi nada específica — ele respondeu.

Geisler levantou-se e caminhou até a sua estante, pegando um de seus livros e folheando-o até encontrar o que buscava. Leu então as palavras da predição de Nostradamus:

> Seguidores de seitas, grandes problemas estão reservados para o Mensageiro. Uma besta sobre o teatro prepara a peça cênica. O inventor daquele feito ímpio será famoso. O mundo será confundido e dividido por seitas [...] Bestas loucas de fome irão cruzar rios a nado. A maior parte do exército se voltará contra o baixo Danúbio [*Hister sera*]. O grande será arrastado em uma gaiola de ferro quando o irmão infante [*de Germain*] nada observar.[28]

Geisler continuou:

— Obviamente, essa não é uma referência a Adolf Hitler. A palavra não é "Hitler", mas "Hister", e certamente não é uma pessoa, mas um lugar. A expressão latina *de Germain* deve ser interpretada como "irmão" ou "parente próximo", e não como Germânia. Ele não cita quaisquer datas ou mesmo uma referência cronológica geral. Além disso, o que ele quer dizer com "bestas" e 'gaiola de ferro"? É algo tão confuso que toda a profecia fica sem sentido. O que se nota é que as predições de Nostradamus são muito ambíguas e poderiam se encaixar em uma grande variedade de eventos. Os seus seguidores são inconsistentes na maneira como interpretam o que ele disse. E algumas de suas profecias foram demonstradas como falsas. De fato, nem uma única predição de Nostradamus jamais foi comprovada como genuína.

— Admito que muitos videntes, como Nostradamus, são vagos em suas predições — desafiei. — Mas o senhor tem de admitir que o mesmo se pode dizer de algumas profecias bíblicas.

— Concordo, nem todas as profecias bíblicas são nítidas — Geisler respondeu. "Todavia, muitas profecias são bastante específicas. Quão mais detalhado se podia ser que prever com precisão quando Jesus iria morrer, como fez Daniel 9.24-26? Quando você faz as contas, verifica que essa passagem especifica quando Jesus entraria na história humana. E que dizer das predições do local do seu nascimento ou de como ele iria

[28]Norman L. Geisler, *Enciclopédia de apologética:* respostas aos críticos da fé cristã, São Paulo: Vida, 2002.

sofrer e morrer? A especificidade é impressionante — e elas invariavelmente demonstraram ser verdadeiras.

Rebati com o exemplo recente de uma vidente cujas predições muitas vezes foram bastante detalhadas.

— Em 1956, Jean Dixon predisse que um democrata ganharia a eleição presidencial de 1960 e seria assassinado no exercício do cargo. Isso se cumpriu em John F. Kennedy — e essa é uma profecia bastante específica.

Geisler não se impressionou.

— Ela também predisse que as eleições de 1960 seriam dominadas pelo movimento trabalhista, o que não ocorreu. Mais tarde procurou se resguardar dizendo que Richard Nixon iria ganhar, de modo que havia 100 % de possibilidade de que uma daquelas predições iria concretizar-se. No que diz respeito ao assassinato, três dos dez presidentes do século XX morreram no exercício do cargo e dois outros estavam gravemente enfermos no final dos seus mandatos. A possibilidade de que ela errasse não era tão grande. Além disso, ao contrário dos profetas bíblicos, ela fez numerosas predições que se mostraram falsas — que a China Vermelha mergulharia o mundo em uma guerra por causa de Quemoy e Matsu em 1958; que a Terceira Guerra Mundial começaria em 1954; que Fidel Castro seria banido de Cuba em 1970. A minha favorita é a predição feita por ela de que Jacqueline Kennedy não tornaria a se casar — e logo no dia seguinte ela se casou com Aristóteles Onassis! — disse disparando uma gargalhada.

"Um estudo das profecias feitas por videntes em 1975, incluindo as de Dixon, mostrou que estavam corretas apenas 6% das vezes. Isso é insignificante! É provável que se alguém se pusesse simplesmente a adivinhar obteria resultados melhores que esse. Além disso, sabe-se que Dixon, Nostradamus e outros videntes se envolvem comumente com práticas ocultistas — por exemplo, ela usava uma bola de cristal — e isso poderia explicar uma parte do que predisseram.

Como sou cético em relação aos videntes, não quis me ver colocado na situação de tentar defendê-los. E Geisler havia deixado claro o que pretendia: que eles são completamente diferentes dos profetas bíblicos. Decidi avançar para uma crítica mais contundente das profecias bíblicas, ou seja, a alegação de que os cristãos as arrancam do seu contexto e afirmam que elas predisseram a vinda de Jesus quando na verdade estavam tratando de outra questão. Um exemplo disso estalou na minha mente.

— O senhor se incomoda? — solicitei, enquanto estendia a mão e pegava a Bíblia pertencente a Geisler. Abri em Mateus 2.14, 15, que diz: "Então [José] se levantou, tomou o menino e sua mãe durante a noite, e partiu para o Egito, onde ficou até a morte de Herodes. E assim se cumpriu o que o Senhor tinha dito pelo profeta: 'Do Egito chamei o meu filho'."

Isso é uma referência a Oséias 11.1. Eu achei esse versículo e o li para Geisler: "Quando Israel era menino, eu o amei, e do Egito chamei o meu filho." Fechando o livro e devolvendo-o a Geisler, disse:

— Ora, obviamente essa passagem está falando da saída dos filhos de Israel do Egito, no Êxodo. Não é sobre o Messias. Isso não é arrancar uma profecia do seu contexto?

— Essa é uma boa pergunta — Geisler observou. — Todavia, você precisa entender que nem todas as profecias são preditas.

— E isso significa o quê? — indaguei.

— É verdade que o Novo Testamento aplicou a Jesus certas passagens do Antigo Testamento que não continham predições diretas sobre ele. Muitos estudiosos consideram essas referências como "tipologicamente" cumpridas em Cristo, sem ser rigorosamente preditas."

— O que o senhor está querendo dizer com isso?

— Em outras palavras, alguma verdade da passagem pode ser adequadamente aplicada a Cristo, embora não contenha uma predição específica a respeito dele. Outros estudiosos dizem que existe um sentido genérico em certas passagens do Antigo Testamento que se aplicam tanto a Israel quanto a Cristo, pois ambos foram chamados "filhos" de Deus. Isso às vezes se chama "conceito de dupla referência" das profecias.

— Posso entrever o mérito de ambas as concepções. Contudo, outra vez, essas passagens não eram diretamente preditas e não as uso dessa maneira. Todavia, certamente existe um número suficiente de exemplos de profecias claramente preditas para estabelecer a autoridade divina da Bíblia. A matemática demonstrou que não há qualquer possibilidade de que pudessem ter se cumprido por mero acaso.

Confirmação por meio de milagres

Passando para outra fonte da autoridade divina da Bíblia, Geisler disse que existe um meio seguro de determinar se um profeta é verdadeiramente porta-voz de Deus ou charlatão que está tentando enganar as massas: poderia o profeta realizar milagres comprovados? As três grandes religiões monoteístas — cristianismo, judaísmo e islamismo — reconhecem a validade dos milagres como meio para confirmar uma mensagem vinda de Deus. Até o famoso cético Bertrand Russell admitiu que os milagres dariam autenticidade a uma afirmação da verdade.[29]

— Na Bíblia — que já vimos ser historicamente confiável — temos profetas que foram contestados, mas que depois realizaram milagres para firmar as suas credenciais — disse Geisler.

— Por exemplo, Moisés disse em Êxodo 4.1: "E se eles não acreditarem em mim nem quiserem me ouvir e disserem: 'O SENHOR não lhe apareceu'?". Como Deus responde? Dizendo a Moisés que jogue a sua vara no chão; ela transformou-se imediatamente numa serpente. Ele disse que Moisés a pegasse pela cauda; voltou a ser uma vara. Então Deus disse no versículo 5: "Isso é para que eles acreditem que o Deus dos seus antepassados, o Deus de Abraão, o Deus de Isaque, o Deus de Jacó, apareceu a você".

[29]What is an agnostic?, revista *Look*, 1953.

— O mesmo aconteceu com Elias no monte Carmelo — ele foi contestado e Deus enviou fogo do céu para confirmar que era um profeta verdadeiro. Quanto a Jesus, na verdade veio e disse: "Se eu não realizo as obras do meu Pai, não creiam em mim".[30] E então as realizou. Até mesmo Nicodemos admitiu isso quando disse a Jesus: "Mestre, sabemos que ensinas da parte de Deus, pois ninguém pode realizar os sinais miraculosos que estás fazendo, se Deus não estiver com ele".[31] Isso nunca aconteceu com Maomé. Na verdade, Maomé acreditava que Jesus era um profeta que realizou milagres, incluindo o de ressuscitar os mortos. Os muçulmanos também crêem que Moisés e Elias realizaram milagres. Isso é muito interessante, porque no *Alcorão*, quando os descrentes desafiaram Maomé a realizar um milagre, ele se recusou a fazê-lo. Simplesmente disse que eles deviam ler um capítulo do *Alcorão*.[32]

— Fez isto? — exclamei.

— Com certeza. No entanto, o próprio Maomé disse: "Allah é capaz de enviar um sinal". [33] Chegou a afirmar: "Eles dirão: 'Dizem: Se lhes fosse revelado um sínal de seu Senhor...'". [34] Ao contrário de Jesus, os milagres não eram um sinal do ministério de Maomé. Não foi senão 152 anos depois da sua morte que os seus seguidores inventaram milagres e os atribuíram a ele. Quando João Batista levantou a questão se Jesus era o Messias, Jesus pôde responder confiante aos discípulos de João: "Voltem e anunciem a João o que vocês viram e ouviram: os cegos vêem, os aleijados andam, os leprosos são purificados, os surdos ouvem, os mortos são ressuscitados e as boas novas são pregadas aos pobres".[35]

Geisler fez uma pausa enquanto avaliava o que ele estava dizendo. Em seguida sintetizou seus argumentos:

[30]João 10.37.

[31]João 3.2.

[32]V. surata 2.118; 3.181-184; 4.153; 6.8,9,37.

[33]Surata 6.37.

[34]Ibid.

[35]Lucas 7.22.

— Quando você soma essas coisas —a confiabilidade histórica da Bíblia, autenticada pela arqueologia, o cumprimento miraculoso de profecias claras e a realização de milagres documentados— você tem um livro confirmado sobrenaturalmente como nenhum outro na história.

Desejava esclarecer algo.

— O senhor não está querendo dizer: "Creio que a Bíblia é divinamente inspirada porque ela própria diz sei."

— Correto. Esse é um argumento circular. Não, o raciocínio é o seguinte: a Bíblia *afirma* ser a Palavra de Deus e a Bíblia *prova* ser a Palavra de Deus.

Esse poderia ser um conceito bastante bom —*se* a Bíblia não contivesse tantas aparentes contradições. Mas como pode a Bíblia ser realmente fidedigna se não consegue manter a coerência de sua própria história? Como pode ser considerada divinamente inspirada se faz afirmações que simplesmente não podem ser harmonizadas umas com as outras?

Enfrentando as contradições

Quando perguntei sobre as pretensas contradições da Bíblia, Geisler se recostou na poltrona e sorriu. Essa era uma questão que ele passara a vida toda estudando.

— Meu passatempo é colecionar alegadas discrepâncias, imprecisões e afirmações conflitantes da Bíblia — explicou. "Tenho uma lista de cerca de oitocentas. Há poucos anos fui co-autor de um livro chamado *Manual popular de dúvidas, enigmas e "contradições" da Bíblia*, que dedica quase 600 páginas ao esclarecimento dos fatos.[36] Tudo o que posso lhe dizer é que, na minha experiência, quando os críticos levantam essas objeções violam invariavelmente um dos dezessete princípios de interpretação da Escritura.

— Quais são eles? — perguntei.

[36]Norman GEISLER & Thomas HOWE, São Paulo: Mundo Cristão, 1999.

— Por exemplo, supor que o não-explicado é inexplicável. Estou certo que algum crítico mordaz poderia me interpelar: "E quanto a essa questão?", embora eu tenha estudado estes assuntos durante 42 anos, seria incapaz de responder-lhe. O que isso prova — que a Bíblia contém erro ou que Geisler é ignorante? Conferiria o benefício da dúvida à Bíblia, porque entre as oitocentas objeções estudadas não encontrei um único erro na Bíblia, ao passo que localizei muitos erros cometidos pelos críticos.

Ergui a cabeça.

— Será que isso é de fato razoável, dar à Bíblia o benefício da dúvida?

— Sim, é — insistiu. — Quando um cientista se depara com uma anomalia na natureza, ele abandona a ciência? Quando a nossa sonda espacial encontrou anéis trançados em torno de Júpiter, isso foi de encontro a todas as explicações científicas. Você se lembra de algum cientista da NASA ter pedido demissão porque não pôde explicar o fenômeno?

Sorri.

— Claro que não.

— Exatamente. Não desistiram. Persistiram: "Bem, deve haver uma explicação", e continuaram a pesquisar. Abordo a Bíblia mesmo modo. Ela tem provado repetidamente estar correta, mesmo quando inicialmente achei que não estava. Por que não deveria conceder-lhe o benefício da dúvida agora? Nós precisamos tratar a Bíblia da maneira que alguém deve ser tratado no tribunal: presunção de inocência até que seja provada a culpa.

— Os críticos fazeram o oposto. Negaram que os hititas do Antigo Testamento tivessem existido algum dia. Recentemente os arqueólogos descobriram a biblioteca hitita. Os críticos dizem: "Bem, acho que a Bíblia estava certa nesse versículo, mas não aceito o resto". Pois bem, quando demonstrou estar certa caso após caso, em centenas de detalhes, o peso da prova deve recair sobre o crítico, e não sobre a Bíblia.

Pedi que Geisler descrevesse brevemente alguns dos outros princípios utilizados para resolver aparentes conflitos na Escritura.

— Por exemplo — disse, — deixar de entender o contexto da passagem. Esse é o erro mais comum cometido pelos críticos. Tirando as palavras do contexto, você pode até mesmo fazer a Bíblia provar que Deus não existe. Afinal, o salmo 14.1 repentinamente diz: "Deus não existe". Porém, claramente o contexto afirma: "Diz o tolo em seu coração: 'Deus não existe'." Portanto, o contexto é muitíssimo importante, e com muita freqüência os críticos são habilíssimos em arrancar os versículos do contexto para criar uma suposta discrepância quando não existe. Outro erro é pressupor que um relato parcial é um falso relato. Mateus registra que Pedro disse a Jesus: "Tu és o Cristo, o Filho do Deus vivo". Marcos disse: "Tu és o Cristo". Lucas disse: "O Cristo de Deus".[37] Os críticos dizem: "Viram? Erro!" Eu digo: "Onde está o erro?" Mateus não disse: "Tu *não* és o Cristo", e Marcos: "Tu és". Mateus deixa claro que isto não é um erro, e sim informação complementar. Outros erros consistem em deixar de interpretar passagens difíceis à luz de passagens claras; basear um ensino em uma passagem obscura; esquecer que a Bíblia usa linguagem cotidiana, não-técnica; deixar de lembrar que a Bíblia usa diferentes recursos literários; e esquecer que a Bíblia é um livro humano com características humanas.

— Seres humanos cometem erros — afirmei. — Se é um livro humano, não seriam os erros inevitáveis?

— À exceção, digamos, dos Dez Mandamentos, a Bíblia não foi ditada — respondeu Geisler. — Os que escreveram não foram secretários do Espírito Santo. Às vezes usaram fontes humanas ou diferentes estilos literários ou redigiram de diferentes perspectivas ou deram ênfase a distintos interesses ou revelaram padrões humanos de pensamento

[37]Mateus 16.16; Marcos 8.29; Lucas 9.20.

e emoção. Não há nenhum problema nisso. A exemplo de Cristo, a Bíblia é integralmente humana, porém sem erro.

— No entanto — exclamei, — as pessoas levantam supostas contradições o tempo todo.

— Como o quê, por exemplo? — apontou. — Quais são as mais comuns que você tem ouvido?

Pensei por instantes.

— Mateus diz que havia um anjo no túmulo de Jesus; João diz que havia dois. Os evangelhos dizem que Judas se enforcou; Atos diz que das suas entranhas jorrou sangue.

— Você está certo; essas são citadas com freqüência", respondeu. — Mas podem ser facilmente harmonizadas. Quanto aos anjos, você já notou que sempre que se tem dois de algo tem-se também um? Nunca falha. Mateus não disse que havia *apenas* um. João estava dando mais detalhes ao dizer que havia dois. Quanto ao suicídio de Judas, uma pessoa se enforca em uma árvore ou na borda de um penhasco. Ia contra a lei tocar um corpo morto naqueles dias. Assim, alguém veio depois, achou o seu corpo, cortou a corda e o corpo intumescido caiu sobre as rochas. O que aconteceu? As entranhas se arrebentaram, exatamente como a Bíblia diz. Essas coisas não são contraditórias, mas complementares.

Levando tudo em conta, tive de admitir que Geisler estava certo. Lembro-me que, ainda ateu, bombardeava cristãos despreparados com uma rajada de aparentes contradições e discrepâncias bíblicas. Ficavam frustrados e constrangidos porque não podiam respondê-las e eu me afastava, presunçoso e satisfeito.

O fato de não terem conseguido dissipá-las não significa que não havia respostas. Como no caso dos trechos problemáticos sobre os cananeus e Eliseu, quanto mais mergulhava nas evidências históricas e submetia as questões a um minucioso exame, mais tendiam a desaparecer como objeções.

Por que é difícil crer?

Já era quase a hora do almoço e estava ficando com fome.

— O senhor gostaria de comer alguma coisa? — perguntei a Geisler.

— Claro — exclamou. — Há uma lanchonete aqui perto."

Percorri minhas anotações. Pensei que tinha coberto tudo o que queria discutir, mas detive-me numa citação que havia trazido comigo. Era um sentimento que refletia a frustração de muitas pessoas: Por que Deus torna tão difícil crer nele? Não queria concluir a entrevista sem perguntar a Geisler sobre isso.

— Mais uma coisa antes de irmos — disse-lhe antes de ler as palavras pitorescas de um peregrino espiritual frustrado:

> Assim, se eu quiser evitar o inferno, supostamente tenho de crer que uma serpente falou com Eva, que uma virgem foi engravidada por Deus, que uma baleia engoliu um profeta, que o mar Vermelho foi aberto e toda espécie de maluquice. Bem, se Deus me quer tanto [...] por que torna quase [...] impossível acreditar nele? [...] Parece-me que o Deus todo-poderoso poderia fazer um trabalho muito melhor no sentido de convencer as pessoas da sua existência do que qualquer evangelizador... Basta escrever no céu, com letras bonitas e grandes: "Eis a prova, Ed. Creia em mim ou vá para o inferno! Atenciosamente, o Todo-Poderoso".[38]

Olhando para Geisler, indaguei:

— E o senhor, o que diria a ele?

Geisler ficou um tanto desorientado.

— A minha resposta seria que Deus já *fez* algo assim — ele respondeu. — Salmos 19.1 diz: "Os céus declaram a glória de Deus; o firmamento proclama a obra das suas mãos". De fato, isso está escrito nos céus de maneira tão vívida que mais

[38]Gregory A. Boyd & Edward K. Boyd, *Letters from a skeptic*, Wheaton, Illinois: Victor, 1994, p. 120.

e mais cientistas que perscrutam as estrelas estão se tornando cristãos.

— O grande cosmólogo Allan Sandage, que conquistou a versão astronomia do Prêmio Nobel, concluiu que Deus é "a explicação do milagre da existência".[39] *Sir* Fred Hoyle, que formulou a teoria do estado permanente do universo que eliminaria a existência de Deus, finalmente veio a crer no Planejador Inteligente do universo. O astrofísico Hugh Ross, que recebeu o seu doutorado em astronomia da Universidade de Toronto e fez pesquisas sobre *quasars* e galáxias, disse que as evidências científicas e históricas "deitaram raízes profundas em minha confiança na veracidade da Bíblia".[40] Robert Jastrow, um agnóstico confesso, diretor do Observatório do Monte Wilson e fundador do Instituto Espacial Goddard, concluiu que o *big bang* aponta para Deus. E gosto do que disse o físico matemático Robert Griffiths: "Se precisarmos de um ateu para um debate, vou ao departamento de filosofia. O departamento de física não é de grande utilidade".[41] Lee, as evidências são bem claras.

Não para um cético como Bertrand Russell, observei.

— Ele disse que se algum dia comparecer diante de Deus e lhe for perguntado por que nunca acreditou nele, dirá que não teve evidências suficientes — lembrei a Geisler.

Geisler, para que um dos passatempos é colecionar citações de ateus e agnósticos, lembrou algo mais que Russell disse.

— Foi-lhe perguntado em uma entrevista para a revista *Look*: "Sob que condição o senhor acreditaria em Deus?", e ele respondeu em essência: "Bem, se ouvisse uma voz do céu e ela predissesse uma série de coisas e elas acontecessem, então

[39]John Noble WILFORD, Sizing up the cosmos: an astronomer's quest, *New York Times*, 12/3/1991.

[40]*Creator and the cosmos*, p. 17.

[41]Robert JASTROW, The secret of the stars, *New York Times Magazine*, 25/6/1978.

acho que teria de acreditar que existe algum tipo de ser sobrenatural".[42]

À luz da nossa conversa sobre o cumprimento miraculoso de profecias preditas na Bíblia, a ironia da declaração de Russell era óbvia.

— Eu diria: "Sr. Russell, já houve uma voz que veio do céu; ela predisse muitas coisas e nós vimos que vieram inegavelmente a ocorrer" — Geisler declarou.

— Então o senhor não acha que Deus está tornando difícil que as pessoas acreditem?

— Ao contrário, as evidências estão aí se as pessoas estiverem dispostas a aceitá-las. Não é por falta de evidências que as pessoas se afastam de Deus; é por causa do seu orgulho ou da sua vontade. Deus não vai forçar ninguém a entrar no seu aprisco. O amor nunca atua de modo coercivo. Age apenas de modo persuasivo. E há um bocado de evidências persuasivas por aí.

Senti-me na obrigação de revelar a identidade da pessoa que citei como tendo perguntado por que Deus torna tão difícil acreditar nele. Seu nome é Edward Boyd e fez essa observação para o seu filho, o filósofo cristão Gregory Boyd, quando trocaram correspondência em que debateram as evidências do cristianismo. Em 1992, depois de avaliar pessoalmente as evidências, o ex- cético Edward Boyd decidiu tornar-se um seguidor de Jesus.[43]

Geisler sorriu com essa história. O tom se tornou pessoal, até mesmo poético, ao terminar falando de sua fé pessoal.

— Quanto a mim, digo o mesmo que disse o apóstolo Pedro: "Senhor, para quem iremos? Tu tens as palavras de vida eterna".[44] Ele é o único que não somente afirmou ser Deus, mas provou ser Deus. Quando eu comparo isto com todos os outros pretendentes de todas as outras religiões, é como o poeta que disse ter a noite mil olhos e o dia somente um; a luz de

[42] V. Bertrand RUSSELL, What is an agnostic?, revista *Look*, 1953.
[43] *Letters from a skeptic*, p. 189.
[44] João 6.68.

todo o mundo morre com o pôr-do-sol.

A voz de Geisler suavizou, porém manteve a intensidade. — Na noite escura da ignorância humana, existem muitas luzes no céu. À luz do dia, há somente uma, que é Jesus Cristo, a luz do mundo. Com base nas evidências de quem ele foi, realmente não há concorrentes. Desse modo, marcho com ele — não com aquele que protestou sabedoria, Confúcio; ou com aquele que reivindicou claridade, Buda; ou com aquele que alegou ser um profeta, Maomé; mas com aquele que declarou ser Deus em carne humana. Aquele que proclamou "Antes de Abraão nascer, Eu Sou!"[45] — e provou isso.

Ponderações

Perguntas para reflexão ou estudo em grupo

1. Avalie o desempenho de Geisler ao tratar das questões problemáticas de como Deus lidou com os amalequitas, os cananeus e o bando que ameaçou o profeta Eliseu. Qual foi a parte mais forte da sua explicação? A questão do caráter de Deus é um "ponto de desgaste" na sua jornada espiritual? Por que sim ou por que não?
2. As normas de Geisler para a interpretação da Escritura fazem sentido para você? Quais delas você já viu serem violadas pelos críticos? Você concorda que é razoável dar à Bíblia o benefício da dúvida com base no fato de que ela já provou ser confiável em numerosos exemplos? Por que sim ou por que não?
3. Qual foi a sua reação à citação do ex-cético Edward Boyd? Você acredita que Deus tornou difícil crermos nele? Qual é o seu maior obstáculo em direção à fé? Que passos específicos você poderia dar para superar esse obstáculo?
4. Você já ficou perplexo diante de uma aparente discrepância ou contradição da Bíblia? Caso positivo, o que

[45]João 8.58.

você faria para buscar uma resposta? Tente formular a sua pergunta de modo tão sucinto quanto puder e faça uso de recursos da internet ou de bibliotecas, inclusive os livros listados abaixo, e veja se há uma explicação que possa satisfazê-lo.

Outras fontes de consulta

Mais recursos sobre esse tema

- ARCHER, Gleason L. *Manual de temas bíblicos. 2.ª ed.* São Paulo, Vida, 2002.
  Walter C. KAISER JR., DAVIDS, Peter H. BRUCE, F. F. & BRAUCH, Manfred T. *Hard sayings of the Bible*. Downers Grove, Illinois, InterVarsity Press, 1996.
- GEISLER, Norman. *Enciclopédia de apologética: respostas aos críticos da fé cristã*. São Paulo, Vida, 2002.
- ——— & Ronald Brooks, *When skeptics ask*. Wheaton, Illinois: Victor, 1990.
- ——— & Howe, Thomas *Manual popular de dúvidas, enigmas e "contradições" da Bíblia*. São Paulo: Mundo Cristão, 1999.

Quinta objeção

É ofensivo afirmar que Jesus é o único caminho para Deus

Sou absolutamente contrário a qualquer religião que diga que uma fé é superior a outra. E não vejo como isso pode ser em nada diferente de um racismo espiritual. É um modo de dizer que nós estamos mais perto de Deus do que você, e é isso que leva ao ódio.

Schmuley Boteach,[1] rabino

Moisés pôde ser o mediador da lei; Maomé pôde brandir uma espada; Buda pôde dar conselhos; Confúcio pôde proferir frases sábias; mas nenhum desses homens estava qualificado para oferecer satisfação pelos pecados do mundo... Somente Cristo é digno de devoção e culto ilimitados.

R. C. Sproul,[2] teólogo

Walter Chaplinsky tinha opiniões fortes sobre religião e não se sentia constrangido em expressá-las. Em 1940, ele causou escândalo em Rochester, New Hampshire, ao denunciar ruidosamente a religião organizada como "trapaça" e condenar várias ordens cristãs pelo nome. Resultado: foi preso e sentenciado com base em uma lei estadual que considerava crime pronunciar "qualquer palavra ofensiva, zombeteira ou irritante a qualquer pessoa que esteja legalmente em qualquer rua ou outro local público."

[1]Disponível em: http://cnn.com/Transcripts/0001/12/lkl.00.html. Acesso em: 13 jan. 2000.

[2]*Razão para crer,* São Paulo: Mundo Cristão, 1986.

Crendo que o seu direito de livre expressão estava sendo violado, Chaplinsky apelou da sentença até chegar à Suprema Corte dos Estados Unidos. Todavia, em 1942 os magistrados confirmaram unanimemente sua condenação, dizendo que "palavras hostis" como as que ele proferiu ficavam fora da proteção da Primeira Emenda.[3] Trinta anos mais tarde, a alta corte aclarou a sua definição de "palavras hostis" denominando-as "epítetos pessoalmente abusivos" que comportam "tendência inata de provocar ação violenta".[4]

As "palavras hostis" despertam uma reação visceral nas pessoas, fazendo o seu estômago revirar, transformando suas mãos em punhos. Essa linguagem ofensiva atinge as pessoas profundamente ao atacar as convicções mais caras, provocando a retaliação. Para algumas pessoas, são assim interpretadas as ousadas palavras de Jesus Cristo: "Eu sou o caminho, a verdade e a vida. Ninguém vem ao Pai, a não ser por mim".[5]

Muitas pessoas consideram arrogante, estreita e preconceituosa a insistência dos cristãos de que o único caminho para Deus deve passar por Jesus de Nazaré. Em uma época de pluralismo e tolerância religiosa, essa reiteração de exclusividade é politicamente incorreta, um tapa verbal na face de outros sistemas de fé. A pluralista Rosemary Radford Ruether a rotulou "absurdo chauvinismo religioso",[6] ao passo que um rabino a chamou "ditadura espiritual" que alimenta o tipo de atitude complacente e superior que pode levar ao ódio e à violência contra pessoas que crêem de modo diferente.[7]

[3]V. Robert J. WAGMAN, *The First Amendment book*, New York: Pharos Books, 1991, p. 106. V. tb. Chaplinsky *versus* New Hampshire, 315 U.S.,568 (1942).

[4]V. Cohen *versus* Califórnia, 403 U.S., 15 (1971).

[5]João 14.6.

[6]V. *The myth of Christian uniqueness*, (Londres: SCM Press, 1987), p. 141.

[7]Disponível em: http://cnn.com/transcripts/0001/12/lkl.00.html. Acesso em: 13 jan. 2000.

Uma abordagem como a que foi expressa pelo filósofo indiano Swami Vivekenanda certamente é muito mais aceitável hoje em dia: "Nós [hindus] aceitamos que todas as religiões são verdadeiras", disse ao Parlamento Mundial de Religiões em 1893. O verdadeiro pecado, salientou, é chamar outro indivíduo de pecador.[8]

Esse tipo de mente aberta e liberalidade se adapta muito bem à nossa atual cultura de relativismo, na qual nenhum "fato" é considerado universalmente verdadeiro em todas as épocas, em todos os lugares, para todas as pessoas e em todas as culturas. Na verdade, atualmente dois terços dos americanos negam que exista algo absoluto como a verdade.[9]

Quando era ateu, ficava indignado com as afirmações feitas por cristãos de que eles detinham o monopólio do enfoque correto da religião. "Quem eles pensam que são?", costumava resmungar. "Quem são eles para julgar os demais? Onde está o amor de Jesus nisso?"

Charles Templeton denominou "presunção insuportável"[10] o fato de a Bíblia afirmar que, além de Jesus, "debaixo do céu não há nenhum outro nome [...] pelo qual devamos ser salvos".[11] Templeton acrescentou:

> Os cristãos são uma pequena minoria no mundo. Aproximadamente quatro de cada cinco pessoas na face da terra crêem em outros deuses que não o Deus cristão. Os mais de cinco bilhões de pessoas que vivem na terra reverenciam ou cultuam mais de trezentos deuses. Se incluirmos as religiões tribais ou animistas, o número sobe para mais de três mil. *Devemos crer que somente os cristãos estão certos?*[12]

[8]Citado em Paul COPAN, *True for you, but not for me*, p. 34.

[9]Ravi ZACHARIAS, *Pode o homem viver sem Deus?*, São Paulo: Mundo Cristão, 1995, na introdução escrita por Charles Colson, IX.

[10]*Farewell to God*, p. 27.

[11]Atos 4.12.

[12]*Farewell to God*, p. 27, (ênfase minha).

Apesar do lamentável erro de cálculo para menos cometido por Templeton quanto ao número de deuses adorados no mundo, o ponto levantado procede. A afirmação de exclusividade de Jesus está entre os maiores obstáculos com que se deparam os investigadores espirituais nos nossos dias. Tratando-se de tema tão volátil assim, sabia que precisava falar com um especialista que tivesse uma mente aberta e analítica, uma sólida formação filosófica e larga experiência com uma ampla variedade de religiões mundiais. Esses critérios me levaram a um subúrbio de Atlanta, Geórgia, ao escritório de Ravi Zacharias, que nasceu e foi criado na Índia.

A quinta entrevista: Ravi Zacharias, D.D., LL.D.

— Existe um velho ditado indiano que diz haver duas maneiras de tocar o nariz — contou Ravi Zacharias enquanto tirava o paletó preto e se sentava à mesa circular de madeira do escritório.

— Existe esta maneira — mostrou, apontando diretamente para o seu nariz. Em seguida estendeu o braço em torno da nuca e tocou o nariz pelo outro lado. — E existe *esta* maneira — completou, exibindo um sorriso.

Isto é, os indianos às vezes preferem seguir um caminho longo e sinuoso para dar uma resposta ao invés de chegar à conclusão mais rapidamente. Por vezes isso ocorre com Zacharias, que ganhou a reputação de estar entre os mais astutos e articulados defensores do cristianismo em todo o mundo.

Espírito tranqüilo, dotado de intelecto aguçado, Zacharias foi descrito por Billy Graham como "um homem de grande percepção espiritual e integridade intelectual".[13] Ele já discorreu sobre cristianismo, filosofia, seitas e religiões mundiais em cinqüenta países e numerosas universidades. Seus livros incluem o premiado *Pode o homem viver sem Deus?*,

[13]Citado em Ravi Zacharias, *Pode o homem viver sem Deus?*, contracapa.

baseado em parte numa série de penetrantes conferências que fez na Universidade Harvard; *A shattered visage: the real face of atheism* [*Um rosto despedaçado: a verdadeira face do ateísmo*]; *Deliver us from evil* [*Livra-nos do mal*]; *Cries of the heart* [*Clamores do coração*]; e *Jesus among other gods* [*Jesus entre outros deuses*]. Seu primeiro livro para crianças, *The merchant and the thief* [*O mercador e o ladrão*], foi lançado em 1999.

Zacharias estudou na Evangelical Divinity Trinity School, onde obteve o grau de mestre em religião" e é professor visitante na Universidade de Cambridge. Foi homenageado com a concessão do grau de doutor em teologia pela Houghton College e pela Faculdade e Seminário Tyndale, bem como de grau de doutor em direito pela Asbury College. Foi catedrático do evangelização e pensamento contemporâneo no Seminário Teológico Alliance.

Atualmente, Zacharias dirige a organização Ministérios Internacionais Ravi Zacharias, com escritórios nos Estados Unidos, Canadá, Índia e Inglaterra. Ele e sua esposa Margaret têm três filhos.

Zacharias é uma figura imponente com sorriso de menino. A pele morena contrasta com o cabelo, que de tão branco chega a ser quase luminoso. Fala com uma voz mansa e nasalada e tem o sotaque e a cadência indiana característica. Habitualmente educado e hospitaleiro, mostrou-se generoso no uso do tempo e concentrou-se inteiramente na nossa entrevista, embora nos bastidores a sua equipe estivesse envolvida febrilmente nos preparativos para mais uma viagem internacional.

Tinha vindo para questioná-lo sobre a afirmação de Jesus ser o único caminho para Deus, declaração que havia feito ao discípulo Tomé. De acordo com a tradição, o então incrédulo Tomé, vendo agora sua fé fortalecida pelo encontro com o Cristo ressurreto, embrenhou-se mais tarde no coração da Índia para comunicar a mensagem cristã, sendo finalmente morto perto de Madras. Zacharias nasceu a apenas 10 km do memorial erigido para comemorar o martírio do apóstolo.

Em certo sentido, a jornada espiritual de Zacharias lembra a de Tomé. Depois de passar os primeiros anos como cristão de maneira apenas formal, Zacharias esperimentou uma iniciação de fé aos dezessete anos, após ouvir um evangelista americano pregar em uma campanha. Mais tarde, depois de tentar matar-se por faltar sentido na sua vida, acabou no hospital, em um episódio que o fez tornar-se um seguidor de Jesus radicalmente comprometido e um missionário da Índia para vários lugares ao redor do mundo.

Sabia que a sua experiência naquele ambiente multicultural e multirreligioso, em que cresceu, entre muçulmanos, hindus e siques, enriqueceria sua perspectiva acerca dessa inquietante questão da exclusividade de Cristo. Enquanto tomava chá quente, tirei meu caderno de anotações da pasta e me concentrei imediatamente no tópico principal.

A arrogância do cristianismo

— Perdoe-me por ser tão direto — exclamei ao introduzir a minha pergunta —, mas não seria muito arrogante da parte dos cristãos insistir que Jesus é o único e exclusivo caminho para Deus? Por que os cristãos imaginam ter direito de asseverar que estão certos e o resto do mundo está errado?

Apesar do sotaque de Zacharias e de seu traje executivo conservador — camisa branca engomada e gravata sóbria — lhe dessem um ar formal, comportou-se de modo entusiástico, caloroso e simpático em suas respostas.

— Lee, eu tenho ouvido tantas vezes essa pergunta, especialmente no Oriente — disse com voz animada e com olhos que pareciam sinceros e preocupados. — A primeira coisa que procuro fazer é tentar lidar com as informações errôneas que são inerentes à indagação.

— Informações errôneas? — perguntei. — Como o quê?

— Primeiro — rebateu — é importante entender que o

cristianismo não é a única religião que manifesta exclusividade. Por exemplo, os muçulmanos reivindicam exclusividade de modo radical — não só teologicamente, mas também lingüisticamente. Os muçulmanos acreditam que o único, suficiente e consumado milagre do islã é o *Alcorão*. Dizem, contudo, que só é inteligível em árabe, e que qualquer tradução o dessacraliza. E não se exige apenas uma noção elementar do árabe, mas o conhecimento sofisticado dessa língua. Quanto ao budismo, surgiu quando Gautama Buda rejeitou duas afirmações fundamentais do hinduísmo — a autoridade última dos Vedas, que são as suas escrituras, e o sistema de castas. O próprio hinduísmo é absolutamente intransigente em duas ou três questões: a lei do carma (que é a lei de causa e efeito moral, de modo que todo nascimento é um renascimento que recompensa a vida anterior), a autoridade dos Vedas e a reencarnação.

Interrompi.

— Mas ouvi alguns hindus dizerem com muita nobreza que o hinduísmo é uma fé muito tolerante — insisti, pensando em afirmações como a que foi feita por Swami Vivekenanda na parte inicial deste capítulo.

Ele sorriu.

— Toda vez que você ouvir essa afirmação, não a entenda no seu sentido aparente — explanou. — O que realmente significa é que o hinduísmo lhe permite praticar a sua religião contanto que ela aceite a noção hinduísta de verdade, que é sincretista. O sincretismo é a tentativa de misturar crenças diferentes ou até mesmo opostas. Quanto ao siquismo — continuou —, surgiu como um desafio tanto ao hinduísmo quanto ao budismo. Depois existem os ateus — rejeitam os pontos de vista dos que crêem em Deus. E até mesmo o bahaísmo, que afirma ser um abraço cósmico de todas as religiões, acaba excluindo os exclusivistas! Portanto, a afirmação de que os cristãos são arrogantes por reivindicarem exclusividade ignora a realidade de que todas as outras grandes religiões fazem o mesmo. Assim, quando as pessoas falam em arrogância, não estão fazendo uma acusação lógica.

Comecei a formular a pergunta seguinte, mas Zacharias previu-a e interveio para completar a sentença.

— O senhor acredita que toda verdade... — comecei.

— É, por definição, exclusiva — concluiu. — Sim, sim, eu acredito. Se a verdade não exclui, então não se está fazendo nenhuma afirmação da verdade; somente se está expondo uma opinião. Toda vez que você faz uma asserção da verdade, você quer dizer que algo contrário a ela é falso. A verdade exclui o seu oposto.

— Existem os que negam isso — observei.

— Sim, mas pense no seguinte: negar a natureza exclusiva da verdade é fazer uma afirmação da verdade, e isso não tornaria essa pessoa também arrogante? Esse é o efeito bumerangue que o crítico muitas vezes não se detém para analisar. As claras implicações do fato de Jesus dizer que ele é o caminho, a verdade e a vida são que, em primeiro lugar, a verdade é absoluta e, em segundo lugar, que a verdade pode ser conhecida. Sua reivindicação de exclusividade significa categoricamente que qualquer coisa que contradiga o que ele diz é falsa por definição.

— Uma coisa é os cristãos crerem nisso — respondi. — Outra coisa é comunicar essa verdade sem parecer orgulhoso ou superior. Mas os cristãos com freqüência acabam fazendo isso.

Zacharias suspirou. Era uma acusação que ouvia com muita freqüência.

— Sim, se a verdade não for sustentada pelo amor, torna o detentor dessa verdade odioso e a verdade repulsiva — aduziu. — Fui criado na Índia e convivi com amigos hindus, muçulmanos, budistas e siques enquanto crescia, posso entender algumas das críticas contra os cristãos. A história do cristianismo tem algumas explicações a dar quanto à sua metodologia. Violência, antagonismo e hostilidade são contrárias ao amor de Cristo. Não se pode comunicar o amor de Cristo em termos não-amorosos.

— Na Índia temos um provérbio que diz: uma vez que você tenha cortado o nariz de uma pessoa, não há sentido em darlhe uma rosa para cheirar — prosseguiu. — Se a arrogância de um cristão ofende alguém, essa pessoa não estará receptiva à mensagem cristã. Mahatma Gandi dizia: "Gosto do seu Cristo, mas não gosto dos seus cristãos". Friedrich Nietzsche: "Passarei a acreditar no Redentor quando o cristão parecer um pouco mais redimido". Estes argumentos precisam ser ouvidos.

— No entanto — acrescentou, — *é* possível afirmar verdades exclusivas de modo afável, assim como um cientista pode dizer gentilmente: "Essa é a segunda lei da termodinâmica", sem acrescentar: "Agora, vamos votar sobre quantos de nós podemos cooperar com ela ou não?".

— Então as críticas feitas aos cristãos muitas vezes são válidas?

— Sim, às vezes nós nos metemos em dificuldades por causa das sensibilidades culturais. Ao mesmo tempo, porém, as religiões orientais têm muito exame introspectivo a fazer nesse aspecto em nossos dias. À exceção de conflitos étnicos e políticos, não sei de nenhum país cristianizado em que a vida esteja em perigo porque se tem outra fé. Mas hoje existem muitos países no mundo — como o Paquistão, a Arábia Saudita e o Irã — nos quais tornar-se um seguidor de Cristo é pôr em risco a própria vida e a de sua família.

Eu havia lido suficientes reportagens de jornais em anos recentes para saber que isso era verdade, mesmo na terra natal de Zacharias, onde vários cristãos foram mortos por militantes hindus nos últimos anos. Por vezes não é a maneira pela qual os cristãos tentam difundir sua fé que é ofensiva. Com freqüência, as pessoas simplesmente reagem contra a própria mensagem.

— Mesmo aquele cuja vida foi vivida da maneira mais perfeita acabou em uma cruz hindus observou Zacharias. — A resistência à verdade pode ser tão forte que é capaz de gerar violência e ódio mesmo quando a pessoa não fez absolutamente nada de errado.

Origem, significado, moralidade, destino

Qualquer pessoa pode afirmar que é o único caminho para Deus. De fato, muitos indivíduos excêntricos fizeram essa asserção ao longo da história. A verdadeira questão é por que alguém deve crer que Jesus estava dizendo a verdade quando fez essa afirmação.

— Baseado em que fato o senhor acredita ser verdadeira essa afirmação de Jesus? — perguntei a Zacharias.

— Ah, sim, esse é o cerne da questão — respondeu enquanto assentia com a cabeça. — Por um lado, pode-se dizer que a ressurreição de Jesus comprovou ser ele o Filho de Deus. Se isso é verdade, então todos os outros sistemas religiosos não podem ser verdadeiros, porque cada um deles afirma algo que é contrário à sua divindade. E, evidentemente, o testemunho histórico acerca da Ressurreição é muito convincente. Por outro lado, pode-se abordar esse assunto considerando as quatro questões fundamentais que toda religião procura elucidar: origem, significado, moralidade e destino. Creio que somente as respostas de Jesus correspondem à realidade. Existe uma coerência nas suas respostas que difere das respostas de qualquer outra religião.

Essa foi uma declaração ousada.

— O senhor pode respaldá-la com exemplos de como outras religiões fracassam nesses testes?"

— Considere o budismo — respondeu. — A resposta de Buda acerca da questão da moralidade não é coerente com a sua resposta sobre as origens. Observe, tecnicamente o budismo é não-teísta, quando não ateu. Mas se não houve um Criador, a partir de que se chega à lei moral? Ou considere a versão hindu da reencarnação. Se todo nascimento é um renascimento e se toda vida paga a vida anterior, então o que você estava pagando no seu primeiro nascimento? A incoerência predomina.

Acrescentou de pronto que não estava tentando infamar essas religiões.

— Grandes estudiosos irão dizer-lhe que existe incoerência — prosseguiu. — Até Gandi falou que, se tivesse oportunidade, eliminaria algumas das escrituras do hinduísmo, porque são muito contraditórias entre si. Em contraposição, Jesus oferece respostas para essas quatro questões fundamentais da vida que correspondem à realidade e tem consistência interna, ao contrário de qualquer outro sistema religioso.

Essa afirmação convidava a um desafio.

— Examine-as uma a uma — pedi — e me diga como.

— Perfeitamente — respondeu. — Quanto às origens, a Bíblia diz que não somos idênticos a Deus — ao contrário da afirmação hindu —, mas distintos dele. Em outras palavras, nós não demos existência a nós mesmos, mas somos uma criação de Deus. Uma vez que fomos criados à sua imagem, isso explica o fato de os seres humanos terem um ponto de referência moral. Nenhum sistema consegue explicar isso, a não ser os sistemas monoteístas. Mesmo os naturalistas não dispõem de uma explicação para a estrutura moral da humanidade. Entretanto, essa estrutura moral corresponde à realidade da experiência humana. Além disso, o cristianismo diz que nós rejeitamos a vontade divina. O tentador disse no Jardim do Éden que se comessem daquele fruto se tornariam deuses, conhecendo o bem e o mal. O humanismo nasceu exatamente ali; o homem tornou-se a medida de todas as coisas. Essa rebelião e rejeição deliberada de Deus corresponde à realidade. Como disse Malcolm Muggeridge, a depravação humana é ao mesmo tempo a realidade mais verificável empiricamente, mas também a mais resistente filosoficamente. A seguir, a questão do significado. Aqui outra vez a fé cristã não tem paralelo. A maneira mais simples de descrevê-lo é que Deus não nos chama ao significado pedindo-nos para sermos boas pessoas. Ele não nos chama ao significado simplesmente dizendo-nos para amarmos uns aos outros. É somente na experiência do culto que o significado passa a existir. Somente algo maior que o prazer pode proporcionar significado, ou seja, a perpétua novidade do próprio Deus no culto. A Bíblia nos instrui a amar o Senhor, nosso Deus, de todo o nosso coração, alma e entendimento, e somente quando fazemos isso podemos começar a amar o nosso próximo como a nós mesmos. Isso também corresponde à nossa experiência. Em seguida, o cristianismo diz que a moralidade não é baseada na cultura, e sim resulta do próprio caráter de Deus. De outro modo, você irá acabar no dilema da filosofia antiga: a lei moral está acima e sobre você, ou a lei moral está sujeita a você? Se ela está acima, onde então você encontra as suas raízes? A única maneira de explicar isso é encontrá-la no Deus eterno, moral, onipotente e infinito que é inseparável do seu caráter. Assim, o cristianismo explica a moralidade de uma maneira coerente. Finalmente, o destino está fundamentado na ressurreição de Jesus Cristo, o acontecimento histórico que provou a sua divindade e que abriu a porta dos céus para todos os que o seguem. Em que outro lugar você encontra algo que chegue perto de afirmar isto?

— Billy Graham certa vez falou do seu encontro com Konrad Adenauer, o prefeito de Colônia que foi preso por Hitler por se opor ao regime nazista e que mais tarde se tornou o conceituado chanceler da Alemanha Ocidental de 1949 a 1963. Adenauer olhou Graham nos olhos e perguntou: "O senhor crê na ressurreição de Jesus Cristo dentre os mortos?". Graham disse: "Claro que creio". Ao que Adenauer respondeu: "Sr. Graham, fora da ressurreição de Jesus, eu não conheço nenhuma outra esperança para este mundo". Estava certo. Porque a Ressurreição é um acontecimento histórico real, nós podemos ser perdoados, reconciliados com Deus, passar a eternidade com ele e confiar que os ensinamentos de Jesus provêm de Deus. Um de meus amigos era um muçulmano convertido que depois foi martirizado. Eu me lembro de tê-lo visitado no hospital depois que as suas pernas foram arrancadas por uma explosão. Ele disse: "Quanto mais conheço o que outros têm afirmado e ensinado, mais belo Jesus Cristo se parece para mim". Nunca me esqueci disso e creio que é absolutamente verdadeiro. Nenhum homem falou como Jesus. Ninguém jamais respondeu essas questões da maneira como ele as respondeu, não só emitindo asserções, mas também em sua pessoa. Podemos testar isso existencialmente. Podemos testá-lo empiricamente. A Bíblia não é somente um livro de misticismo ou espiritualidade; é um livro que também transmite verdades geográficas e verdades históricas. Se você for um cético honesto, ela não o está atraindo meramente para um sentimento; ela o está chamando para uma pessoa verdadeira. Foi por isso que o apóstolo Pedro disse: "De fato, não seguimos fábulas engenhosamente inventadas, quando lhes falamos a respeito do poder e da vinda de nosso Senhor Jesus Cristo; ao contrário, nós fomos testemunhas oculares da sua majestade".[14] Ele está dizendo: "Isso é verdade. Isso é realidade. Pode-se confiar nisso". E, sim, essa verdade exclui o que lhe é contrário.

Sobre os elefantes e a fé

Mesmo que Zacharias estivesse certo a respeito do cristianismo, isto significaria necessariamente que todas as outras religiões são falsas? Talvez no fundo todas elas ensinem as mesmas verdades fundamentais utilizando uma linguagem diferente, imagens distintas e tradições diversas para comunicar convicções essencialmente idênticas.

— Algumas pessoas dizem que, quando se retiram os aspectos secundários, todas as religiões mundiais ensinam em essência a paternidade universal de Deus e a fraternidade universal da humanidade — disse. — Isso significaria que todos os sistemas religiosos do mundo são igualmente válidos.

Zacharias balançou a cabeça, expressando desaprovação em seu rosto:

— Somente quem não compreende as religiões mundiais afirmaria que elas basicamente ensinam a mesma coisa — retrucou.

— O que elas querem dizer com paternidade universal de Deus quando o budismo nem mesmo insiste que haja um Deus? O que queremos dizer com a paternidade de Deus quando Shankara, um dos mais respeitados filósofos hindus,

[14] 2 Pedro 1.16.

disse que o teísmo é apenas uma maneira infantil de chegar finalmente do alto, onde se descobre que Deus não é distinto de você? O que, então, significa a paternidade de Deus? É uma ilusão. Essa paternidade de Deus não é uma doutrina transreligiosa. Em segundo lugar, a fraternidade da humanidade: sim, nos somos irmãos e irmãs como seres humanos, mas a única razão para isso é o fato de termos sido criados por Deus. Tão logo você tire esse fundamento — prosseguiu, sorrindo — a fraternidade acaba ficando com mais "idade" do que com "fraterno"! Em suma, o islamismo, o budismo, o hinduísmo e o cristianismo não dizem a mesma coisa. Trata-se de doutrinas religiosas distintas e mutuamente excludentes. Elas todas não podem ser verdadeiras a um só tempo.

Eu não havia esgotado a tentativa de harmonizá-las.

— Talvez as diferentes religiões tenham cada qual uma fatia da verdade — sugeri. — O teólogo John Hick disse que as religiões mundiais são diferentes respostas culturalmente condicionadas à "realidade última" ou Deus.[15] Isso não seria semelhante à velha história dos três cegos que apalpavam o elefante: cada religião é uma tentativa sincera, porém inadequada, de explicar o mistério de Deus, e assim cada uma é válida à sua própria maneira?

Zacharias introduziu um pouco do jogo filosófico.

— Ou Hick é produto da própria cultura ou ele transcendeu sua cultura ao fazer essa afirmação — reagiu. — E se ele transcendeu a sua cultura, por que ninguém mais transcendeu a cultura? Isso parece muito sofisticado academicamente, mas tem problemas em demasia no seu âmago.

— Como o quê? — perguntei.

— Por exemplo, o ateu tem um pedaço da verdade ou ele fica marginalizado? Se o ateu tem um pedaço da verdade, que pedaço é esse, já que a doutrina fundamental do ateísmo é a negação da própria existência de Deus?

[15]V. The exclusivism of religious pluralism, em Paul COPAN, *True for you, but not for me*, p. 71-7.

Fez uma pausa, deixando a pergunta responder por si mesma. Em seguida aduziu:

— Eu direi o seguinte: existem aspectos de verdade em quase todas as grandes religiões. Elas contêm alguns grandes pensamentos e idéias. A leitura dos notáveis filósofos orientais é muitíssimo estimulante. Mas não é como se fôssemos cegos que examinam o elefante, uma pessoa apalpando a perna e achando que é uma árvore, outra apalpando a tromba e achando que é uma corda e a terceira apalpando a orelha e achando que é um abanador. A questão é esta: — disse ele, elevando a voz para dar ênfase — a parábola já deixou transparecer o fato de que se trata, realmente, de um elefante! O cego pode lhe dizer que é uma árvore, mas ele está errado. Não é uma árvore, nem uma corda, nem um abanador. O homem que vê sabe que se trata de um elefante. Ele conhece a verdade; a sua visão a revelou a ele. E Jesus Cristo deixou claro que as verdades eternas de Deus podem ser conhecidas. Jesus Cristo é o centro do evangelho . Nele, toda a verdade se concentrou. Assim, embora possa haver aspectos de verdade em outros lugares, a soma total da verdade está em Cristo. A explicação de Hick ignora a possibilidade que Deus se revele e que, portanto, nós podemos conhecer quem ele é. Em vez disso, Hick tornou supremas a cultura e a intuição. Mas a Bíblia diz que Deus *de fato* se revelou: "No princípio era aquele que é a Palavra. Ele estava com Deus, e era Deus [...] Aquele que é a Palavra tornou-se carne e viveu entre nós. Vimos a sua glória, glória como do Unigênito vindo do Pai, cheio de graça e de verdade".[16]

Redenção, justiça, culto

O comediante Quentin Crisp contou certa feita: "Quando eu disse às pessoas da Irlanda do Norte que era ateu, uma mulher que estava no auditório levantou-se e interpelou-me: 'Sim,

[16]João 1.1,14.

mas é o Deus dos católicos ou o Deus dos protestantes em quem você não crê?'".

Na realidade, seu humor foi um triste comentário sobre a profundidade da luta sectária que ocorre naquele país. Ao longo dos séculos, o mundo tem visto muita acrimônia e violência por causa das diferentes concepções das pessoas a respeito de Deus. Desgostosas com as disputas religiosas, algumas pessoas levantam as mãos para o céu e dizem que o mundo seria um lugar muito melhor se as pessoas simplesmente parassem de discutir por causa de suas diferenças doutrinárias e em vez disso se dedicassem a viver em paz umas com as outras.

— Existem muçulmanos, judeus, cristãos, mórmons e hindus que vivem de maneira ética — observei a Zacharias. — O modo como uma pessoa vive e trata o seu semelhante não seria mais importante que aquilo em que acredita teologicamente?

— Como uma pessoa vive e como trata o próximo *é* muito importante — foi a resposta. — Mas não é mais importante que aquilo em que ela crê, porque a maneira pela qual vive é um reflexo do que ela crê. Independentemente de ter ou não assinado uma declaração doutrinária, no que ela real e verdadeiramente crê é o que ela irá viver em última análise. Mas essa pergunta pressupõe que a moralidade é tudo o que importa na vida.

— Se a vida nada tem que ver com a moralidade — redargüi —, ela diz respeito a quê?

— Jesus Cristo nada veio a este mundo para transformar pessoas más em boas — explicou. — Ele veio a este mundo para transformar pessoas mortas em pessoas vivas. Ele veio para que os que estão mortos para Deus possam ser vivificados para Deus. Se esta vida fosse apenas uma questão de moralidade, então a maneira como se vive seria a coisa mais importante, embora ainda estivesse relacionada com o que você acredita. Mas isto é uma compreensão errônea do conceito cristão, segundo o qual, não importa quão bem vivamos, não podemos viver à altura dos padrões e do caráter de Deus.

A palavra "pecado" significa errar o alvo. E se essa é uma definição correta, então a graça de Deus se torna a verdade mais importante. Sem ele, não podemos nem mesmo crer no que é certo, quanto mais viver de maneira correta. Assim, viver uma vida indulgente e moralmente boa é importante, ao menos por uma questão de sobrevivência. Mas os filósofos, desde Sócrates, Platão e Aristóteles até pensadores do iluminismo como Immanuel Kant, foram incapazes de simplesmente definir o que é moralidade. Em última análise, eles somente puderam dizer-nos o que a moralidade fez pela sociedade.

— Quando eu fiz um estudo das opções que as pessoas têm no sentido de viver de maneira positiva, cheguei a seis ou sete, tais como a ética situacional de Joseph Fletcher, o humanismo egocêntrico de Ayn Rand, a idéia do dever de Kant e assim por diante. Porém, elas se contradiziam fortemente entre si, e o motivo disso é que não havia uma razão moral transcendente, persuasiva. Tudo estava reduzido à mera sobrevivência. Por isso, creio que a bondade ou a maldade é um ponto de partida errado. A vida e a morte, espiritualmente falando, é por onde você deve começar.

— Mas, como o senhor mesmo admitiu, *é* importante verificar como as pessoas vivem — disse. — As pessoas relatam que Gandhi viveu uma vida mais virtuosa que a maior parte dos cristãos. Por que deveria ser mandado para o inferno simplesmente por não ter sido um seguidor de Jesus?

— Eis uma questão difícil. Quando me fazem esta pergunta diante de um grande auditório, tenho vontade de fazer um bom intervalo! — disse sorrindo. — Mas a Bíblia nos dá alguma orientação para responder. Antes de mais nada, é importante ter em mente que nenhum ser humano manda ninguém para o céu ou para o inferno. Com efeito, o próprio Deus não manda ninguém para o céu ou para o inferno; a pessoa escolhe corresponder à graça de Deus ou rejeitar a graça de Deus, embora mesmo essa decisão esteja habilitada pela graça. Abraão perguntou a Deus, no caso de Sodoma e Gomorra, se ele iria deixar os justos morrerem com os injustos, e foi maravilhoso como Abraão respondeu à própria pergunta. Ele disse: "Não agirá com justiça o Juiz de toda a terra?".[17] Isso significa que podemos estar absolutamente confiantes de que, não importa o que Deus faça no caso de Gandhi ou de qualquer outra pessoa, fará o que é certo. Pense no seguinte: a Bíblia diz que toda pessoa que passar a eternidade no céu com Deus lá estará devido à graça e à provisão de Jesus Cristo, que dele recebeu e em que confiou. Se a pessoa rejeitou a graça, tal pessoa era boa ou má? Essa é uma questão interessante, porque a Escritura nos diz que ninguém é realmente bom até que tenha sido primeiramente redimido.

— Desenvolva essa idéia — solicitei.

— O modelo observado no Êxodo é tríplice: Deus tirou o povo do Egito, lhes deu a lei moral e, em seguida, o tabernáculo. Em outras palavras, redenção, justiça e culto. Você nunca pode violar essa seqüência. A menos que seja redimido, você não pode ser justo. A menos que você seja redimido e justo, você não pode cultuar, pois "quem poderá subir o monte do Senhor", senão "aquele que tem as mãos limpas e o coração puro"?[18] A redenção é o passo mais importante em direção à justiça. Se eu tentar me esforçar para alcançar a justiça, estarei dizendo essencialmente que não preciso ser redimido por Deus. Eu sou o meu redentor. Qualquer pessoa, boa ou má aos nossos olhos, que diz assim, está violando um princípio fundamental da revelação de Deus, o princípio de que a redenção é o primeiro passo.

E quanto a Gandhi?

Ainda assim, a minha mente estava voltada para Gandhi.

— Ele não seguiu Jesus — alertei. — Portanto, suponho que o senhor diria que não foi redimido.

[17]Gênesis 18.25*c*.

[18]V. Salmos 24.3,4.

— Isso é algo que será determinado por Deus — respondeu Zacharias. — No entanto, em que Gandhi acreditava? Ele o resumiu em uma frase: "Deus é a verdade e a verdade é Deus". Minha pergunta a ele seria: "O que isso quer dizer?". Nós estamos sentados em uma sala; esta é uma afirmação verdadeira. O que isso tem que ver com o fato desta sala ser boa ou má? Nada. Somente corresponde à afirmação que acabei de fazer. Deus existe: essa é uma afirmação verdadeira? Se é uma afirmação verdadeira, quem é esse Deus?

Interrompi.

— Você tem aqui uma pessoa como Gandhi, que aos olhos da maioria das pessoas viveu corretamente, ao passo que um assassino em série como David Berkowitz, o Filho de Sam, matou várias pessoas inocentes e agora diz que fez uma prece e se converteu em cristão. Os cristãos diriam que Berkowitz vai para o céu, mas Gandhi não. Onde está a eqüidade nisto?

— Pelo fato de sermos seres morais, nós desejamos eqüidade. Mas quando reduzimos a eqüidade ao problema de quem se comportou de tal ou qual maneira durante determinado período de tempo, perdemos de vista todo o conceito de eqüidade. Estamos julgando as coisas do ponto de vista do nosso sistema. Se Deus verdadeiramente nos desse o que cada um de nós merecia, ninguém chegaria ao céu.

— Existe aquela anedota sobre dois irmãos que viviam vidas escandalosas, e quando um deles morreu repentinamente, o irmão sobrevivente foi a um pastor e perguntou se poderia pregar no funeral do seu irmão e acrescentou: "Só tenho um pedido: que o senhor se refira a meu irmão como um santo". O pastor disse que faria o melhor que pudesse para atendê-lo. Chegou o funeral e o pastor estava elogiando o falecido. Quero que vocês saibam que esse homem foi um vigarista, um mentiroso, um trapaceiro e um ladrão", disse. "Mas, comparado com o seu irmão, era um santo!"

— Agora, existe um aspecto contundente nessa história. Nós tentamos desesperadamente dizer que somos bons comparando-nos com outras pessoas. David Berkowitz pode dizer:

"Espere um pouco; eu não sou Hitler! Eu não matei milhões, eu só matei alguns". Ou: "Eu não sou Jeffrey Dahmer; não comi as minhas vítimas". Temos a tendência de estabelecer comparações em que sempre nos mostramos melhores do que outrem, e nos consideramos bons. Porém, de acordo com o perfeito padrão moral de Deus, nós todos fracassamos. Todos nós carecemos do perdão e da graça de Deus. O que David Berkowitz fez foi algo reconhecidamente violento e mau. Não há dúvida quanto a isso. Todavia, temos de examinar essa questão dentro de todo o contexto do plano de Deus. Observe, existem coisas piores do que a morte ou o assassinato.

— Por exemplo? — indaguei.

— Embora seja difícil de compreender — respondeu —, a pior coisa é dizer a Deus que você não precisa dele. Por quê? Porque uma pessoa morta pode ter a sua vida restaurada por Deus; uma pessoa enlutada pode receber a paz de Deus; uma pessoa que foi violentada pode achar sustento e força da parte de Deus e até mesmo contemplar a vitória de Deus através do sombrio mistério do mal. Em outras palavras, existem saídas em meio às atrocidades e tragédias. Porém, para uma pessoa que diz não necessitar de Deus, qual é a saída? Nenhuma. A questão não é se eu sou um David Berkowitz, um Mahatma Gandhi, um Adolph Hitler ou uma madre Teresa. A questão é: "Já compreendi que estou aquém do padrão perfeito de Deus e que, portanto, sem a graça de Deus, teria a possibilidade de estar com ele no céu?". Sinceramente, se eu tenho vivido de modo tão bom que é tão boa que eu não precise de Deus, então ironicamente Berkowitz terá encontrado a verdade última diante da qual minha arrogância e confiança me cegaram. O que é o inferno senão a ausência de Deus? E viver minha vida sem a presença de Deus já é estar a caminho do inferno.

— É justo que um assassino como Berkowitz fique completamente impune? — protestei.

— Não estou certo de que ele tenha ficado — disse Zacharias. — Sim, Deus o perdoou se ele confessou, se arrependeu e buscou a misericórdia divina. Porém, quanto mais estiver em sintonia com quem Cristo é, mais profunda será a sua dor pelo que fez. Deixe-me dar-lhe um exemplo. Suponha que esteja dirigindo e você se distraia por um momento. De repente, uma criança atravessa na sua frente e você a atropela. Quanto mais estiver ligado a essa tragédia, maior será o seu pesar pelo restante da vida. Nunca conseguirá olhar o rosto de outra criança sem pensar: "O que foi que eu fiz? O que foi que eu fiz?". Você pode achar que Berkowitz se safou no sentido de que não foi para o patíbulo, mas existe uma coisa que é o patíbulo do coração. O seu coração pode estar muito sintonizado com o inferno que desencadeou. Não creio que uma pessoa verdadeiramente convertida ficaria sentada em sua cela, pensando: "Bem, eu conheci Cristo, portanto, estou livre dessa". Não. Às vezes o inferno do coração interior pode ser muito profundo e doloroso. Creio que existe um inferno na salvação adiada, porque as lágrimas que correm são lágrimas devido ao que foi perdido antes de alguém conhecer Deus. Ele perdoa o seu passado? Sim, mas às vezes você não consegue esquecê-lo.

Zacharias fez uma pausa e recostou-se na poltrona. Ao retomar, disse:

— Toda vez que a graça é mal-compreendida, sempre produz comparações, ciúme, insatisfação e acusações de falta de eqüidade. É interessante que Jesus aborda exatamente essa questão. Em uma de suas parábolas, os trabalhadores que trabalharam todo o dia ficaram frustrados porque os que tinham chegado no último momento também haviam recebido a graça do proprietário.[19] Uma das verdades mais impressionantes das Escrituras é compreender que não conquistamos o caminho para o céu. Também lemos na Bíblia a história da mulher de má reputação que foi recebida por Jesus. O fariseu olhou por cima do nariz cheio de méritos e escarneceu da misericórdia de Deus.[20] As obras têm o seu lugar, mas como a demonstração de que foi recebido o

[19]V. Mateus 20.1-16.
[20]V. Lucas 7.36-50.

perdão de Deus, não como um distintivo de mérito por havê-lo conquistado.

E quanto aos que não ouviram?

O assassino em série David Berkowitz é afortunado. Vive em um país em que as pessoas falam livremente sobre o cristianismo. Alguém lhe falou da oferta de perdão feita por Cristo, e dizem que confessou suas ofensas e depositou sua fé em Cristo. Mas que dizer das pessoas que vivem em lugares em que o evangelho não é anunciado rotineiramente ou sua divulgação é de fato proibida?

— Não seria injusto condená-las quando nunca ouviram de Jesus e simplesmente seguiram as tradições religiosas de seus pais? — perguntei.

Zacharias estendeu a mão para pegar a Bíblia. Enquanto a abria e procurava o livro de Atos, vi de relance muitas passagens em que versículos importantes foram destacados em amarelo.

— Acima de tudo, a Bíblia diz que ninguém estará na presença de Deus, à parte do fato de que a pessoa e a obra de Cristo tornaram isso possível. Esse foi o preço: a morte de Cristo na cruz em nosso lugar, pagando a pena que merecíamos pagar. Agora, algumas pessoas convivem em uma cultura ou outra, mas o apóstolo Paulo disse algo muito interessante sobre isto quando falou aos atenienses.

Zacharias tirou do bolso seus óculos de leitura e os colocou. Leu parte de uma passagem em que Paulo debatia com alguns filósofos gregos:

> De um só fez ele todos os povos, para que povoassem toda a terra, tendo determinado os tempos anteriormente estabelecidos e os lugares exatos em que deveriam habitar. Deus fez isso para que os homens o buscassem e talvez, tateando, pudessem encontrá-lo, embora não esteja longe de cada um de nós.[21]

[21]Atos 17.26,27.

Tirando os óculos, Zacharias voltou-se para mim.

— Isso é importante — disse — porque mostra que existe um plano soberano na criação em que se atribuiu a cada pessoa um lugar de nascimento. Deus sabe onde iremos nascer e crescer, e nos coloca em uma posição em que poderemos buscá-lo. É-nos dito claramente que, onde quer que vivamos, em qualquer cultura, em qualquer nação, ele está ao alcance de cada um de nós. Sempre existe a possibilidade de uma pessoa clamar de joelhos: "Deus, ajude-me", e se isso acontecer existem meios que estão além da nossa compreensão pelos quais Deus pode servi-la.

— Por exemplo?

— Por exemplo, poderia enviar alguém para partilhar o evangelho com eles. Deixe-me dizer o que aconteceu com uma muçulmana que trabalhava para uma instituição muito conhecida do seu país. Ela me disse que estava saindo do escritório no final de uma jornada de trabalho e se sentia muito infeliz. Enquanto caminhava, murmurou: "Não sei por que estou tão vazia", e em seguida, sem mais nem menos, disse: "Jesus, podes ajudar-me?". Ela parou na calçada e disse para si mesma: "Por que mencionei o nome dele?". Bem, essa mulher acabou tornando-se cristã. No caso dela, acho que Deus viu um coração faminto por ele, mas não sabia como alcançá-lo no claustro da sua existência. Acho que nesse caso Deus estava rompendo as barreiras do ambiente dela porque ela já estava rompendo as barreiras da sua vida interior, buscando por ele. Desse modo, Deus pode estender-se em qualquer cultura, para responder a alguém que queira conhecê-lo. Outra maneira de encarar essa questão vem de Romanos, em que Paulo diz que a divindade e o poder infinito de Deus são revelados a todos através da criação.[22] Paulo afirma que Deus colocou a lei no nosso coração e na nossa consciência para que possamos buscá-lo.[23] E ele fala sobre a palavra de Cristo, que é necessária para que uma pessoa venha a

[22]Romanos 1.20.

[23]Romanos 2.14,15.

conhecê-lo.[24] Eu creio mais e mais que essa palavra de Cristo se manifesta dentro da estrutura de diferentes culturas.

— O que o senhor quer dizer com isso?

— Tenho me pronunciado em muitos países islâmicos, nos quais é difícil falar de Jesus. Quase todo muçulmano que se tornou seguidor de Cristo o fez, primeiro, por causa do amor de Cristo expresso por intermédio de um cristão, ou, em segundo lugar, devido a uma visão, um sonho ou alguma outra intervenção sobrenatural. Agora, nenhuma religião tem uma doutrina mais complexa sobre anjos e visões que o islamismo, e acho extraordinário que Deus use essa sensibilidade para com o mundo sobrenatural que fala de visões e sonhos e se revela a si mesmo. Um dos mais notáveis convertidos da Índia foi um sique, Sundar Singh, que conheceu a Cristo, quando certa noite ele apareceu no seu quarto em sonhos. Esse fato causou-lhe um tremendo impacto e ele se tornou cristão. Assim, existem meios pelos quais Deus pode revelar-se e que vão muito além da nossa compreensão. Se Deus é capaz de comunicar a palavra de Cristo em diferentes situações, de sorte que não alcançamos compreender e se ele não está longe de nós onde quer que estejamos, se ele é capaz de falar por meio da revelação geral da criação e da nossa consciência, então devemos aceitar que não há escusas. Todos os seres humanos conhecem a verdade o suficiente, de modo que, se corresponderem à verdade conhecida, Deus revelará mais coisas. Isto significaria que têm de conhecer tanta verdade quanto alguém que está em outro contexto? Acho que não.

Tentei resumir o seu ponto de vista.

— O senhor está dizendo que, independentemente do lugar em que a pessoa habita, da cultura em que vive, todo aquele que corresponde ao entendimento que já possui e sinceramente busca a Deus irá de algum modo ter a chance de ser sensível a ele?

[24]Romanos 10.14,15.

Enquanto falava, Zacharias analisava cuidadosamente as minhas palavras.

— Creio que sim — concordou. — Temos de ser muito cuidadosos nesse ponto, mas acredito que se uma pessoa busca a Deus, genuína e sinceramente, haverá algum meio que permita a essa pessoa prestar atenção nele. Se essa pessoa, sob qualquer circunstância, não responder a Deus, então talvez nada saberá de Deus. Mas todas as pessoas conhecem o suficiente para condená-las; elas não precisam ouvir João 3.16 a fim de se perderem. Elas estão perdidas porque já rejeitaram o que Deus lhes falou por meio da criação, da consciência e de outras maneiras. Por causa disso, todos nós teremos de lhe prestar contas.

— Então a sinceridade é importante?

— Sinceridade não é salvação — foi a resposta dele. — Mas creio que a sinceridade cria a possibilidade para Deus se revelar a você. Alguns podem parecer sinceros, mas quando Cristo lhes é apresentado o rejeitam. Serão reprovados no teste da verdade.

Eu disse:

— O senhor acredita, então, que a quantidade de informações que uma pessoa necessita ter acerca de Cristo pode variar amplamente?

— Sim, acredito. O perigo da perspectiva do mundo ocidental é pensar que se algo não tem uma bonita embalagem, não é bom. Infelizmente alguns cristãos ocidentais acham que a menos que uma pessoa siga o credo exatamente como preconizam, ela não conhecerá Deus. Contudo, o que um bebê sabe a respeito da sua mãe? Sabe que o alimenta, que troca as suas fraldas, que o abraça e beija. Ela deve ser uma amiga. Essa criança não conhece a sua mãe tão bem quanto a conhecerá quando tiver dezoito anos, mas a conhece o suficiente para amá-la. Eu creio que, à medida que Deus se revela, existem níveis de compreensão que irão variar.

Por que não Jesus?

Se Jesus é a verdade, por que tantas pessoas o rejeitam? Se o cristianismo é verdadeiro, não deveria finalmente triunfar? Todavia, não é isso o que mostram as estatísticas. O cristianismo está fazendo relativamente pouco progresso no sentido de conquistar adeptos de outras grandes religiões mundiais. Basicamente, as pessoas ao redor do mundo inclinam-se a adotar a religião dos pais.

Indaguei de Zacharias a respeito e ele respondeu que essas questões o inquietam na sua condição de defensor do cristianismo. Existem, todavia, algumas explicações.

— Olhando essa questão de uma perspectiva diferente, por que o budismo é tão popular nos Estados Unidos atualmente? — perguntou. — A minha resposta é simples: porque você pode ser bom sem ter Deus. Se você pode ter uma bela pequena dose de espiritualidade das três às cinco da tarde e a partir daí dicotomizar sua vida uma vez mais e viver como lhe apraz. Bem, por que não? Uma religião assim exerce muita atração. Por que o islamismo é atraente para alguns? Devido a considerações geopolíticas. O que torna atraente a fé hindu? Ela é rica em filosofia e a sua doutrina de tratar a terra com reverência exerce certa atração hoje em dia.

— Por que não Cristo? — perguntei.

— Porque ele conclama você a morrer para si mesmo — explicou. — Toda vez que a verdade envolve o compromisso total em que você é levado à completa humildade, à rendição da vontade, haverá resistências. Cristo agride nosso poder e nossa autonomia. Ele nos desafia na área da pureza. João Batista veio trazendo a lei e as pessoas não gostaram. Jesus veio trazendo a mensagem da graça e elas disseram: "Por que o senhor não nos dá a firmeza da lei?". Seja o que Cristo traga para a cultura, a cultura irá querer mudar. No âmago da rejeição reside a resistência ao que ele afirma ser. O budismo e outros sistemas religiosos dizem essencialmente às pessoas como elas podem levantar a si mesmas pelos seus cordões de sapato éticos. Nunca tive problema de saber o que é certo e o que é errado na maior parte das situações; o que me falta é a vontade de fazer o que é certo. É aí que entra a pessoa de Cristo. Ele diz que se você trouxer todo o seu ser a ele, ele não somente lhe dará a vida eterna, mas mudará o que você quer fazer nesta vida.

Tendo em vista o nível de compromisso exigido pelo cristianismo, fiquei curioso em saber o que levou Zacharias a responder positivamente à mensagem de Jesus.

— Conte-me um pouco da sua história — pedi.

Baixou os olhos por instantes, removendo uma migalha da manga da camisa. Ergueu sua xícara de chá e tomou um gole antes de responder.

— Na Índia, você é como você nasceu — ele começou. — Os meus pais eram cristãos só de nome; na verdade, eram cristãos simplesmente porque não eram budistas, muçulmanos ou hindus. Não me lembro de alguma vez ter ouvido o evangelho pregado em minha igreja, que era bastante liberal. Um pouco antes do meu encontro com Cristo, minhas irmãs conheceram o evangelho e assumiram o compromisso. Vim a crer em Jesus em duas etapas. A primeira etapa foi quando ouvi o evangelho proclamado publicamente em um auditório quando tinha dezessete anos. Disse a mim mesmo: "Algo nisso é verdadeiro e é isso o que quero". Atendi ao apelo e recebi aconselhamento, mas não o entendi em toda a extensão. A bagagem era excessiva. Naquela época, estava debaixo de muita pressão em uma cultura em que o desempenho acadêmico era de suprema importância. Se você não está entre os primeiros da turma, então não será bem-sucedido. Não consegui lidar com isso. Também tinha um pai muito rigoroso e me debatia com isso. Recebi muita punição física. Assim, alguns meses mais tarde decidi pôr fim à minha vida. Não estava deprimido; meus amigos teriam ficado chocados em saber que eu estava pensando em suicídio. Mas a vida não tinha sentido ou propósito para mim. Certo dia fui para a escola e usei as chaves do laboratório de ciências para examinar alguns venenos.

Eu os coloquei em um copo d'água, bebi tudo e desmaiei de joelhos.

Fixei meu olhar nele, incrédulo. Sendo Zacharias tão sofisticado, tão erudito, tão articulado e tão influente como é hoje, era-me impossível vislumbrá-lo como um adolescente confuso e sedento de esperança, caído no chão, lutando para respirar enquanto as toxinas circulavam por suas veias.

— O meu criado levou-me correndo para o hospital; se ele não estivesse ali, hoje estaria morto — continuou. — Desintoxicaram-me dos venenos. Estava ainda de cama, quando um amigo visitou-me levando o Novo Testamento e mostrou-me o capítulo 14 de João. Eu não conseguia segurar o livro; meu corpo estava muito desidratado. Minha mãe teve de lê-lo para mim. Ali estava ela, lendo a passagem em que Jesus falava com Tomé e dizia: "Eu sou o caminho, a verdade e a vida. Ninguém vem ao Pai, a não ser por mim". Chegou no versículo 19, onde Jesus diz aos seus discípulos: "Porque eu vivo, vocês também viverão". Aquele versículo tocou a minha alma. Disse em uma oração: "Jesus, eu não sei muito quem tu és, mas estás me dizendo que és o autor da verdadeira vida". Eu não compreendia o conceito do pecado. Naquela cultura, não poderia ter compreendido. Mas o que eu compreendia era que ele estava se oferecendo a mim para dar-me vida. Aí eu disse: "Se tu me tirares deste quarto de hospital, eu não medirei esforços na busca da verdade". Tive alta cinco dias depois como um homem inteiramente novo. Comecei a estudar a Bíblia e ela mudou a minha vida dramaticamente. Depois os meus irmãos tornaram-se seguidores de Jesus, bem como meus pais antes de morrer. Mas foi naquele quarto de hospital que Cristo me disse, sem que ninguém explicasse para mim, que poderia dar-me o que a vida realmente devia ser. Nunca olhei para trás. Muitos anos de estudo apenas confirmaram a minha decisão de segui-lo. Cursei algumas matérias de filosofia em Cambridge com um ateu renomado e lembro-me de, perplexo, ter pensado: "São esses os melhores argumentos que os ateus defendem?". Eles somente confirmam a veracidade da Escritura.

— Hoje o senhor se relaciona com muitos que buscam a verdade — ressaltei. — O que o senhor lhes diz?

— A Bíblia registra: "Vocês me procurarão e me acharão quando me procurarem de todo o coração".[25] Pense nisso, é uma promessa surpreendente. Eu os incentivo a colocar coração e mente em uma atitude receptiva e a não poupar o intelecto no sentido de testar a verdade da Bíblia. Alguém autêntico que tenha uma visão sem preconceitos. Não vejo como poderá reagir a não ser dizendo que não existe nada assim na face da terra. Tenho viajado por todo o mundo. Tenho investigado de alto a baixo. Não achei nada que satisfaça a minha mente, o meu coração e os anseios mais profundos da minha alma como Jesus o faz. Ele não é somente o caminho, a verdade e a vida; ele é algo pessoal para mim. Ele é o *meu* caminho, a *minha* verdade e a *minha* vida, exatamente como ele pode ser para qualquer um que o busque. Lembre-se do que Paulo disse aos atenienses: "Ele não está longe de cada um de nós".

Ponderações

Perguntas para reflexão ou estudo em grupo

1. Qual foi a sua reação emocional ao ouvir pela primeira vez a afirmação de que Jesus é o único caminho para Deus? Seu ponto de vista mudou desde que leu a entrevista com Ravi Zacharias? Caso positivo, como?
2. Zacharias disse: "As implicações claras do fato de Jesus dizer que ele é o caminho, a verdade e a vida são, em primeiro lugar, que a verdade é absoluta e, em segundo lugar, que a verdade pode ser conhecida." Você crê nessas duas afirmações acerca da verdade? Por que sim ou por que não?
3. Quanto você acredita que o cristianismo trata das quatro questões fundamentais da vida: origem, significado, moralidade e destino? O ensino da Bíblia sobre esses

[25]Jeremias 29.13.

tópicos corresponde à sua experiência?

4. Você já levou pessoalmente em consideração alguma outra das religiões mundiais? Caso positivo, o que o atraiu? Quais aspectos do cristianismo o atraem e quais o afastam?
5. A Bíblia diz acerca de Deus: "Vocês me procurarão e me acharão quando me procurarem de todo o coração". Quais são as três sugestões práticas que você daria a um amigo que quer saber como ele pode buscar a Deus? Você mesmo já deu esses passos? Quais foram os resultados até agora?

Outras fontes de consulta

Mais recursos sobre esse tema

- BECKWITH, Frank & KOUKL, Gregory. *Relativism:* feet firmly planted in mid-air. Grand Rapids, Michigan: Baker, 1998.
- COPAN, Paul. *True for you, but not for me.* Minneapolis: Bethany House, 1998.
- ERICKSON, Millard J. *How shall they be saved?* Grand Rapids, Michigan: Baker, 1996.
- ZACHARIAS, Ravi. *Jesus among other gods*. Nashville: Word, 2000.

Sexta objeção

Um Deus amoroso jamais torturaria pessoas no inferno

> *No meu entendimento, existe um defeito muito sério no caráter moral de Cristo, que é acreditar no inferno. Eu não acho que uma pessoa que seja profundamente humana possa crer na punição eterna.*
>
> Bertrand Russell, ateu[1]

> *O inferno é o grande cumprimento que Deus presta à realidade da liberdade humana e à dignidade da escolha humana.*
>
> G. K. Chesterton, cristão[2]

O juiz Cortland A. Mathers estava em dificuldade. Achava-se diante dele uma ré culpada por desempenhar um papel secundário em um processo relacionado com drogas. Tratava-se de uma mãe pobre de 31 anos, com filhos pequenos. Estava arrependida do seu crime. Na opinião do juiz, merecia uma segunda oportunidade. A justiça seria aplicada mediante a suspensão condicional da pena.

Havia um problema: se Mathers a achasse culpada da acusação, não teria outra escolha de acordo com a lei de Massachusetts senão sentenciá-la a seis anos de reclusão. Sabia que a prisão a marcaria para sempre. Com muita probabilidade, essa experiência destruiria sua frágil família e a deixaria amargurada, irada, desempregada e destinada a ter novos problemas.

[1] *Por que não sou cristão e outros ensaios sobre religião e assuntos correlatos,* São Paulo: Exposição do Livro, 1960, p. 22.

[2] Citado em Cliffe Knechtle, *Give me an answer,* Downers Grove, Illinois: InverVarsity Press, 1986, p. 42.

Esse é um sistema denominado "condenação compulsória", que afasta o arbítrio dos juízes no encaminhamento de certos tipos de casos. O aspecto positivo é que os juízes são impedidos de serem excessivamente tolerantes. Mas a conseqüência negativa é que em alguns casos a condenação automática pode ser rígida demais — como neste caso, em que a ré estava sujeita a passar mais tempo atrás das grades que a maior parte dos condenados por roubo a mão armada.

Mathers não era conhecido por ser um juiz que evitava condenar criminosos a longas penas de reclusão se as circunstâncias o justificassem. Porém, neste caso ele considerou que a condenação compulsória — sem possibilidade de liberdade condicional — seria um "absoluto erro judiciário."

Mathers fez a escolha: "Desobedecer a lei a fim de ser justo". Ele a declarou culpada de uma infração menor que não exigia uma duração pré-determinada e a sentenciou a cinco anos de suspensão condicional da pena com exigência de aconselhamento.

"Se um juiz não é capaz disso, então não merece estar no tribunal", disse Mathers ao jornal *Boston Globe* em uma reportagem sobre condenação compulsória. "Ou o juiz é um autômato, que carimba sentenças, ou é movido pelo senso de justiça."[3]

Estava pensando nesse caso quando meu avião aterrissava no Aeroporto Internacional de Los Angeles em uma abafada manhã de setembro. Como é irônico, refleti, que uma lei destinada a fazer justiça ameaçasse subvertê-la. Podia entender o senso de eqüidade que levou Mathers a pôr de lado uma condenação padronizada, impondo em seu lugar uma punição que se ajustasse melhor ao crime.

Por muito tempo durante a minha busca espiritual, vi o meu senso de justiça sentir-se ofendido com o ensinamento cristão

[3]Essa história, incluindo a entrevista com o juiz Cortland A. Mathers, foi relatada em uma excelente reportagem sobre condenação compulsória feita pela Equipe Spotlight do *The Boston Globe*. V. A judgment on sentences: some judges balk at present penalties, de Dick Lehr & Bruce Butterfield, publicado em *The Boston Globe*, 27/9/1995.

acerca do inferno, que considerava muito mais injusto que uma pena compulsória no processo sob os cuidados de Mathers. Essa doutrina me parecia um massacre cósmico, uma condenação automática e inapelável à eternidade de tortura e tormento. Era a condenação compulsória levada ao extremo: todos sofrem as mesmas conseqüências, independentemente das circunstâncias. Saia da linha com Deus — mesmo que seja um pouquinho, mesmo que inadvertidamente — e você será atingido com uma reclusão interminável em um lugar que faz o presídio de Leavenworth* parecer com a Disneylândia.

Onde está a justiça nisso? Onde está a proporcionalidade entre o crime e o castigo? Que tipo de Deus é este que gosta de ver as suas criaturas se contorcerem para sempre —sem esperança, sem possibilidade de redenção— em uma câmara de torturas que em cada detalhe é tão horrenda e bárbara como um campo de concentração nazista? O ateu B. C. Johnson não estaria certo quando acusou que "a idéia do inferno é moralmente absurda?".[4]

Essas são questões difíceis e de forte conteúdo emocional. Precisava das respostas de uma autoridade firme, de alguém que não recuasse diante de desafios honestos. Olhava pela janela do avião enquanto os subúrbios de Los Angeles passavam rápido, reluzindo ao sol brilhante. Estava ansioso para ter o meu encontro pessoal com um filósofo respeitado que tem se debatido longamente com a perturbadora doutrina da condenação eterna.

Sexta entrevista: J. P. Moreland, PH.D.

Não levei muito tempo para alugar um carro e seguir para a residência de J. P. Moreland, localizada não muito longe da

*Antiga penitenciária federal localizada no Estado de Kansas; o mesmo município tem uma prisão militar e uma prisão estadual. (N. do T.)

[4]*The atheist debater's handbook*, Buffalo, New York: Prometheus, 1979, p. 237.

Escola de Teologia Talbot, onde leciona no curso de mestrado em filosofia e ética.

O livro de Moreland, *Beyond death: exploring the evidence for immortality* [*Além da morte: explorando as evidências da imortalidade*], mostrou que havia refletido profundamente e feito uma introspecção muito pessoal quanto à doutrina do inferno. Ele e o seu co-autor Gary Habermas mergulharam também na natureza da alma, nas experiências de quase-morte, na reencarnação e na teologia do céu.

Escolhi Moreland devido a sua formação abrangente. Estudou ciência, diplomando-se em química na Universidade de Missouri, detém conhecimento completo da teologia, com grau de mestrado do Seminário Teológico Dallas e é um filósofo altamente respeitado, tendo conquistado o doutorado na Universidade do Sul da Califórnia.

Escreveu mais de doze livros, entre os quais *Scaling the secular city* [*Atacando a cidade secular*]; *Christianity and the nature of science* [*O cristianismo e a natureza da ciência*]; *Does God exist?* [*Deus existe*?] (um debate com Kai Nielsen); *The creation hypothesis* [*A hipótese da criação*]; *Body and soul* [*Corpo e alma*]; *Love your God with all your mind* [*Ame o seu Deus com toda a sua mente*]; e o premiado *Jesus under fire* [*Jesus sob fogo*]. Tudo isto e ele tem apenas 51 anos. Vestindo informalmente uma camisa de mangas curtas, bermudas e sapatos-esporte sem meias, Moreland saudou-me na entrada da garagem de sua casa em estilo rural. Saudei-o e lhe apresentei minhas condolências. Sabia que tinha viajado a San Diego na noite anterior e assistido a sua querida equipe dos "Kansas City Chiefs" ser humilhada pelo inexpressivo "Chargers". Estava ainda usando um boné de beisebol com o nome do seu time.

Dentro de casa, depois de trocar algumas amenidades, deixei-me cair no sofá da sua sala de estar e suspirei. O tema do inferno era grande, pesado, controvertido, o ápice para os céticos na área espiritual. Pensei detidamente sobre como começar.

Finalmente decidi simplesmente ser honesto.

— Não estou certo por onde devo começar — confessei.

— Como devemos abordar o tema do inferno?

Moreland meditou por um momento e em seguida se recostou na poltrona verde de almofadas. — Talvez — sugeriu — devamos fazer uma distinção entre gostar ou não gostar de alguma coisa e julgar se é correto levá-la a cabo.

— O que o senhor quer dizer?

— Muitas vezes algo de que gostamos não é a coisa certa a fazer — explicou. — Algumas pessoas dizem que o adultério é agradável, mas a maior parte das pessoas concordaria que é errado. E muitas vezes fazer a coisa certa não é agradável. Dizer a alguém uma dura verdade que precisa ouvir ou despedir alguém que não está fazendo um bom trabalho, pode ser muito desagradável.

Exclamei:

— E o inferno desperta uma resposta visceral. As pessoas reagem fortemente contra a sua simples idéia.

— Correto. Elas tendem a avaliar se o inferno é adequado com base nos seus sentimentos ou na reação emocional.

— Como podemos superar o dilema?

— Acho que as pessoas deviam tentar pôr de lado os seus sentimentos — disse. — A base da avaliação deve ser se o inferno é uma condição moralmente justa ou moralmente certa, e não se elas gostam ou não gostam desse conceito.

Moreland fez uma pausa antes de continuar.

— É importante compreender que, se o Deus do cristianismo é real, ele odeia o inferno e odeia que as pessoas tenham que ir para lá — acrescentou. — A Bíblia é muito clara: Deus diz que não tem prazer na morte dos ímpios.[5]

Talvez, mas mesmo assim eles acabam passando a eternidade em um lugar de absoluto horror e abjeto desespero. Eu

[5]Ezequiel 33.11: "Diga-lhes: Juro pela minha vida, palavra do Soberano, o SENHOR, que não tenho prazer na morte dos ímpios, antes tenho prazer em que eles se desviem dos seus caminhos e vivam".

me lembrei da minha entrevista com Charles Templeton, o evangelista que se tornou cético. Certamente ele tem sentimentos muito fortes com relação ao inferno, mas parecem ser alimentados de modo legítimo por uma justa indignação e um ressentimento moral.

Honestamente, estava um pouco hesitante em separar completamente a discussão do inferno da nossa resposta emocional — afinal, elas pareciam estar fatalmente entrelaçadas.

Enfrentando o desafio de Templeton

Embora entenda o argumento de Moreland de que a moralidade ou imoralidade do inferno independe dos sentimentos em relação ao assunto, decidi que a minha melhor tática seria colocar Moreland diante das objeções de Templeton — com as emoções e tudo o mais.

Limpei a garganta e me sentei ereto, voltando-me para encarar Moreland mais diretamente.

— Observe, dr. Moreland — comecei, com a voz aumentando de intensidade —, entrevistei Charles Templeton sobre esta questão e ele foi muito inflexível. Disse-me: "Eu não poderia manter a mão de alguém no fogo por um só momento. Nem por um instante! Como poderia um Deus amoroso, só porque você não o obedece ou faz o que ele quer, torturá-lo para sempre, não permitindo que você morra, mas permaneça com aquela dor por toda a eternidade?".

Proferi as últimas palavras de Templeton com o mesmo tom de repugnância que ele havia usado ao falar comigo:

— Não existe *criminoso* que seja capaz de fazer isto.

O desafio pareceu reverberar pela sala. A tensão subiu rapidamente. Então, afigurando-me mais como acusador que entrevistador, complementei a pergunta com uma exigência:

— Dr. Moreland, o que o senhor tem a dizer em resposta a isso?

Chega da idéia de ir além dos sentimentos.

É preciso entender algo a respeito de J. P. Moreland. Ele é um filósofo. Um pensador. É friamente racional. Nada parece abalar sua posição. Apesar do meu tom exalt1ado, que parecia indicar que ele era pessoalmente responsável pela criação do inferno, Moreland não se ofendeu. Em vez disso, o seu enfoque desviou-se rapidamente para o cerne da questão.

— A chave para responder a Templeton reside nas próprias palavras dele — começou Moreland. — Carregou de tal modo na pergunta que seria o mesmo que indagar: "Quando você parou de espancar a esposa?". Não importa como responda, você estará perdido desde o início se aceitar as suas palavras.

— Então a premissa dele está errada? — interpelei. — Como assim?

— Bem, para começar, o inferno não é uma câmara de tortura.

Minhas sobrancelhas se ergueram. Certamente essa seria uma novidade para muitas gerações de crianças da escola dominical que têm se assustado a ponto de ter pesadelos por causa das horríveis descrições das agonias flamejantes que são eternamente infligidas no Hades.

— Não é? — perguntei.

Moreland meneou a cabeça.

— Deus não tortura pessoas no inferno; Templeton está totalmente errado — prosseguiu. — Templeton também dá a impressão que Deus é uma criança mimada que diz às pessoas: "Olhem, se vocês não quiserem obedecer às minhas regras arbitrárias então eu vou condená-los por isso. Vocês precisam saber que as *minhas* regras são as *minhas* regras, e se as coisas não saírem do meu modo vou fazê-los pagar". Bem, evidentemente, se Deus é somente uma criança com regras arbitrárias, então seria capricho da parte dele condenar as pessoas. Mas isso não acontece de modo algum. Deus é o ser mais generoso, amoroso, maravilhoso e atraente do cosmo. Ele nos fez valendo-se do livre-arbítrio e nos fez com um propósito: nos relacionarmos amorosamente com ele e com os outros. Não somos acidentes, não somos macacos modificados, não somos equívocos aleatórios. E se nós repetidamente deixarmos de viver segundo o propósito para o qual fomos criados (propósito que, diga-se de passagem, nos permite prosperar muito mais que se vivêssemos de qualquer outro modo), Deus certamente não terá outra escolha senão dar-nos o que pedimos durante toda a vida, que é nos afastarmos dele.

— E isso é o inferno...

— Sim, isso é o inferno. Mais um aspecto: erramos ao achar que Deus é simplesmente um ser amoroso, especialmente se você entender "amoroso" no sentido em que muitos americanos usam essa palavra hoje em dia. Sim, Deus é um ser compassivo, mas ele é também um ser justo, moral e puro. Assim, as decisões de Deus não estão baseadas no moderno sentimentalismo americano. Essa é uma das razões pelas quais, até os tempos atuais, as pessoas nunca tiveram dificuldade de assimilar a idéia do inferno. As pessoas de hoje inclinam-se a se preocupar somente com as virtudes mais suaves como o amor e a ternura, ao passo que se esqueceram das virtudes fortes como a santidade, a eqüidade e a justiça. Assim, nas palavras da sua pergunta, Templeton nos apresentou um ser malévolo que impõe essas regras injustas e arbitrárias e que finalmente bate os pés e diz: "Se as coisas não saírem a meu modo, eu vou torturá-los para sempre".

Os intensos olhos cinza-azulados de Moreland se fixaram nos meus.

— Nada — acentuou — poderia estar mais longe da verdade.

O plano reserva de Deus

— Está bem — eu disse enquanto me acomodava no sofá. — Aqui está a sua oportunidade de esclarecer as coisas. Vamos lançar alguns fundamentos e aclarar as nossas definições. O senhor disse que o inferno não é uma câmara de tortura. Então o que é?

— A essência do inferno é de relações — retrucou. — O cristianismo diz que as pessoas são as criaturas mais valiosas de toda a criação. Se as pessoas são importantes, então o relacionamento é importante, e o inferno é essencialmente relacional.

— Na Bíblia, o inferno é separação ou banimento para longe do ser mais belo do mundo: o próprio Deus. É a exclusão de tudo o que importa, de tudo o que vale, não somente de Deus, mas também dos que vieram a conhecê-lo e amá-lo.

Estava confuso quanto a uma coisa.

— O inferno é uma punição pela quebra dos padrões de Deus? — perguntei. — Ou seria a conseqüência natural das pessoas viverem uma vida em que dizem "Não me importo se estou separado de Deus, quero fazer as coisas à minha maneira", e receberem então em troca por toda a eternidade o que plantaram, ao ficarem separadas de Deus para sempre?

— As duas coisas — disse. — Não tenha dúvida: o inferno *é* punição, mas não é um ato de punir, não é tortura. A punição do inferno é a separação de Deus, que traz vergonha, angústia e pesar. E como teremos tanto corpo quanto alma na ressurreição, a miséria experimentada pode ser tanto mental quanto física. Mas a dor sofrida será resultante da tristeza causada pelo banimento final, definitivo e infindável da presença de Deus, do seu Reino e da vida feliz para a qual, em primeiro lugar, fomos criados. No inferno, as pessoas lamentação profundamente tudo o que perderam. O inferno é a sentença final que diz que alguém se recusou sistematicamente a viver segundo o propósito para o qual foi criado, e a única alternativa é condenar essa pessoa por toda a eternidade. Portanto, *é* punição. Mas é também a conseqüência natural de uma vida que foi vivida em certa direção.

— De acordo com Gênesis, quando Deus criou todas as coisas, ele declarou que tudo era "bom" — observei. — Obviamente, Deus criou o inferno. Mas como ele poderia pensar que o inferno é bom? Isso não levanta dúvidas sobre o seu caráter?

— Na realidade — respondeu Moreland —, o inferno não fazia parte da criação original. O inferno é o "plano reserva" de Deus. É algo que Deus foi forçado a fazer porque as pessoas decidiram rebelar-se contra ele e voltar-se contra o que era melhor para elas e contra o propósito para o qual foram criadas. Quando as pessoas fundaram os Estados Unidos, elas não começaram criando prisões. Preferiram uma sociedade sem prisões. Mas foram forçadas a criá-las porque certos indivíduos não quiseram cooperar. O mesmo se pode dizer do inferno.

— O inferno é um lugar físico?

— Sim e não. Quando as pessoas morrem, a alma delas deixa o corpo e elas não mais têm uma natureza física. A Bíblia diz que quando as pessoas, que afinal vão para o inferno, morrem antes do retorno de Cristo, ficam separadas da presença de Deus, mas não estão em um lugar físico, porque não têm a natureza física. Nesse sentido, o inferno provavelmente não é um lugar, mas é uma parte real do universo. É como passar por uma porta para um outro tipo de existência.

— Parece com uma experiência de quase-morte — brinquei.

— Bem, acho que as experiências de quase-morte demonstraram acima de qualquer dúvida que quando as pessoas morrem ainda assim podem estar conscientes — Moreland respondeu.

E prosseguiu:

— No juízo final, o nosso corpo será ressuscitado e a nossa alma será unida a ele. Nessa altura, acho que haverá uma parte do universo para onde as pessoas serão enviadas, ao serem excluídas do lugar principal em que a atividade de Deus e do seu povo se manifesta. Tem sentido falar no inferno como um lugar, mas não será uma câmara de tortura ou qualquer coisa parecida.

Chamas, vermes e ranger de dentes

Lá estava novamente o imaginário da "câmara de torturas".

— Não é de admirar que essa seja uma visão popular do inferno — disse. — Quando tinha cerca de dez anos, fui levado à escola dominical, onde o professor acendeu uma vela e disse: "Você sabe o quanto dói queimar o dedo? Bem, imagine todo o seu corpo ficando em meio ao fogo para sempre. Isso é o inferno".

Moreland acenou com a cabeça como se tivesse ouvido esse tipo de história antes.

— Bem, alguns garotos ficaram assustados — acrescentei. — Fiquei simplesmente ressentido com o fato de que esse indivíduo estava tentando me manipular. Eu acho que muitas pessoas tiveram esse tipo de experiência. Você deve admitir que quando se trata de falar do inferno, a Bíblia certamente tende a se referir a chamas.

— É verdade — respondeu Moreland —, mas as chamas são uma figura de linguagem.

Levantei a mão.

— Epa, espere um momento! — protestei. — Sempre achei que o senhor fosse um acadêmico conservador. O senhor está tentando suavizar a idéia do inferno para torná-la mais aceitável?

— De modo algum — foi a sua resposta. — Eu só quero ser biblicamente correto. Sabemos que as referências a labaredas são figuradas porque se tentamos entendê-las literalmente não fazem sentido. Por exemplo, o inferno é descrito como um lugar de trevas totais e, no entanto, também existem chamas. Como isso pode acontecer? As chamas iluminariam as coisas. Além disso, nos é dito que Cristo voltará envolto em chamas e que haverá uma grande espada que sai da sua boca. Mas ninguém acha que Cristo seja incapaz de dizer alguma coisa por estar sufocado por uma espada. A figura da espada representa a Palavra de Deus no juízo. As chamas representam a vinda de Cristo em juízo. Em Hebreus 12.29, Deus é denominado "um fogo consumidor". No entanto, ninguém pensa que Deus é um maçarico cósmico. O uso da imagem das chamas é um modo de dizer que ele é um Deus de juízo.

— E quanto ao inferno ser um lugar em que os vermes comem incessantemente a carne das pessoas? — perguntei.

— Nos dias de Jesus, milhares de animais eram sacrificados semanalmente no Templo, e havia um sistema de esgoto que drenava para fora o sangue e a gordura, que se acumulavam em um tanque. Havia vermes que ingeriam aquilo sem parar. Era um lugar muito feio — Moreland disse. — Quando Jesus estava ensinando, usou essa metáfora para dizer que o inferno é pior que aquele lugar repugnante fora da cidade.

— Também existe a expressão "ranger de dentes" para descrever aqueles que estão no inferno — aduzi. — Isso não se refere à reação das pessoas diante da dor da tortura?

— Mais precisamente, essa expressão visa descrever um estado de ira ou de percepção de uma grande perda — disse Moreland. — É uma expressão de fúria pela consciência de que se cometeu um enorme erro. Se você já esteve perto de pessoas que são egocêntricas e altamente narcisistas, elas ficam iradas quando não conseguem o que querem. Eu creio que o ranger de dentes é uma expressão do tipo de personalidade das pessoas que estarão no inferno.

— Sem chamas, sem vermes, sem ranger de dentes por causa de tortura: talvez o inferno não seja tão mau como pensávamos — interrompi num esforço de injetar um pouco de humor.

Moreland respondeu imediatamente:

— Seria um erro pensar assim — disse ele com firmeza. — Toda figura de linguagem tem um aspecto literal. O que é figurado é a chama de fogo; literal é que esse é um lugar de profunda tristeza. É a perda de tudo e representa o fato de que o inferno é a pior situação possível que jamais poderia ocorrer a uma pessoa.

— O senhor mencionou pessoas que estão no inferno e são egocêntricas e narcisistas, pessoas que rejeitaram a Deus durante toda a sua vida — disse. — É possível que, para esse tipo de pessoas, o céu fosse um inferno?

— Deixe-me colocar nestes termos — insistiu. — Você já esteve perto de um indivíduo que tinha muito boa aparência, era extremamente atraente e muito mais inteligente que você? Quando você está em uma atividade social, as pessoas querem dar atenção a ele, e não a você. Suponha que você não se importe com esse indivíduo, mas seja mantido em uma sala com ele vinte e quatro horas por dia, durante trinta anos. Essa seria uma experiência incrivelmente difícil. Agora multiplique essas qualidades dez mil vezes e isso será um pouquinho do que Deus é. Ele é muito, muito inteligente. Ele é muito atraente. Ele é muito mais puro moralmente do que nós. E se as pessoas não se apaixonarem profundamente por ele, forçálas a ficar perto dele para sempre (fazendo os tipos de coisas que as pessoas que o amam iriam querer fazer) seria totalmente desconfortável. Você precisa entender que o caráter das pessoas não é formado por decisões tomadas todas de uma vez, mas por milhares de pequenas escolhas que se fazem todos os dias, mesmo sem o saber. Cotidianamente estamos nos preparando para ficar com Deus e o seu povo e valorizar as coisas que ele valoriza, ou optando por não nos envolver com essas coisas. Portanto, o inferno é essencialmente o lugar para pessoas que não gostariam de ir para o céu.

— O senhor está dizendo que as pessoas escolhem o inferno conscientemente?

— Não, eu não quero dizer que elas conscientemente rejeitam o céu e escolhem o inferno. Mas elas, *sim*, escolhem por não se preocupar com os valores que estarão presentes no céu todos os dias.

Acrescentei:

— Com efeito, pela maneira como vivemos a nossa vida nós nos preparamos para estar na presença de Deus e desfrutálo por toda a eternidade, ou estamos nos preparando para a existência na qual tentamos fazer de nós mesmos o centro do universo e não temos nenhum interesse em estar com Deus ou com as pessoas que o amam.

Moreland assentiu.

— Isso está absolutamente correto. Assim, o inferno não é simplesmente a condenação. Ele *é* isso, mas é também o fim de um caminho que é escolhido, até certo ponto, nesta vida, aqui e agora, dia a dia.

Mesmo assim, existem aspectos do inferno que parecem violar o nosso senso de justiça. Pelo menos, foi assim que senti no passado. Aproveitei uma pausa em nossa conversa para abrir a minha pasta e apanhar uma lista que havia preparado no avião.

— Que tal se pedir a sua resposta para cada uma dessas questões? — propus a Moreland. — O meu objetivo não é começar uma discussão com o senhor. Eu só quero que o senhor expresse a sua perspectiva e então, no final, avaliarei se acho que o senhor está dando respostas adequadas e se, em geral, a doutrina do inferno resiste ao exame aprofundado.

— Parece razoável — respondeu.

Examinei a lista e decidi começar por uma das objeções mais carregadas emocionalmente dentre todas.

Objeção n.° 1: Como Deus pode mandar crianças para o inferno?

As pessoas ficam chocadas com a idéia de crianças definhando no inferno. De fato, alguns ateus gostam de insultar os cristãos desenterrando escritos de evangelistas do século XIX que utilizaram uma linguagem horrível para descrever as pavorosas experiências de crianças no inferno. Por exemplo, um sacerdote inglês alcunhado "o apóstolo das crianças" escreveu estas palavras horripilantes:

> Uma criancinha está nesse forno superaquecido. Ouça como grita para sair! Veja como se revira e se contorce no fogo! Bate a cabeça contra o teto do forno. Bate os pezinhos no piso. Você pode ver no rosto dessa criancinha o que vê nos rostos de todos os que estão no inferno — desespero, desespero e horror.[6]

— A idéia de crianças no inferno ... bem, é demais! — exaltei-me com Moreland. — Como pode haver um Deus de amor se crianças estão sujeitas ao inferno?

Estava interessado em ver se a resposta de Moreland seria consistente com a avaliação anterior do estudioso Norman Geisler sobre esse assunto.

[6]George H. SMITH, *Atheism: the case against God*, p. 300.

— Lembre-se — Moreland advertiu à luz da citação sobre a criança no forno —, a linguagem bíblica a respeito de fogo e labaredas é figurada.

— Sim, está bem, mas insisto: haverá crianças no inferno?

Moreland, que é pai de duas filhas, inclinou-se para a frente enquanto discorria.

— Você precisa entender que, no além, a nossa personalidade refletirá uma situação de vida adulta, de modo que podemos dizer com certeza que não haverá crianças no inferno — redargüiu. E certamente não haverá ninguém no inferno que, se tivesse a oportunidade de chegar à vida adulta, teria escolhido ir para o céu. Ninguém irá para o inferno simplesmente porque tudo o que necessitava era um pouco mais de tempo, e morreu prematuramente.

Moreland estendeu a mão para apanhar sobre a mesa sua Bíblia com capa de couro.

— Além disso, na Bíblia as crianças são vistas universalmente como figuras de linguagem para a salvação. Em todos os textos em que se fala de crianças com relação ao além, elas são usadas como figuras de salvação. Não há nenhum caso em que crianças são usadas como figuras de condenação.

Folheou o Antigo Testamento até se deter em 2 Samuel.

— Aqui está um bom exemplo — acentuou. — A criança que o rei Davi gerou no relacionamento adúltero com Bate-Seba morreu, e Davi diz em 2 Samuel 12.23: "Eu irei até ela, mas ela não voltará para mim". Davi estava expressando a verdade que o seu filho estaria no céu e que um dia eles estariam juntos. Assim, essa é outra evidência de que não haverá crianças no inferno.

Objeção n.° 2: Por que todos sofrem o mesmo no inferno?

Enquanto formulava a pergunta seguinte levantei-me do sofá e caminhei em direção à janela da frente, detendo-me em um feixe de luz do sol que dançava sobre o tapete. O caso de Massachusetts relacionado com o juiz Mathers permanecia no fundo da minha lembrança.

— O nosso senso de justiça exige que as pessoas más sejam responsabilizadas pela maneira como prejudicaram a outrem — expus. — Nesse caso o inferno poderia ser um castigo apropriado para alguns. No entanto, o fato de Adolf Hitler experimentar a mesma punição eterna que alguém que viveu uma vida bastante correta pelos nossos padrões, mas que tomou a decisão de não seguir a Deus, violenta o nosso senso de eqüidade.

Moreland ouvia atentamente.

— Parece injusto que todos estejam sujeitos às mesmas conseqüências — disse. — É isso o que você está dizendo?"

— Sim, correto. Isto não o incomoda?

Moreland abriu a Bíblia no Novo Testamento.

— Na realidade — explicou —, nem todos experimentam o inferno da mesma maneira. A Bíblia ensina que existem diferentes graus de sofrimento e punição.

Deteve-se em Mateus 11 e percorreu com o dedo indicador até parar nos versículos 20 a 24, os quais leu em voz alta:

> Então Jesus começou a denunciar as cidades em que havia sido realizada a maioria dos seus milagres, porque não se arrependeram. "Ai de você, Corazim! Ai de você, Betsaida! Porque se os milagres que foram realizados entre vocês tivessem sido realizados em Tiro e Sidom, há muito tempo elas se teriam arrependido, vestindo roupas de saco e cobrindo-se de cinzas. Mas eu lhes afirmo que no dia do juízo haverá menor rigor para Tiro e Sidom do que para vocês. E você, Cafarnaum, será elevada até ao céu? Não, você descerá até o Hades! Se os milagres que em você foram realizados tivessem sido realizados em Sodoma, ela teria permanecido até hoje. Mas eu lhe afirmo que no dia do juízo haverá menor rigor para Sodoma do que para você".

Moreland fechou o livro.

— Jesus está dizendo que as pessoas serão condenadas de acordo com as suas ações — afirmou.

— Não será uma coisa padronizada? — perguntei. — A justiça seria aplicada à realidade de cada indivíduo?

— Exatamente. Haverá graus de separação, isolamento e vazio no inferno. Acho que isso é significativo porque acentua que a justiça de Deus é proporcional. Não há exatamente a mesma justiça para todos os que recusam a misericórdia de Deus.

— Lembre-se, se Deus realmente deixa as pessoas moldarem o seu próprio caráter por intermédio das milhares de escolhas que fazem, também permitirá que elas sofram as conseqüências naturais do caráter que escolheram ter. E os que estão em pior estado pessoal experimentarão maior grau de vazio e isolamento.

Objeção n.° 3: Por que as pessoas são punidas infinitamente por crimes finitos?

Como pode qualquer delito que tenhamos cometido nesta vida merecer a punição *eterna*? Não é injusto dizer que uma vida *finita* de pecado justifica uma punição *infinita*? Onde está a justiça nisso?

— Um Deus amoroso não faria a punição ser proporcional ao crime, não permitindo que o inferno durasse para sempre? — perguntei enquanto voltava a sentar à beira do sofá. — É possível praticar algo nesta vida que justifique tortura eterna?

— Lembre-se, não é tortura — Moreland observou. — A terminologia é fundamental. Não é uma eterna tortura consciente; é um eterno sofrimento consciente por estar condenado a ficar longe de Deus.

— Está bem — concordei. — Mas isso não responde à pergunta.

— Não, não responde, mas deixe-me tentar. Primeiro, todos nós sabemos que a gradação do castigo de uma pessoa não é proporcional ao tempo necessário para cometer um crime. Por exemplo, um assassinato pode levar dez segundos para ser cometido; roubar a *Enciclopédia Britânica* de alguém poderia durar meio dia se arrombar a casa levasse muito tempo. O que quero dizer é que o grau da justa punição de alguém não é proporcional ao tempo que levou para cometer a ação; antes, é proporcional à propria gravidade do ato. E isto leva ao segundo ponto. Qual é a coisa mais abominável que alguém pode praticar nesta vida? A maioria das pessoas, porque não se importa muito com Deus, dirá que é maltratar animais, destruir o meio ambiente ou prejudicar outra pessoa. Sem dúvida, todas essas coisas são horríveis. Mas empalidecem à luz da pior coisa que uma pessoa pode fazer, que é escarnecer, desonrar e recusar-se a amar a pessoa à qual devemos absolutamente tudo, o nosso Criador, o próprio Deus. Você precisa entender que Deus é infinitamente maior que qualquer outro ser em sua bondade, santidade, benignidade e justiça. Pensar que uma pessoa possa passar a vida toda ignorando-o invariavelmente, zombando dele constantemente pelo estilo de vida escolhido, sem a presença de Deus, ao dizer: "Eu não ligo a mínima para o propósito pelo qual fui colocado aqui; não ligo a mínima para os seus valores e para a morte do seu Filho por mim; vou ignorar tudo isso". *Esse* é o pecado supremo. E a única punição digna disso é a punição suprema, que é a eterna separação de Deus. Como Alan Gomes observou, a natureza do *objeto* contra o qual o pecado é cometido, bem como a natureza do próprio pecado, devem ser levadas em consideração ao se averiguar o grau de hediondez.[7]

A resposta de Moreland me fez pensar no incidente em que um perito na lei perguntou a Jesus qual era o maior mandamento. Jesus lhe disse: "Ame o Senhor, o seu Deus, de todo o seu coração, de toda a sua alma, de todas as suas forças e de todo o seu entendimento, e ame o seu próximo como a si mesmo".[8]

Nos Estados Unidos, o crime mais grave — o assassinato — é punido com o castigo mais rigoroso, que é ficar separado da sociedade perpetuamente, na prisão. E parecia haver uma

[7]V. Evangelicals and the annihilation of hell, Part II, de Alan Gomes, publicado em *Christian Research Journal,* (Summer 1991), p. 8-13.

[8]Lucas 10.27.

certa lógica em dizer que a violação deliberada da lei suprema de Deus deve acarretar o castigo supremo, que é ficar separado de Deus e do seu povo por toda a eternidade.

Objeção n.° 4: Deus não poderia obrigar todas as pessoas a ir para o céu?

— Deixe-me voltar a um tema que o senhor destacou no início — disse a Moreland. — O senhor disse que Deus se entristece com a necessidade do inferno.

— Sim, certo.

— Então por que ele não pode simplesmente obrigar todo mundo a ir para o céu? Essa parece ser uma solução simples.

— Porque isso seria imoral — respondeu Moreland.

— Imoral? — surpreendi-me. — Mais imoral que o inferno?

— Sim, imoral. Acompanhe meu argumento: existe uma diferença entre valor *intrínseco* e valor *instrumental*. Algo tem valor intrínseco se é valioso e bom em si mesmo; algo tem valor instrumental se é valioso como meio para um determinado fim. Por exemplo, salvar vidas é intrinsecamente bom. Dirigir do lado direito da rua é um valor instrumental; só é bom porque ajuda a manter a ordem. Se a sociedade decidisse que todos deviam dirigir do lado esquerdo, isso seria correto. O objetivo é preservar a ordem e salvar vidas. Agora, quando você trata as pessoas como instrumentalmente valiosas, ou somente como meio para determinado fim, você as desumaniza, e isso é errado. Quando você trata as pessoas simplesmente como meios para um fim, você as está tratando como coisas. Você somente respeita as pessoas quando as trata como possuidoras de valor intrínseco.

— E qual é a relação disso com obrigar as pessoas a ir para o céu? — perguntei.

— Se você forçasse as pessoas a fazer algo contra a sua livre escolha, você as estaria desumanizando. Estaria dizendo que o bem que você quer fazer é mais valioso que respeitar a escolha das pessoas, e assim estaria tratando-as como meio para um determinado fim, exigindo que elas façam algo que não querem. É isso o que aconteceria se Deus obrigasse todas as pessoas a ir para o céu. Se Deus concedeu livre-arbítrio às pessoas, Lee, então não há nenhuma garantia de que todos preferirão cooperar com ele. A opção de obrigar todo mundo a ir para o céu é imoral, porque é desumanizante; priva-as da dignidade de tomar a própria decisão; nega a liberdade de escolha; e os trata como meio para um determinado fim. Deus não pode formar o caráter das pessoas em seu lugar, e as pessoas que fazem o mal ou cultivam falsas crenças iniciam um afastamento de Deus que finalmente acabará no inferno. Deus respeita a liberdade humana. De fato, seria cruel, uma espécie de estupro divino, obrigar as pessoas a aceitar o céu e Deus se realmente não os quisessem. Quando Deus permite que as pessoas digam "não" a ele, na verdade as está respeitando e dignificando.

Objeção n.° 5: Por que Deus simplesmente não destrói as pessoas?

Outro aspecto do inferno especialmente perturbador é que sua duração é eterna. Se o inferno não durasse para sempre? Que tal se Deus aniquilasse as pessoas — isto é, acabasse com a sua existência — em vez de obrigá-las a ficar conscientemente separadas dele para todo o sempre?

— Certamente — opinei a Moreland — isso seria mais humano que a eternidade de pesar e remorso.

— Acredite se quiser, a separação eterna de Deus é moralmente superior à aniquilação — contestou. — Por que Deus estaria moralmente justificado em destruir alguém? O único aspecto positivo disso seria o resultado final, impedir que as pessoas experimentassem a separação consciente de Deus para sempre. Bem, desse modo você está tratando as pessoas como meio para um determinado fim. É como obrigar as pessoas a ir para o céu. O que você está dizendo é o seguinte: "A coisa que realmente importa é que as pessoas não mais sofram conscientemente; vou acabar com a sua existência buscando alcançar esse fim". Você vê? Isso é tratar a pessoa como meio para um determinado fim. O inferno reconhece que as pessoas têm valor intrínseco. Se Deus ama o valor intrínseco, então ele tem de amparar as pessoas, porque isso significa que ele ampara o valor intrínseco. Ele se recusa a destruir uma criatura que foi feita à sua imagem. Assim, em última análise, o inferno é a única opção moralmente legítima. Deus não gosta disso, mas ele as põe de quarentena. Isso honra a liberdade de escolha. Ele só não quer revogar esta liberdade. Deus considera as pessoas tão valiosas intrinsecamente que enviou o seu Filho, Jesus Cristo, para sofrer e morrer, de sorte que elas possam, caso queiram, passar a eternidade com ele nos céus.

Alguns teólogos afirmam que a aniquilação é o que as Escrituras ensinam. Dizem que a Bíblia sustenta que, embora a *punição* do inferno seja eterna, o *punir* não é eterno.

Os aniquilacionistas citam o salmo 37, que diz que os ímpios "não mais existirão", "desvanecerão como fumaça" e "todos os rebeldes serão destruídos". E apontam para Salmos 145.20, onde Davi diz: "O SENHOR cuida de todos os que o amam, mas a todos os ímpios destruirá", e para Isaías 1.28: "Mas os rebeldes e os pecadores serão destruídos, e os que abandonam o SENHOR perecerão". Afirmam também que as metáforas usadas por Jesus são evidências do aniquilacionismo: os ímpios são "amarrados em feixes para serem queimados", os "peixes ruins são lançados fora" e as "plantas danosas são arrancadas".[9]

Perguntei a Moreland:

— Isso não significaria que o aniquilacionismo é compatível com a Escritura e, portanto, um meio razoável de harmonizar a justiça de Deus com a doutrina do inferno?

Moreland permaneceu firme.

— Não, não é o ensinamento bíblico — insistiu. — Sempre que você tenta entender o que um autor está sustentando,

[9]V. Hell: does it have an end?, de Samuele Bacchiocchi, publicado em agosto de 1999, *Signs of the times*, p. 8-10.

deve-se começar por passagens claras que tratam daquela questão, passando em seguida para os trechos menos claros que podem não estar destinados a cuidar daquele assunto. Deixe-me ilustrar. Existem passagens na Bíblia que dizem que Jesus Cristo morreu por todos. Também existe Gálatas 2.20, em que o apóstolo Paulo: "Cristo morreu por mim". Pois bem, devo supor com base nessa passagem que Cristo morreu somente por Paulo? Não, mas por que não? Porque existem passagens nítidas que ensinam que Cristo morreu por todos. Assim, quando chegamos à afirmação de Paulo nós dizemos que é óbvio que ele não quis dizer que Jesus morreu somente por Paulo, porque interpretamos as passagens obscuras à luz das claras. Pois bem, e quanto aos fragmentos a respeito do inferno? O Antigo Testamento tem passagens claras que dizem que o inferno é eterno. Daniel 12.2 diz que no final dos tempos os justos serão ressuscitados para a vida eterna e os injustos para a punição eterna.[10] A mesma palavra hebraica traduzida por *eterna* é usada em ambos os casos. Se vamos dizer que as pessoas são aniquiladas no inferno, devíamos dizer que serão aniquiladas no céu. Você não pode ter uma coisa e ficar sem a outra. Esta passagem se destina claramente a elucidar a questão. No Novo Testamento, em Mateus 25, Jesus apresenta um claro ensinamento em que pretende abordar a questão do estado eterno do céu e do inferno, e utiliza a mesma palavra *eterno* para referir-se a ambos.

— Assim, nós partimos dessas passagens claras para o ensino ambíguo que fala em "eliminar". Todo o discurso sobre "ser destruído" e "ser eliminado" no Antigo Testamento geralmente significa que as pessoas são eliminadas de Israel e da terra. A maior parte dessas passagens tem

[10]Daniel 12.2: "Multidões que dormem no pó da terra acordarão: uns para a vida eterna, outros para a vergonha, para o desprezo eterno".

pouco ou nada que ver com a vida eterna; dizem respeito ao ser eliminado nesta vida das promessas que Abraão deu ao povo na terra.

— Porém — observei — os aniquilacionistas também citam a linguagem bíblica do fogo como uma evidência que as pessoas são destruídas em vez de definhar no inferno para sempre. Como disse o respeitado pastor inglês John Stott: "O fogo em si mesmo é denominado 'eterno' e 'inextinguível', mas seria muito estranho se o que nele é lançado se mostrasse indestrutível. A nossa expectativa seria o oposto: o que é lançado seria consumido para sempre, e não atormentado para sempre".[11]

Moreland permaneceu irredutível.

— A linguagem das chamas é figurada — repetiu. — Em Apocalipse, somos informados que o inferno e a morte são lançados no lago de fogo. Ora, o inferno não é algo que possa queimar. É um reino. É o mesmo que dizer que o céu poderia ser queimado. O céu não é um tipo de coisa que queima. Como você pode queimar a morte? A morte não é algo em que se possa encostar uma tocha e queimar. Portanto, é óbvio que o lago de fogo tem a finalidade de representar o juízo. Quando se diz que põe fim ao inferno, a palavra "inferno" se refere ao estado temporário dos que estão entre a morte e a ressurreição final. Nesse momento, eles receberão novamente o seu corpo e ficarão localizados longe de Deus. A morte chega ao fim porque não mais haverá morte. Assim, a linguagem das chamas do lago de fogo visa claramente ser uma figura de linguagem para o juízo, não uma queima literal.

Objeção n.° 6: Como o inferno pode coexistir com o céu?

— Se o céu deve ser um lugar sem lágrimas, então como pode haver um inferno eterno coexistindo? — perguntei. — Os que

[11]*Essentials: a liberal-evangelical dialogue*, Londres: 1988, p. 316.

estiverem no céu não chorariam por aqueles que estão sofrendo para sempre no inferno?

— Em primeiro lugar, acho que as pessoas que estiverem no céu compreenderão que o inferno é um meio de honrar as pessoas como criaturas intrinsecamente valiosas feitas à imagem de Deus — disse Moreland. — Em segundo lugar, muitas vezes a capacidade que uma pessoa tem de desfrutar alguma coisa decorre do avanço dos anos e da obtenção de uma perspectiva mais amadurecida. Quando as minhas filhas eram pequenas, uma delas não era capaz de desfrutar um presente se a outra recebesse algo que achasse que era um pouco melhor. Quando cresceram, tornaram-se capazes de usufruir o presente, independentemente do presente da outra. De fato, se ficassem se preocupando com o que a outra recebeu, estariam permitindo que outrem as viesse controlar. C. S. Lewis disse que o inferno não tem poder de veto sobre o céu. Quis dizer que as pessoas que estão no céu não negarão às pessoas que estão no inferno o privilégio de desfrutar a vida simplesmente porque estão conscientes acerca do inferno. Se não pudessem fazê-lo, então o inferno teria um poder de veto sobre o céu. Você precisa lembrar que a alma é grande o bastante para abrigar um sentido imperturbável de alegria, bem-estar, amor e felicidade e ao mesmo tempo um sentido de pesar e tristeza em relação a outras pessoas. Esses não são estados inconsistentes na vida de um indivíduo, e o fato de que uma pessoa pode estar envolvida por estes estados de alma simultaneamente é um sinal do seu caráter e maturidade.

Objeção n.° 7: Por que Deus não criou somente os que sabia que iriam segui-lo?

— Se Deus conhece o futuro, por que criou pessoas que sabia que nunca se voltariam para ele e que, portanto, acabariam no inferno? — perguntei. — Ele não poderia ter criado somente os que sabia que o seguiriam e simplesmente não ter criado aqueles que sabia que iriam rejeitá-lo? Essa opção parece ser muito mais humana do que o inferno.

— Depende do objetivo de Deus — alertou Moreland. — Se Deus tivesse escolhido criar só um punhado de quatro, seis ou sete pessoas, talvez pudesse ter criado somente as que iriam para o céu. O problema é que, tão logo Deus começa a criar mais pessoas, torna-se mais difícil criar somente as que o iriam escolher e não criar as pessoas que não o escolheriam.

— Em que sentido?

— Porque uma das razões pelas quais Deus nos coloca aqui é dar-nos uma oportunidade de influenciar outras pessoas.

Moreland pensou por instantes antes de apresentar um caso análogo.

— Você se lembra dos filmes *De volta para o futuro*? — perguntou. — Lembra-se de como eles voltaram no tempo, modificaram um pequeno detalhe e então, quando voltaram para o futuro, toda a cidade estava completamente mudada? Penso que há um elemento de verdade nisso. A realidade pura e simples é que nós sofremos impacto ao observarmos outras pessoas. Suponha, por exemplo, que quando eu era um garotinho Deus tivesse dado aos meus pais a opção de se mudarem para Illinois em vez de ficar em Missouri. Digamos que houvesse um vizinho cristão que era um hipócrita e eu observasse esse homem e, por causa de seu comportamento, eu escolhesse dizer "não" ao evangelho pelo resto da vida. Agora suponha que as pessoas no meu trabalho me julgassem detestável e cinco delas se tornassem seguidoras de Cristo devido ao meu mau exemplo de vida não-cristã. Bem, se tivéssemos ido para Illinois, teríamos uma pessoa perdida (eu) porém cinco pessoas estariam redimidas. Por outro lado, suponha que Deus tivesse escolhido não dar o novo emprego ao meu pai e nós ficássemos em Missouri. Poderia ter um treinador esportivo cristão que investisse em mim e eu acabaria por escolher seguir a Deus. Mas, como a minha vida cristã não é realmente o que deveria ser, cinco pessoas seriam afastadas de Cristo. Você percebe? É um cenário de *De volta para o futuro*. Quando Deus escolhe criar alguém, essa pessoa causa impacto nas escolhas de outras pessoas e pode ser que elas causem um impacto na sua decisão de confiar em Cristo ou não. Existe outro aspecto nisto, que tem a ver com a maneira como a alma é criada. Existe um entendimento de que a alma passa a existir na concepção e é, de algum modo, transmitida pelos pais. Em outras palavras, o óvulo e o esperma dos pais contém potencialidades referentes à alma. Isso se chama *traducianismo*. Significa que os meus pais criaram a minha alma no ato da reprodução. Conseqüentemente, eu não poderia ter tido pais diferentes, que a única maneira pela qual Deus poderia ter-me feito é se toda a minha linhagem ancestral tivesse me precedido, porque avós diferentes significam pais diferentes e, por conseguinte, diferentes materiais para a alma. E aqui está a implicação do traducionismo para a nossa questão: Deus tem de considerar cadeias genealógicas inteiramente diferentes em sua totalidade. Ele não pode considerar somente pessoas individuais. Assim, pode ser que Deus permita que se formem algumas cadeias, com alguns indivíduos nelas que rejeitam a Cristo (digamos, meu tataravô), mas que permitem o nascimento de outros que confiam em Cristo. Em outras palavras, Deus estaria pesando cadeias alternativas e não somente pessoas alternativas. Quando Deus faz esses julgamentos, o seu propósito não era manter tantas pessoas fora do inferno quanto possível. O seu objetivo é levar tantas pessoas para o céu quanto possível. E pode ser, por triste que pareça, que terá de permitir que sejam criadas mais algumas pessoas que escolherão ir para o inferno a fim de obter um número maior de pessoas que escolherão ir para o céu.

Objeção n.° 8: Por que Deus não dá às pessoas uma segunda oportunidade?

A Bíblia diz explicitamente que as pessoas estão destinadas a morrer uma vez e então enfrentar o juízo.[12] No entanto,

[12]V. Hebreus 9.27.

se Deus é realmente amoroso, por que não daria uma segunda oportunidade às pessoas após a morte no sentido de tomarem a decisão de segui-lo e irem para o céu?

— Se as pessoas experimentassem o inferno, isso não lhes daria uma forte motivação para mudarem de idéia? — perguntei.

— Essa pergunta pressupõe que Deus não fez tudo o que podia antes de as pessoas morrerem, e eu rejeito isso — exclamou Moreland. — Deus faz tudo o que pode no sentido de dar uma oportunidade às pessoas, e não haverá uma única pessoa que poderá dizer a Deus: "Se o senhor simplesmente não tivesse permitido que eu morresse prematuramente, se o senhor tivesse me dado mais doze meses, eu sei que teria tomado a decisão de segui-lo". A Bíblia nos diz que Deus está protelando o retorno de Cristo à terra para dar a todos o tempo necessário a fim de que se acheguem a ele.[13] Se tudo que uma pessoa precisasse um pouco mais de tempo para ir a Cristo, então Deus estenderia o seu tempo de vida na terra para dar-lhe essa oportunidade. Assim, não há ninguém que apenas precise de um pouco mais de tempo ou que tenha morrido prematuramente e que teria respondido a outra oportunidade de receber a Cristo. Deus é justo. Ele não está tentando tornar as coisas difíceis para as pessoas. Creio que certamente é possível que os que respondem à luz da natureza que lhes foi dada receberão a mensagem do evangelho, ou então pode ser que Deus os julgue com base no conhecimento do que eles teriam feito caso tivessem a oportunidade de ouvir o evangelho. O fato puro e simples é que Deus recompensa os que o buscam.[14]

Tratava-se somente de parte da questão.

— Espere um pouco — pedi. — A morte e a consciência da presença ou da ausência de Deus após a morte não seria algo muito motivador para as pessoas?

[13]V. 2 Pedro 3.9.

[14]V. Hebreus 11.6.

— Sim, seria, mas de modo negativo. Primeiro, você precisa compreender que quanto mais as pessoas vivem separadas de Deus, menor é a probabilidade de que possam exercer a livre escolha e confiar nele. É por isso que a maioria das pessoas que vão a Cristo o fazem quando são jovens. Quanto mais tempo você vive com um mau hábito, mais difícil é modificar esse hábito. Não é impossível, mas é mais difícil. Assim, o que faria as pessoas pensarem que, digamos, um período de incubação de dez anos de separação de Deus iria chamar a sua atenção? Ademais, isso tornaria a vida antes da morte inteiramente irrelevante. A questão seria então: por que Deus não criou as pessoas desde o início com o período de incubação? Por que as criou na terra por 75 anos e as deixou morrer e só então as colocou no período de incubação se era desse período de incubação que elas realmente necessitavam afinal? Lee, a verdade é a seguinte: esta vida *é* o período de incubação! A próxima coisa que você precisa ter em mente é que, se as pessoas vissem o trono do julgamento de Deus após a morte, isto seria tão coercitivo que não mais teriam a possibilidade da livre escolha. Qualquer "decisão" que tomassem não seria uma livre escolha real e genuína; seria totalmente forçada. Seria como se eu ameaçasse minha filha com uma vara e dissesse: "Você terá de dizer à sua irmã que sente muito por ter usado o vestido dela sem pedir permissão". Qualquer pedido de desculpas não seria verdadeiro, seria só um meio de evitar o castigo. E as pessoas que "escolhessem" na segunda oportunidade não estariam realmente escolhendo Deus, o seu Reino e os seus caminhos nem estariam habilitadas para a vida no seu Reino. Elas estariam fazendo uma "escolha" prudente só para evitar o juízo. Quero sugerir mais uma coisa. Deus mantém um equilíbrio delicado entre manter a sua existência suficientemente evidente a fim de que as pessoas saibam que ele está presente e, ao mesmo tempo, ocultar a sua presença o bastante para que as pessoas que queiram optar por ignorá-lo possam fazê-lo. Desse modo, a escolha do seu destino é realmente livre.

Objeção n.° 9: A reencarnação não é mais racional que o inferno?

Os hindus rejeitam a idéia do inferno. Eles crêem na reencarnação, segundo a qual as pessoas retornam a este mundo de outra forma após a morte e têm outra oportunidade para desvencilhar-se do carma negativo que produziram na vida anterior e prosseguir para o aperfeiçoamento.

— A reencarnação não seria o meio racional pelo qual o Deus amoroso daria às pessoas um novo começo, de modo que elas pudessem arrepender-se da próxima vez e ele não tivesse de mandá-las para o inferno? — perguntei. — Isso não seria preferível ao inferno?

— Lembre-se, nós não decidimos o que é verdadeiro com base no que gostamos ou não. Temos de considerar as evidências. Eu não conheço qualquer outro meio de decidir se algo é verdadeiro a não ser pela análise das evidências — foi a resposta de Moreland.

— Sim — concordei —, mas não existiriam evidências a favor da reencarnação, especialmente em indivíduos que têm lembranças de vidas passadas ou mesmo que falam idiomas que de outro modo não conheceriam?

— Acho que as evidências a favor da reencarnação são fracas por várias razões — ponderou. — Por exemplo, ela é incoerente. Deixe-me dar uma ilustração a respeito. O número dois é em essência um número par. Se você me dissesse que considera o número dois um número ímpar, eu lhe diria: "Você pode estar pensando no três ou no cinco, mas não pode estar pensando no dois, porque vou mostrar algo que é de sua essência, ser um número par". Agora, não é algo essencial que eu tenha um metro e setenta de altura. Não é algo essencial que eu pese 75 quilos. Mas *é* essencial em mim que eu seja humano. Se você dissesse: "J. P. Moreland está na outra sala e ele perdeu dois quilos", a maioria das pessoas diria: "Que bom para ele". Que tal se você dissesse: "J. P. Moreland está na outra sala e sabe da maior? Ele é um cubo de gelo". A maioria das pessoas diria: "Não pode ser J. P. Moreland, porque sei que ele é humano. Ele não é um cubo de gelo". Bem, a reencarnação diz que poderia voltar como um cão, como uma ameba. (Caramba! Por que não poderia voltar como um cubo de gelo?) Se isso é verdade, qual é a diferença entre ser J. P. Moreland e ser qualquer outra coisa? Não há nada que seja *essencial* a mim. Exatamente como ser par é da essência do número dois, ser humano é essencial a mim... e a reencarnação diz que o que é essencial a mim não é realmente essencial afinal de contas.

— Portanto — exclamei — é incoerente!

— Exatamente — disse Moreland. — Outra razão pela qual não creio na reencarnação é que grande parte dessas evidências sugeridas por você (coisas como supostas lembranças de vidas passadas) pode ser melhor explicada por outros meios.

— Pode haver explicações psicológicas — as pessoas parecem lembrar-se de certos detalhes, mas são suposições vagas ou coincidentes, ou pode haver explicações demoníacas para uma parte dessa atividade. Na realidade, quando você examina cuidadosamente as pesquisas, descobre que elas deixam de apoiar a reencarnação.[15] Finalmente, não creio na reencarnação porque existe um especialista nessa questão, que é Jesus de Nazaré. Ele é a única pessoa da história que morreu, ressurgiu dentre os mortos e falou com autoridade sobre esse assunto. Jesus diz que a reencarnação é falsa, que há somente uma morte e depois disso vem o juízo. Os seus apóstolos, a quem instruiu cuidadosamente, reiteraram o seu ensinamento.

Em vez disso, Jesus ensinou a realidade do inferno. Com efeito, tratou desse assunto mais que qualquer outro na Bíblia.

[15]Para outras análises das evidências acerca da reencarnação, v. *Beyond death: exploring the evidence for immortality*, de Gary R. Habermas e J. P. Moreland (Wheaton, Illinois: Crossway, 1998), p. 237-53; e *Reencarnação*, de Norman L. Geisler e J. Yutaka Amano (São Paulo: Mundo Cristão, 1992).

— É irônico — observei — que muitos ateus abracem Jesus como um grande mestre e, no entanto, foi ele quem mais teve o que dizer a respeito do inferno.

— Sim — disse Moreland — e lembre-se do seguinte: as evidências indicam que Jesus e seus seguidores eram pessoas virtuosas. Se você quer saber como encarar os pobres, pergunte a alguém como madre Teresa. Nunca pergunte a Hugh Hefner* por que uma pessoa como madre Teresa tem mais caráter que ele. Se você quer saber se o inferno em última análise é justo, pergunte a Jesus. E aqui está o que importa: ele não via nenhum problema nessa doutrina. Penso que estamos assumindo riscos quando comparamos os nossos sentimentos e intuições morais com os de Jesus. Estamos dizendo que temos melhor percepção que ele sobre o que é justo e o que não é. Julgo que esta não é a arena em que devemos entrar.

A verdade sobre o inferno

Recostei-me no sofá e parei para pensar. Moreland havia respondido de modo competente as objeções mais difíceis quanto à questão do inferno. Tive de admiti-lo. Quando reunia todas as suas respostas, elas pareciam fornecer uma justificativa razoável para essa doutrina.

No entanto, isto não eliminou o meu desconforto. E estava em boa companhia. C. S. Lewis disse certa vez que a doutrina do inferno é "uma das principais razões pelas quais o cristianismo é atacado como algo bárbaro e a bondade de Deus é impugnada".[16]

Moreland havia falado como filósofo e teólogo, mas estava curioso em conhecer a sua reação pessoal a esse assunto.

— E quanto a J. P. Moreland? — perguntei. — O senhor teceu alguns argumentos convincentes a favor da doutrina,

*Fundador da revista *Playboy* (N. do T.).

[16]*The Problem of Pain*, Glasgow: William Collins Sons, 1983, p. 107.

mas seja honesto: não existem ocasiões em que o senhor se sente terrivelmente desconfortável quanto à existência do inferno?

Moreland tirou os óculos de aros prateados e esfregou os olhos antes de falar.

— Com toda a certeza — assentiu. — Não há dúvida. Porém, de novo, sentir-se pouco à vontade diante de um tema não é o mesmo que emitir um juízo racional e ponderado sobre ele. Creio que o inferno é moralmente justificável, mas não me sinto confortável porque é algo triste.

Fez uma pausa e então continuou.

— Tenha em mente que Deus também não se sente à vontade com o inferno. Deus não gosta dele. Assim, qual é a reação apropriada a esse sentimento de desconforto? Não é tentar criar uma idéia da vida futura que não me permita sentir desconfortável. Essa é uma maneira terrível de acercar-se da verdade. A coisa apropriada a fazer é admitir que o inferno é real e permitir que os nossos sentimentos de desconforto nos motivem a agir. Para os que não conhecem a Cristo, o inferno deve motivá-los a redobrar os seus esforços no sentido de buscá-lo e encontrá-lo. Para aqueles de nós que o conhecemos, essa doutrina deve levar-nos a redobrar os nossos esforços para levar a sua mensagem de misericórdia e graça a quem dela necessita. Precisamos manter a perspectiva correta diante disso tudo. Lembre-se que o inferno será para sempre um monumento à dignidade humana e ao valor da escolha humana. É uma quarentena em que Deus diz duas coisas importantes: "Meu respeito à liberdade de escolha é tal que não vou coagir as pessoas, e eu valorizo tanto os que têm a minha imagem que não vou destruí-los".

— O senhor percebe como a doutrina do inferno pode ser um entrave para os investigadores espirituais?

— Sim, percebo, e gostaria de acrescentar algo a respeito. Sempre que se tenta iniciar uma amizade nova, você não sabe tudo a respeito do novo amigo e não concorda ou necessariamente se sente bem com todas as idéias que esposa. Mas você tem de perguntar, depois da avaliação, se confia na pessoa o suficiente para manter a amizade.

— O mesmo se aplica a Jesus. Não devemos esperar resolver cada questão antes de estabelecer um relacionamento com ele. Mas o problema central é: depois de avaliar poderia confiar nele? Exorto a quem busca a verdade a ler o evangelho de João e então perguntar: "Posso confiar em Jesus?" Penso que a resposta é sim. E creio que, com o tempo, à medida que desenvolvermos o nosso relacionamento com ele, chegaremos a confiar nele mesmo nas áreas das quais carecemos agora de compreensão plena.

"O que Deus deve fazer?"

Deixei as palavras de Moreland penetrarem por instantes antes de me levantar e agradecer pelo tempo dispensado e suas reflexões.

— Esse foi um tópico difícil — notei. — Agradeço a sua disposição em tratar desse assunto.

Acenou com a cabeça e sorriu.

— Tudo bem. — Espero que tenha sido útil.

Levou-me para fora, apertamos as mãos, entrei no carro e segui para o aeroporto. O tráfego intenso não me incomodou; dispunha de bastante tempo antes do vôo. Na verdade, gostei dos minutos gastos no trânsito, porque me deu a oportunidade de refletir sobre a entrevista.

O inferno era a única opção que Deus tinha? Ele é justo e moral? A doutrina é logicamente consistente? Obviamente, Jesus achava que sim. E eu concluí que, em geral, a análise de Moreland foi suficiente para derrubar a idéia de que o inferno é um obstáculo.

Isso não significava que eu me sentia inteiramente à vontade com cada detalhe dos pontos enumerados. Porém, significava que as suas explicações, vistas como um todo, eram suficientemente sólidas para evitar que essa questão interrompesse a minha jornada espiritual.

Preso ainda no inevitável engarrafamento de Los Angeles, abri a minha pasta e revirei os materiais de pesquisa que havia compilado na preparação da conversa com Moreland. Finalmente, consegui achar a fita de uma entrevista anterior sobre o inferno que eu havia mantido com o renomado teólogo D. A. Carson.

Colocando-a no toca-fitas, localizei algumas observações que pareceram ser uma conclusão apropriada para aquela tarde:

> O inferno não é um lugar em que as pessoas estão confinadas porque eram gente boa, mas simplesmente não acreditaram nas coisas certas. Estão confinadas, antes de mais nada, porque desprezam o seu Criador e querem estar no centro do universo. O inferno não está cheio de pessoas que já se arrependeram, mas Deus não é amável o suficiente ou bom o suficiente para deixá-las sair. O inferno está cheio de pessoas que, por toda a eternidade, *ainda* querem ser o centro do universo e persistem na sua rebeldia desafiadora contra Deus.
>
> O que Deus devia fazer a respeito? Se disser que não se importa, não será mais um Deus a ser adorado. Ele seria amoral ou positivamente medroso. Agir de qualquer outra maneira face a uma rebeldia tão ostensiva seria diminuir o próprio Deus.[17]

Ponderações

Perguntas para reflexão ou estudo em grupo

1. Qual era a sua idéia do inferno antes de ler este capítulo? Como é que a análise de Moreland reforçou ou desafiou suas convicções?
2. Mark Twain certa vez satirizou: "O céu por causa do clima; o inferno por causa das companhias". À luz da descrição do inferno feita por Moreland, como você responderia a esse comentário?

[17]V. *Em defesa de Cristo,* de Lee Strobel, p. 219-20.

3. A doutrina do inferno tem sido um entrave para você como alguém que busca a verdade ou já é cristão? De que modo específico Moreland abordou as preocupações que formaram um obstáculo na sua jornada espiritual?

Outras fontes de consulta

Mais recursos sobre esse tema

- Crockett, William V., org. *Four views on hell*. Grand Rapids, Michigan: Zondervan, 1996.
- Habermas, Gary H. e Moreland, J. P. *Beyond death*: exploring the evidence for immortality. Wheaton, Illinois: Crossway, 1998.
- Murray, Michael J. Heaven and Hell. Em *Reason for the hope within*, ed. por Michael J. Murray, 287-317. Grand Rapids, Michigan: Eerdmans, 1999.

Sétima objeção

A história da igreja está repleta de opressão e violência

O cristianismo tem sido usado (por certas pessoas) ao longo da história como desculpa para algumas das atrocidades mais brutais, cruéis e insensíveis conhecidas pela humanidade. Os exemplos históricos não são difíceis de evocar: as cruzadas, as inquisições, as queimas de feiticeiras, o Holocausto... Não vi muitas coisas no cristianismo que valessem a pena.

Ken Schei, ateu[1]

O cristianismo tem sido uma bênção para a humanidade [e] tem tido um efeito benéfico sobre a raça humana... A maioria das pessoas de nossos dias que vivem em um ambiente ostensivamente cristão, marcado pela ética cristã, não percebe o quanto devemos a Jesus de Nazaré [...] A bondade e misericórdia que existem neste mundo vieram em grande parte dele.

D. James Kennedy, cristão[2]

Wayne W. Olson foi sempre um tipo animado. Juiz imponente, amigável, claros olhos azuis e uma coroa de cabelos brancos, Olson divertia a todos com histórias hilariantes de suas experiências muitas vezes estranhas no Fórum Criminal do Condado de Cook. Tinha uma mente muito perspicaz, uma capacidade prodigiosa para ingerir

[1]What is an atheist for Jesus? Disponível em: www.atheists-for-Jesus.com/about.htm. Acesso em: 10 jan. 2000.

[2]*Why I believe*, Dallas: Word, 1980, p. 118, 121.

bebidas alcoólicas e a afabilidade de um antigo conselheiro municipal de Chicago.

Olson era um jurista sem destaque, mas parecia ser consciencioso. Gostava em especial de ver o seu nome estampado no jornal, de modo que amiúde me passava histórias quando eu era repórter do *Chicago Tribune* no Edifício dos Fóruns Criminais, na Zona Oeste de Chicago.

No final do dia, freqüentemente matávamos o tempo no seu gabinete e contávamos piadas. Vez por outra, dávamos boas risadas enquanto bebíamos no Jean's, um bar muito freqüentado das proximidades, onde costumava entreter as pessoas com histórias sobre como pagou os seus estudos de direito trabalhando como baterista de uma banda de polca. Extrovertido, inveterado, não suportava ficar sozinho.

Certa vez telefonou para a sala da imprensa e me convidou para um casamento. Subi ao seu gabinete e encontrei um Olson jovial oficiando o casamento improvisado de um arrombador algemado — a quem acabara de condenar a três anos de prisão — e sua namorada visivelmente grávida. Olson designoume de pronto como padrinho.

— Lamento — disse, sorrindo, enquanto os guardas levavam o noivo após a cerimônia que durou não mais de dois minutos. — Não haverá lua-de-mel.

Como juiz da área de narcóticos, tratava de casos criminais de rotina. Olson não estava em situação que lhe permitisse abrir novos caminhos na esfera judicial. Pelo menos, não deliberadamente. Contudo, no fim de semana do feriado de Ação de Graças de 1980, Olson sem querer envolveu-se em um incidente sem precedentes na jurisprudência americana.

Depois que Olson deixou o tribunal em seu automóvel, antecipando um acalentado feriado de quatro dias, uma equipe de agentes do FBI entrou secretamente em seu gabinete às escuras e colocou um aparelho de escuta, ação aprovada pelo judiciário. Esse fato marcou a primeira vez na história dos Estados Unidos em que investigadores federais colocaram uma escuta no gabinete de um juiz em exercício — honra que Olson, caso tivesse sabido, teria tido prazer em transferir a outra pessoa.

Terrence Hake, o promotor designado para trabalhar no tribunal de Olson, era na realidade um agente secreto que participava de uma investigação clandestina do governo denominada "Operação Greylord". Depois que Olson retornou do feriado, sempre que alguém sob vigilância entrava no seu gabinete, Hake utilizava um transmissor oculto para enviar mensagem codificada a um agente do FBI que estava em um carro estacionado em frente ao prédio. O agente dava o sinal para que outro investigador acionasse a escuta, de modo que pudessem ouvir o que transpirava atrás das portas.[3]

Ao todo, mais de 250 horas de diálogos foram gravadas secretamente — e confirmaram as suspeitas do governo de que o juiz estava levando uma vida dupla. O simpático e tranqüilo Olson — líder de popularidade no fórum distrital — revelou ser um extorsionário totalmente corrupto que cinicamente vendia a justiça para o maior licitante.

A atitude de Olson ficou registrada para sempre nas gravações recebendo propina de advogados, pervertendo a justiça continuadamente. A certa altura, foi ouvido dizendo: "Eu adoro pessoas que recebem grana, porque sabe-se exatamente onde está pisando".[4] De fato, poucos dias depois que a escuta foi instalada, os agentes ouviram espantados quando Olson descaradamente acertou com um advogado corrupto um processo que envolvia narcóticos:

> Olson: — Eu sou um colecionador de moedas.
> Advogado: — Duas [duzentos dólares] são suficientes, juiz? Eu liberei setecentos e sessenta e cinco [dólares] para hoje.
> Olson: — Bem, eu fiz um negócio com outra pessoa, mas

[3]Court hears how FBI agents bugged judge, de Maurice Possley, publicado em *The Chicago Tribune*, 26/4/1985.

[4]Judge liked "people who take dough", Greylord file shows, de Maurice Possley, publicado em *The Chicago Tribune*, 27/4/1985.

> prefiro entregá-lo a você; você faria um melhor trabalho.
> Advogado: — Eu lhe dou uma dupla [duzentos dólares]. Se não for suficiente, simplesmente me diga. Seja qual for o negócio...
> Olson: — Gosto de sujeito que me dá a metade do... que recebe... Só que em determinados dias eu não recebo nada. É uma pena que um indivíduo venha até aqui e não tenha nada.[5]

Eu já havia deixado o *Tribune* para ser editor de outro jornal quando a notícia estarrecedora foi divulgada: Olson havia sido indiciado em 55 acusações de suborno, concussão e extorsão. Sacudi a cabeça. Ele havia enganado a mim, aos seus colegas e ao público por tantos anos. Sentia-me traído e indignado com a incrível violação das leis que havia jurado cumprir. Foi uma terrível reviravolta — o juiz que outrora havia decidido regiamente sobre o destino de outras pessoas agora se via condenado a doze anos de reclusão em uma penitenciária federal.

Não foi sozinho para a prisão. Dezenas de juízes e advogados desonestos também foram apanhados pelas redes da Operação Greylord, a mais bem-sucedida investigação secreta da história dos tribunais do Condado de Cook — uma investigação que levantou questões relevantes, por analogia, para o cristianismo.

Corrupto até a alma?

Uma das questões que vieram à tona por meio da Operação Greylord foi a seguinte: quando a história de Chicago for escrita, os crimes de Wayne Olson e de outros funcionários corruptos da justiça serão vistos como anormalidades dentro de um sistema judicial honesto em outros aspectos? Em outras palavras, o aparato da justiça criminal é essencialmente íntegro e

[5]Records charge deals by judge; "We can make $1,000 a week", Olson quoted, de Maurice Possley, publicado em *The Chicago Tribune*, 21/2/1985.

imparcial, exceto quanto a essas raras manchas ocorridas quando um juiz desonesto tenta se enriquecer?

Ou será que Olson e seus comparsas são sintomáticos de uma corrupção generalizada e sistemática que corroeu o próprio DNA da justiça no Condado de Cook? Estaria o sistema de tribunais comprometido até a alma pela extorsão e pelo favoritismo, de modo que o caso de Olson foi na realidade uma janela a exibir os "negócios de praxe" do judiciário local?

As mesmas perguntas poderiam essencialmente ser feitas com relação ao cristianismo. Os cristãos tendem a considerar os exemplos de abuso e violência eclesiástica ao longo dos séculos como anomalias em uma instituição que é positiva em outros aspectos. Todavia, os críticos estão mais inclinados a representações negativas como as Cruzadas, a Inquisição e os julgamentos das feiticeiras de Salem como ilustrativas de um problema mais profundo: que o próprio cristianismo está manchado até o âmago pelo desejo irrefreável de poder no sentido de impor a sua vontade a outrem — mesmo que seja por meio da violência e da exploração, se necessário. Um dos ateus mais famosos da história moderna, Bertrand Russell, disse que isso era inevitável:

> Supondo-se que a verdade absoluta está contida nas afirmações de certo homem, surge imediatamente um corpo de especialistas para interpretá-las, e esses especialistas infalivelmente adquirem poder, uma vez que possuem a chave da verdade. Como qualquer outra casta privilegiada, eles utilizam o poder em benefício próprio [...] Tornam-se necessariamente opositores de todo progresso intelectual e moral.[6]

As atrocidades cometidas em nome de Jesus certamente têm sido um pára-raios para os opositores da fé. O físico Steven Weinberg, um ganhador do Prêmio Nobel, disse o seguinte: "Com ou sem religião, existiriam pessoas boas

[6]*Porque não sou cristão e outros ensaios sobre religião e assuntos correlatos,* São Paulo: Exposição do livro, 1960, p. 22.

fazendo coisas boas e pessoas más fazendo coisas más. Porém, para que pessoas boas façam coisas más, é preciso a religião."[7]

Os abusos cometidos pela igreja foram um dos fatores que levaram Ken Schei a tomar a iniciativa paradoxal de fundar uma organização chamada "Ateus para Jesus", que endossa o que denomina "a mensagem de amor e bondade" de Jesus, sem abraçá-lo como Deus ou a igreja como instituição.

O desprazer de Charles Templeton com relação a grande parte do que tem acontecido com a participação das igrejas ficou evidente na conversa que tivemos, bem como em seus textos. Embora reconheça que a religião organizada tem feito "um bem incomensurável", cobrou por "raramente ter mostrado o que possui de melhor. Com muita freqüência ela tem tido uma influência negativa [...] Ao longo dos séculos e em todos os continentes, os cristãos — os seguidores do Príncipe da Paz — têm sido causa de conflitos e neles têm se envolvido".[8] Por exemplo, ele comparou a igreja da Idade Média a "uma organização terrorista."[9]

Seria tal avaliação sustentada por dados históricos? Os cristãos têm como se defender da brutal carnificina das Cruzadas ou das cruéis torturas da Inquisição? Esses exemplos de violência e exploração em seu benefício representariam um padrão consistente de comportamento que deveria, por justa razão, levar os que aspiram à vida espiritual a se manter longe da religião organizada?

Estas perguntas são perturbadoras, mas felizmente não tive de viajar muito para obter algumas respostas. Um dos principais historiadores do cristianismo residia a menos de uma hora de minha casa quando vivia em um subúrbio de Chicago.

[7]Why are we here: the great debate, *International Herald Tribune*, 26/4/1999.

[8]*Farewell to God*, 127, p. 129.

[9]Ibid., p. 154.

Sétima entrevista: John D. Woodbrige, PH.D.

Depois de obter o mestrado em história da Universidade Estadual de Michigan, Woodbridge, que é bilíngüe, obteve o doutorado na Universidade de Toulouse, na França. Recebeu a bolsa Fulbright Fellowship e subvenções do Fundo Nacional para as Humanidades e do Conselho Americano de Sociedades Cultas. Tem lecionado em diversas universidades seculares, incluindo-se a divisão de religião da Escala de Altos Estudos, Sorbonne, Paris. Atualmente, é professor-pesquisador de história da igreja na Trinity Evangelical Divinity School, em Deerfield, Illinois.

Entre os numerosos livros de Woodbridge relacionados com história constam obras técnicas como *Revolt in pre-revolutionary France: the prince de Conti's conspiracy against Louis* XV, *1755-1757* [*Revolta na França pré-revolucionária: a conspiração do príncipe de Conti contra Luís* XV], publicada pela editora da Universidade Johns Hopkins, e obras mais populares como *Great leaders of the Christian Church* [*Grandes líderes da igreja cristã*], *More than vonquerors* [*Mais que vencedores*] e *Ambassadors for Christ* [*Embaixadores de Cristo*]. Escreveu também livros sobre teologia e estudos bíblicos, tais como *Hermeneutics, authority and canon* [*Hermenêutica, autoridade e cânon*] e *Scripture and truth* [*A Escritura e a verdade*], ambos escritos em conjunto com D. A. Carson, e *Biblical authority* [*Autoridade bíblica*]. Além disso, trabalhou por dois anos como editor-chefe da revista *Christianity Today*.

Woodbridge é membro de várias sociedades históricas importantes dos Estados Unidos e da França, como a Associação Histórica Católica Americana, a Sociedade Americana de História da Igreja, a Sociedade Americana de Estudos do século XVIII, a Sociedade Francesa do século XII e a Sociedade de História Moderna e Contemporânea.

Quando me encontrei com Woodbridge em sua casa estilo colonial/holandês decorada tipicamente, experimentei a sensação de estar vendo alguém conhecido. Só depois percebi que ele tem uma misteriosa semelhança com o ator Peter Boyle. Esse homem de 59 anos, parcialmente calvo e pais de três filhos, usava um suéter branco tipo rede de pescador sobre uma camisa azul. Nós nos sentamos frente a frente junto à sua mesa de jantar, coberta de papéis com anotações para um livro que estava escrevendo em seu período sabático.

Não havia jeito de entrar de leve na nossa conversa. Não com este tema. Embora a nossa entrevista tenha ocorrido poucos meses antes de o papa João Paulo II ter feito a histórica confissão pública pedindo perdão a Deus pelos pecados cometidos ou tolerados pela Igreja Católica Romana durante seus dois milênios de existência,[10] eu peguei um recorte de jornal em que se noticiava um reconhecimento anterior de culpa por parte do papa e apontei para a matéria ao lançar o meu primeiro desafio.

Confessando os pecados da igreja

— Já em 1994 — comecei, — o papa João Paulo II conclamou a igreja a reconhecer "o lado escuro da sua história", dizendo: "Como ficar calado diante das muitas formas de violência perpetradas em nome da fé — guerras religiosas, tribunais da Inquisição e outras formas de violação dos direitos das pessoas?".[11] Não é verdade que a igreja ao longo dos séculos escondeu intencionalmente esses exemplos de abuso?

Enquanto ouvia, Woodbridge apoiava os cotovelos na mesa, as mãos entrelaçadas à frente. Ele analisou a minha pergunta por alguns momentos antes de responder.

— Acho que a declaração do papa é corajosa — afirmou, — porque é o reconhecimento de que a Igreja Católica Romana mascarou alguns atos que foram feitos em nome de Cristo e que obviamente dão munição aos críticos do cristianismo

[10]V. Pope apologizes for catholic sins past and present, de Richard Boudreaux, publicado em *The Los Angeles Times*, 13/3/2000.

[11]Papal state: despite his recent ills, pope John Paul II is focused on the future, de Peggy Polk, publicado em *The Chicago Tribune*, 5/6/1995.

em geral. No entanto, eu acrescentaria de pronto que devemos ter cuidado ao usar a expressão "a igreja", porque isso dá a impressão que há apenas uma instituição representativa do cristianismo. Traçaria uma nítida linha demarcatória entre pessoas que são parte da "igreja" — ovelhas que ouvem a voz do pastor e querem ser cristãos verdadeiros — e as igrejas institucionais — disse, enfatizando o plural dessas últimas palavras. — Ora, é evidente — acrescentou, — existem muitíssimos cristãos verdadeiros que estão nas igrejas organizadas, mas só porque uma pessoa é parte de uma igreja não significa que, necessariamente, seja um seguidor de Jesus. Alguns são cristãos *nominais*, mas não cristãos *autênticos*.

Apertei os olhos demonstrando ceticismo.

— Isso não é um pouco de revisionismo do século XX? — perguntei. — Esse argumento torna bastante fácil olhar para trás e dizer que todas as atrocidades cometidas em nome do cristianismo foram na realidade perpetradas por quem que dizia ser cristão, mas não era realmente. Isso parece uma válvula de escape muito cômoda.

— Oh, não, essa distinção não é nova — insistiu. — Na verdade, remonta ao próprio Jesus. Apanhou a Bíblia, que estava escondida atrás de papéis dispersos, e leu as palavras de Jesus no evangelho de Mateus:

> Nem todo aquele que me diz: "Senhor, Senhor", entrará no Reino dos céus, mas aquele que faz a vontade de meu Pai que está nos céus. Muitos me dirão naquele dia: "Senhor, Senhor, não profetizamos em teu nome? Em teu nome não expulsamos demônios e não realizamos muitos milagres?' Então eu lhes direi claramente: Nunca os conheci. Afastem-se de mim vocês, que praticam o mal![12]

Erguendo os olhos, Woodbridge explicou:

— Jesus falou dessa distinção há dois milênios. E certamente muita coisa foi feita ao longo dos séculos em nome do

[12]Mateus 7.21-23.

cristianismo que não reflete seus ensinamentos. Por exemplo, Adolph Hitler tentou dar uma coloração cristã ao seu movimento, mas ele não representava o que Jesus ensinou. Quando pediram ao teólogo Karl Barth para iniciar uma palestra na Alemanha exclamando "Heil Hitler", ele retrucou: "É bastante difícil dizer 'Heil Hitler' um pouco antes de fazer a exegese do Sermão da Monte!" Essas duas coisas simplesmente não combinam. Desse modo, se aceitarmos a distinção, poderemos analisar com maior precisão algumas coisas que têm sido atribuídas à fé cristã.

Permaneci em dúvida.

— Portanto, o senhor está dizendo que se algo de mau foi cometido ao longo da história, não pode ter sido praticado por cristãos autênticos?

— Não, não, eu não estou sugerindo isso — Woodbridge respondeu. — A Bíblia deixa claro que, devido à nossa natureza pecaminosa, continuamos a praticar atos que como cristãos não deveríamos cometer. Nós não somos perfeitos neste mundo e infelizmente algumas das más ações cometidas na história certamente podem ter sido cometidas por cristãos. Quando isso aconteceu, agiram de modo contrário aos ensinamentos de Jesus. Ao mesmo tempo, devemos reconhecer que com freqüência havia vozes minoritárias que falaram contra os abusos que certas igrejas institucionais perpetraram. Por exemplo, acabei de ler esta manhã que, durante a colonização espanhola da América Latina, alguns católicos romanos ficaram horrorizados pela maneira como os povos nativos estavam sendo explorados com fins econômicos em nome de Cristo. Eles disseram: "Não, vocês não podem fazer isso!" Esses cristãos estavam dispostos a clamar contra os abusos dos representantes do Estado ou da igreja.

— Voltemos à declaração do papa — insisti. — É apropriado a esta altura da história ficar confessando os pecados passados da igreja?

— Sim, é inteiramente apropriado admitir que algumas coisas que os cristãos fizeram são realmente pecados. A Bíblia nos diz que devemos confessar os nossos pecados. A confissão deve ser uma das marcas dos cristãos — a disposição de admitir erros, buscar o perdão e esforçar-nos para mudar as nossas ações no futuro. Na realidade, não é só o papa que está fazendo isso. Na Convenção Batista do Sul houve uma iniciativa recente no sentido de reconhecer que os antigos batistas do sul erraram gravemente no que concerne à escravidão, e há poucos anos um grupo luterano canadense pediu desculpas aos judeus pelo anti-semitismo dos escritos de Martinho Lutero.

— Como historiador, o senhor pode perceber por que os céticos utilizam os abusos históricos da igreja como argumento contra o cristianismo ou como um meio de atacar a fé?

— Oh, sim, eu posso entender isso — replicou. — Infelizmente, certos incidentes da história provocaram cinismo em algumas pessoas com relação ao cristianismo. Ao mesmo tempo, existe um certo número de estereótipos enganosos acerca do que os cristãos fizeram e não fizeram. Alguns críticos têm atacado o cristianismo nominal, deixando de compreender que não se trata de um cristianismo autêntico. Esse tem sido um de nossos problemas há séculos. Voltaire foi um importante crítico do cristianismo; no entanto, quando foi para a Inglaterra, deparou-se com alguns cristãos quacres e presbiterianos e ficou muito impressionado com a fé deles. Assim, pode haver uma forma institucional de cristianismo que às vezes repele as pessoas, ao passo que expressões autênticas de fé podem ser bastante atraentes quando não-cristãos se encontram com elas. Com esse pano de fundo, decidi retornar ao surgimento do cristianismo e então avançar através da história, destacando alguns dos episódios mais perturbadores atribuídos à fé.

Por que o cristianismo se propagou

Há muito tempo os historiadores têm-se maravilhado — e teorizado a respeito — com a incrível velocidade com que o cristianismo se difundiu em todo o império romano apesar de brutais perseguições. Pedi que Woodbridge avaliasse os comentários feitos por Patrick Glynn, um ateu que se tornou cristão:

> Parte da razão da rápida difusão do cristianismo, como os historiadores têm observado, foi simplesmente o fato de que os primeiros cristãos eram pessoas formidáveis. A própria bondade dos cristãos e a sua assistência aos pobres e oprimidos atraiu novos adeptos. "Os cristãos impressionaram os antigos com a sua caridade", como disse um historiador.[13]

Woodbridge acenou com a cabeça, concordando.

— Sim, acho que a referência feita por Glynn à rápida difusão do cristianismo é correta — assentiu. — Tertuliano escreveu no final do segundo século: "Nós começamos apenas ontem e já enchemos as cidades, a ilha, seu palácio, senado e fórum; somente lhes deixamos os seus templos". Assim, em 150 anos o cristianismo se difundiu de maneira muitíssimo rápida. Uma explicação para o seu rápido crescimento, como Glynn indicou, é o fato de que muitos cristãos não cuidavam somente dos seus, mas dos seus vizinhos, dos pobres, das viúvas, dos aflitos, e eram essencialmente muito amorosos. Demonstravam compaixão pelas crianças, que muitas vezes eram tratadas de modo muito insensível ao nascer pelos romanos e gregos, especialmente os bebês do sexo feminino. O estilo de vida dos cristãos se harmonizava com os seus ensinamentos, de sorte que muitos dos primeiros cristãos não tinham medo de dizer: "Imitem-nos como nós imitamos a Cristo".

Após a explicação, Woodbrige acrescentou constrangido:

— Infelizmente, na evangelização contemporânea às vezes as pessoas dizem: "Não olhem para nós, olhem para Cristo", porque estão preocupados com o que as pessoas vão encontrar se a nossa vida for investigada. Isso não acontecia com muitos dos primeiros cristãos — havia consistência entre as suas convicções e o seu comportamento.

[13]*God: the evidence*, p. 157.

Woodbridge apanhou um pedaço de papel.

— Nós também podemos entender melhor a razão pela qual o cristianismo cresceu de maneira tão rápida se levarmos em conta alguns antigos não-cristãos — disse para em seguida ler em voz alta as observações de Luciano, um satírico grego e crítico do cristianismo que viveu no século II:

> Essas criaturas mal-orientadas começam com a convicção geral de que são imortais para sempre, o que explica o desprezo pela morte e a consagração voluntária, que são tão comuns entre eles; também foi inculcado neles por seu legislador original que são todos irmãos, desde o momento em que se convertem e negam os deuses da Grécia, adoram o sábio crucificado e vivem segundo as suas leis. Tudo isso eles aceitam pela fé, tendo como resultado o desdém pelos bens mundanos, considerando-os meramente como propriedade comum.[14]

Luciano confirma que os cristãos tratavam-se como irmãos e compartilhavam livremente entre si as suas posses. Acrescente-se outro importante fator: os cristãos acreditavam que morrer é estar com Cristo. Justino Mártir diz na *Primeira apologia* [2]: "Vós podeis matar-nos, mas não condenar-nos".[15] Quase todos nós pensamos que matar é um dano enorme, mas do ponto de vista deles morrer não importava muito. Como Paulo disse: "Para mim o viver é Cristo e o morrer é ganho".[16] Quando levamos em consideração a destemida dedicação dos primeiros cristãos à sua fé, a disposição de dar testemunho da verdade de Cristo por meio do próprio martírio, estilo de vida humilde e compassivo, cuidado de uns para com os outros e dos elementos desamparados, aflitos e marginalizados da comunidade, o compromisso com a oração e o poder concedido

[14]*The works of Lucian of Samosata*, Oxford: The Clarendon Press, 1949, vol. 4, p. 11-3.

[15]*Justino de Roma*: I e II apologias; *Diálogo com Trifão*, São Paulo: Paulus, 1995 (Patrística vol. 3).

[16]Filipenses 1.21.

pelo Espírito Santo, começamos a entender porque a fé se difundiu tão celeremente.

— Em última análise — perguntei, — foi bom ou mau para o cristianismo ser adotado como a religião oficial dos romanos?

— Por um lado, foi ótimo assistir ao fim das perseguições. Isto foi uma coisa boa — disse Woodbridge sorrindo. — Mas à medida que a igreja foi ficando estreitamente relacionada com o Estado, começou a usar O estado como instrumento de perseguição, e isso se tornou algo muito ruim. Ademais, o mundanismo invadiu a igreja.

— Como assim? — indaguei.

— Correu o rumor de que Constantino teria prometido que, se alguém se tornasse cristão, ganharia uma bela túnica e algumas peças de ouro. Bem, esses não são motivos muito bons para se tornar cristão. Permitiu que se abrisse amplamente a porta para pessoas que podem ter professado a fé cristã, mas que não abraçaram de fato a Jesus.

— Em outras palavras, cristãos nominais ao invés de seguidores autênticos de Jesus?

— Exatamente — redargüiu.

Estabelecidos os fundamentos sobre o cristianismo antigo, virei a página na minha lista de perguntas e comecei a me concentrar nas cinco grandes manchas da história cristã que mais me inquietaram quando eu era um cético — as Cruzadas, a Inquisição, os julgamentos das feiticeiras de Salem, a exploração praticada por missionários e o antissemitismo. Sem dúvida, tratava-se de uma arenga repulsiva e profana.

Pecado n.° 1: As Cruzadas

— Vamos em frente — propus a Woodbridge. — Os cruzados cristãos durante dois séculos tentaram expulsar os muçulmanos da Terra Santa.

Abri um livro de história e o folheei até achar a citação correta. — Um relato horripilante descreveu da seguinte maneira a entrada dos cruzados em Jerusalém na Primeira Cruzada — iniciei, lendo para Woodbridge a seguinte descrição de uma testemunha ocular:

> Alguns de nossos homens [...] cortaram a cabeça dos seus inimigos; outros os traspassaram com flechas, vendo-os caírem das torres; outros os torturaram por mais tempo lançando-os às chamas... Para encontrar o caminho, fazia-se necessário desviar cuidadosamente dos corpos de homens e cavalos. Mas esses fatos eram triviais comparados com o que aconteceu no Templo de Salomão (onde) [...] os homens cavalgaram com sangue pelos joelhos, chegando a atingir as rédeas . Certamente foi um justo e esplêndido juízo de Deus que esse lugar ficasse cheio do sangue dos incrédulos, uma vez que sofrera tanto devido às suas blasfêmias.[17]

Batendo o livro ruidosamente e demonstrando repulsa, olhei para Woodbridge e perguntei com voz carregada de sarcasmo:

— O senhor concorda que as Cruzadas foram "justas e esplêndidas?"

Woodbridge franziu os lábios.

— Esse tipo de carnificina é repugnante e abominável — interveio e com firmeza. Isso aconteceu? Sim, aconteceu. É algo doloroso de contemplar? Sim, é. Não vou tentar desculpar ou racionalizar estes episódios. Entretanto, sua pergunta — se as Cruzadas foram justas ou não — exige resposta dupla, e julgo que seria melhor expô-las em um contexto um pouco mais amplo.

Recostei-me na poltrona.

— Continue — pedi.

— O papa Urbano II lançou a primeira cruzada em 1095, quando pregou um sermão muito famoso e as multidões responderam exclamando "Deus quer que isto aconteça!" — começou Woodbridge. — As Cruzadas continuaram até a perda

[17]Bruce L. Shelley, *Church history in plain language*, Dallas, Texas: Word, 1995, 2.ª edição atualizada, p. 189.

da última cidadela cristã na Terra Santa, em 1291, quando uma cidade chamada Acre foi retomada pelos muçulmanos. Jerusalém já havia voltado às mãos dos muçulmanos em 1187. O papa convocou barões e outros indivíduos para marchar à Terra Santa e recuperá-la dos muçulmanos que a ocupavam e eram considerados inimigos de Cristo. Assim, se nos colocarmos no lugar dos antigos cruzados, podemos perceber que eles achavam estar fazendo algo grandioso por Cristo. Porém, quando se estuda os detalhes do que realmente aconteceu, fica-se profundamente perturbado. De fato, na Quarta Cruzada, os participantes nem chegaram a ir à Terra Santa. Foram até Constantinopla, tomaram-na e ali estabeleceram o seu reino. Seguiu-se tremenda carnificina. "Cristãos" ocidentais mataram cristãos orientais. Além da violência, outro grande problema foi a motivação de alguns participantes. Em 1215, o papa Inocêncio III chegou a instruir as pessoas a que, se participassem das Cruzadas, poderiam com isto alcançar a salvação. E se mandassem alguém para lutar no seu lugar, também ganharia a salvação. Esse conselho foi uma evidente distorção do verdadeiro cristianismo. Escarnece os ensinamentos da Bíblia e de modo algum pode harmonizar-se com as convicções cristãs históricas. As motivações dos cruzados se tornam mais difíceis de avaliar depois que os muçulmanos retomaram Jerusalém. As últimas Cruzadas envolveram cristãos que foram para a Terra Santa na tentativa de salvar outros cristãos em situação deses-peradora. De modo geral, no entanto, é correto dizer que, apesar das intenções, a avareza e mortandade gerais associadas às Cruzadas, criaram uma feia mancha na reputação da fé cristã. E essa avaliação não parte apenas de uma perspectiva liberal do século XXI. No início do século XIII, muitos cristãos diziam a mesma coisa. Uma das razões pelas quais o ideal das Cruzadas se desintegrou foram as suas imensas distorções. Nos séculos posteriores, alguns papas tentaram lançar cruzadas, mas não conseguiram obter apoio político e popular. A grande discrepância entre o cristianismo autêntico e os relatos das cruzadas contribuíram para essa perda de interesse ou entusiasmo por novas cruzadas. Isso nos leva de volta à distinção entre as coisas feitas em nome de Cristo e as que realmente representam os ensinamentos de Jesus. Quando se tenta misturar os ensinamentos de Jesus com a mortandade das Cruzadas — bem, não há como eles possam ser harmonizados.

Perguntei:

— O que o senhor diria a um não-cristão cuja opinião é que as Cruzadas simplesmente demonstram que os cristãos querem oprimir os outros e são tão violentos como quaisquer outras pessoas?

Woodbridge ponderou por instantes antes de responder.

— Eu diria que existe algo de verdade nessa afirmação no que diz respeito às Cruzadas — explicou. — Existem pessoas que praticaram atos em nome de Cristo que jamais deveriam ter feito. Eu observaria que nem tudo o que é feito em nome de Cristo deve realmente ser atribuído ao cristianismo. Porém, tentaria não fugir da realidade de coisas terríveis que ocorreram durante as Cruzadas. Precisam ser denunciadas como algo totalmente contrário aos ensinamentos daquele a quem os cruzados supostamente estavam seguindo. É importante lembrar que os ensinos de Jesus não são os culpados; são as ações dos que, por quaisquer razões, afastaram-se enormemente do que ele ensinou tão claramente: devemos amar os nossos inimigos. A teoria da 'guerra justa' deve interagir com este princípio. Ninguém falou com mais franqueza contra a hipocrisia e a crueldade do que Jesus. Conseqüentemente, se os críticos acreditam que certos aspectos das Cruzadas devem ser denunciados como hipócritas e violentos — bem, eles teriam um aliado em Cristo. Estariam concordando com ele.

Pecado n.° 2: A Inquisição

A Inquisição começou em 1163 quando o papa Alexandre III instruiu os bispos a buscar provas de heresia e a tomar medidas contra os hereges. O que se seguiu foi uma campanha de terror, procedimentos judiciais secretos, inquisidores investidos da autoridade suprema e uma completa ausência do necessário processo legal, em que os acusados não sabiam o nome dos seus acusadores, não havia advogados de defesa e utilizava-se a tortura para obter confissões. Os que se recusavam ao arrependimento eram entregues ao governo para serem queimados na fogueira.

— O que desencadeou a Inquisição? — perguntei. — E, o mais importante, como foi que cristãos autênticos puderam participar de tamanhas atrocidades?

— As raízes da Inquisição remontam à profunda preocupação do papado com o problema da heresia, especialmente no sul da França entre os albigenses — explicou Woodbridge. — Na verdade, não há dúvida que os albigenses eram proponentes de ensinamentos e práticas heréticos. Os meios tradicionais de persuasão — por exemplo, o envio de missionários — não funcionaram. A Inquisição foi uma abordagem ou tática alternativa para tentar impedir a difusão dessa heresia. E também havia a influência de fatores políticos — os franceses do norte estavam procurando uma desculpa para intervir nas províncias do sul.

— Foi essa a primeira fase da Inquisição? — perguntei.

— Sim, foi — respondeu. — Basicamente, houve três ondas de inquisições. Primeiro, a que acabei de mencionar. A segunda começou em 1472, quando Isabel e Fernando ajudaram a criar a Inquisição Espanhola, que também tinha por trás a autoridade do papa.[18] A terceira onda começou em 1542, quando o papa Paulo III dispôs-se a caçar os protestantes, especialmente os calvinistas.

[18]"À medida que se aproximava o terceiro milênio, sacerdotes e freiras espanhóis pediram perdão publicamente por 'aqueles obreiros religiosos que trabalharam estreitamente com a Inquisição e os monges que foram soldados'." V. Catholic clerics apologize for past cruelties, *The Chicago Tribune*, 4/11/1999.

— Assim — emendei, — temos católicos que se denominam cristãos perseguindo protestantes que se denominam cristãos.

— Isto mostra mais uma vez que não se pode realmente falar em "uma igreja" — respondeu. — E as coisas ficam mais complicadas porque as pessoas à época muitas vezes identificavam heresia com sedição política. Se uma pessoa fosse considerada herege, também era considerada politicamente rebelde. Por exemplo, no julgamento de Miguel de Serveto, foi o Estado que finalmente o executou. Uma das acusações foi que ele era um herege. Qual seria possivelmente o grande temor do Estado? O de que ele também fosse politicamente rebelde. A religião e a política estavam estreitamente unidas.

— Seria possível que alguns cristãos autênticos tenham sido na verdade vítimas da Inquisição? Normalmente pensamos em cristãos como os que perpetraram o terror e ficamos a imaginar como é que cristãos verdadeiros podiam torturar alguém. Porém, não poderia ocorrer que os cristãos verdadeiros fossem realmente os que estavam sendo mortos?

— Sim, é muito possível — concordou. — Nós não conhecemos a identidade de todos os que morreram, mas é provável que muitos deles sustentassem a fé verdadeira. Certamente existem evidências de que a Igreja Católica perdeu o rumo ao lançar essas inquisições. Por vezes os protestantes também utilizaram táticas impróprias para suprimir as heresias.

— A Inquisição foi uma anomalia ou teria sido parte de um modelo mais amplo de abuso e opressão por parte das igrejas ao longo da história?

— Julgo que a Inquisição é uma tragédia da qual os cristãos não podem escapar. Porém, não acho que seja representativa da história das igrejas cristãs. É uma extrapolação muito grande dizer que esse tipo de atividade odiosa é parte de uma postura. Na maior parte da sua existência, muitas igrejas cristãs têm estado em posição minoritária e, portanto, sem condições de perseguir alguém. Na verdade, por falar em perseguição, milhões de cristãos têm sido vítimas de perseguições brutais ao longo do tempo, até o presente em alguns lugares. Aparentemente houve um maior número de mártires cristãos no século XX do que em qualquer outro século. Até o dia de hoje, cristãos estão sendo mortos em todo o mundo devido à fé. A Inquisição é certamente uma exceção na história da igreja, e não a regra.

As observações de Woodbridge me fizeram lembrar de uma coluna de revista que dizia os cristãos estavam do lado de quem sofre a perseguição, não do que a pratica. Embora a maior parte das pessoas pense no cristão médio de hoje como um morador dos Estados Unidos que vive longe de qualquer perigo para a sua fé, o jornalista David Neff restabeleceu a verdade dos fatos.

— O cristão típico — escreveu, — vive em um país em desenvolvimento, fala uma língua não-européia e está sob constante ameaça de perseguição — assassinato, encarceramento, tortura ou estupro.[19]

Pecado n.° 3: Os julgamentos das feiticeiras de Salem

Os julgamentos das feiticeiras de Salem[*] no final do século XVII são citados freqüentemente como um tipo de histeria cristã. Ao todo, dezenove pessoas foram enforcadas e outra foi morta por esmagamento por recusar-se a testemunhar.[20]

— Não é esse um outro exemplo de como as convicções cristãs podem resultar no pisoteamento dos direitos de outras pessoas? — perguntei.

— Sim, é um exemplo — se de fato o cristianismo verdadeiro está envolvido nesse episódio. Quando se desvendam os episódios que levaram aos julgamentos, descobre-se que

[*]Cidade do Estado de Massachusetts, nas proximidades de Boston. (N. do T.)

[19]David NEFF, Our extended, persecuted family, *Christianity Today*, 29/6/1996, p. 14.

[20]Mark A. NOLL, *A history of Christianity in the United States and Canada*, Grand Rapids: Eerdmans, 1992, p. 51.

existem muitos fatores que os precipitaram. Existem questões referentes a pessoas que tramaram para tomar terras de outros; existem questões referentes a histeria; existem questões de crença em aparições astrais, pelas quais as pessoas testemunhavam que alguém fez alguma coisa ainda que se encontrasse em outro lugar. Quando se estuda o contexto legal dos julgamentos, existem variáveis que levam a questões não relacionadas com o cristianismo.

— O senhor está dizendo que as igrejas eram inocentes?

— Pode não ser uma total excusa da influência do cristianismo nos julgamentos, contudo os historiadores que trabalham com questões dessa natureza sabem que não se deve procurar uma única causa para explicar tais acontecimentos. A vida é mais complexa do que simplesmente dizer que "o cristianismo" foi o culpado. Embora houvesse julgamentos de feiticeiras na Europa, isso foi uma aberração e não parte de um modelo mais amplo nas colônias. É preciso questionar o equilíbrio psicológico de algumas das pessoas envolvidas nos julgamentos de feiticeiras e levar em conta os relatos falsos de certos acontecimentos. De novo, temos de enfatizar que os julgamentos das feiticeiras de Salem constituíram um terrível episódio. Não estou tentando minimizar sua gravidade. Mas os historiadores reconhecem que o enredo é muito mais complexo do que simplesmente culpar as igrejas.

— Uma das pressuposições da época era que existiam feiticeiras — observei. — E quanto ao senhor? Acredita que existem feiticeiras?

Sim crcio que elas existem — replicou. — Na realidade, há alguns anos estava assistindo à televisão francesa quando Robert Mandrou, um historiador muito conceituado, opinou que, quando as pessoas se tornam esclarecidas, não mais acreditam em feiticeiras. Neste momento uma mulher telefonou para dizer: "Sr. Mandrou, estou muito impressionada com tudo o que o senhor disse, mas só quero lhe dizer que eu sou uma feiticeira". Na realidade, a feitiçaria é praticada na França, nos Estados Unidos e em outros lugares. Quando se trata dos julgamentos de Salem, parte do problema é a suposição que tudo foi uma farsa, que não existem coisas como feiticeiras e feitiçaria. A realidade é que elas existem; até mesmo não-cristãos o reconhecem. Isso justificaria o que aconteceu em Salem? Não, evidentemente não. Mas quando se analisam as complexidades, não se pode simplesmente considerar a situação como um exemplo de cristianismo desvairado. A vida — e a história — não são tão simples assim.

— O que pôs fim aos julgamentos? — perguntei.

— Não se sabe ao certo — disse, — mas foi um cristão que desempenhou o papel principal. Um líder puritano chamado Increase Mather clamou vigorosamente contra o que estava acontecendo e esse foi o princípio do fim. Ironicamente, foi uma voz cristã que silenciou a loucura.

Pecado n.° 4: Exploração por parte de missionários

Os missionários chegam sem ser convidados. Apesar das nobres intenções, desconhecem o lugar em que para onde irão e mostram-se indiferentes aos sentimentos e valores das pessoas que pretensamente querem ajudar. Intrometem-se em coisas que não lhes dizem respeito. Pressupõem que a espiritualidade tradicional dos nativos é deficiente e mesmo demoníaca. Subornam ou coagem as pessoas a abandonar os costumes tradicionais, até que, no processo de tentar "salvar" as pessoas, acabam por destruí-las.[21]

Li essa acusação para Woodbridge, perguntando-lhe:

— Ao longo da história, os missionários teriam contribuído para a ruína das culturas autóctones? Não acabaram explorando as próprias pessoas que afirmavam querer ajudar? Levando tudo em consideração, os missionários não causaram mais mal do que bem?

[21]Dale & Sandy LARSEN, *Sete mitos sobre o cristianismo,* São Paulo: Vida, 2000.

Essa questão falou de perto a Woodbridge, cuja família tem uma longa tradição de serviço missionário. Porém, pareceu não receber esse desafio em termos pessoais, respondendo com o equilíbrio e imparcialidade característicos.

— Deixe-me começar com o exemplo da incursão espanhola na América Latina, porque ilustra como essa questão pode se tornar complicada — observou.

Acenei com a cabeça concordando, e ele continuou.

— Houve exploração e abuso da população nativa daquela região? Sim, infelizmente houve. Mas teria sido conseqüência dos missionários? Bem, a história nos diz que o movimento missionário muitas vezes esteve associado à política econômica das potências coloniais conhecida por *mercantilismo*.

— O senhor poderia definir isso?

— O mercantilismo era a crença de que o país que possuísse mais ouro seria o mais poderoso. Considerava-se que o equilíbrio do poder político na Europa era determinado em parte pelo país que explorasse com êxito a América Latina e outras regiões. Em conseqüência, motivações mercantilistas infelizmente se mesclaram com certos empreendimentos missionários. Certamente é verdade que os espanhóis fizeram coisas horríveis na América Latina, porém grande parte do que aconteceu foi instigado por aventureiros e indivíduos mercantilistas, ao passo que muitos missionários fizeram coisas louváveis.

Woodbridge abriu um livro que estava por perto.

— Com efeito, o historiador Anthony Grafton, da Universidade de Princeton, fala sobre atos apreciáveis que os missionários praticaram — ressaltou, passando a ler um excerto do livro *New worlds, ancient text* [*Novos mundos, texto antigo*]:

> A Igreja Romana insistiu na condição de ser humano dos índios e um grande número de missionários começou a chegar — especialmente membros idealistas das ordens mendicantes desejosos de levar Cristo a entes conside-

rados simples e honestos do Novo Mundo. Edificaram igrejas e comunidades religiosas.[22]

— Ora, Grafton não é evangélico — continuou Woodbridge, — mas estudou cuidadosamente o movimento missionário e reconhece o bem imenso produzido pelos missionários. Infelizmente, os missionários como grupo são vistos como agentes do mercantilismo e muitas vezes culpados por algumas das coisas horríveis que os espanhóis cometeram na América Latina. — Como observei anteriormente, no século XVI debateu-se na Espanha se o que estava acontecendo na América Latina era cristão. Houve grandes defensores dos índios insistindo que eles não deviam ser explorados. A personagem central, Bartolomeu de las Casas, foi impelido à sua atitude reformadora após ler uma passagem do livro de Eclesiástico em uma versão bíblica católica romana que diz o seguinte: 'O pão do necessitado é a sua vida. Quem o priva do mesmo é um homem de sangue'.[23] Ele e outros católicos romanos se opuseram aos atos malévolos que ocorriam na América Latina.

Os comentários me fizeram lembrar de ter visto há alguns anos uma estátua defronte ao edifício das Nações Unidas, em Nova York. Agora passei a entender os antecedentes: Francisco de Vitória, o fundador do direito internacional, tinha sido um dos teólogos que haviam defendido a plena dignidade dos índios do Novo Mundo os quais tinham protestado destemidamente junto à corte espanhola contra a sua exploração.

— Embora seja certamente verdade que por vezes a "civilização cristã" tenha praticado atos apontados anteriormente por você, também houve milhares de atos de caridade que

[22]Cambridge, Massachusetts: Belknap Press, 1992, p. 132.

[23]*Eclesiástico* ou *Sirácida* não é considerado pelos protestantes Escritura divinamente inspirada; todavia parte do cânon aceito pelos católicos romanos e do ortodoxos orientais. Também é conhecido por "Sabedoria de Jesus, filho de Siraque", conforme o nome do autor, um estudioso que aparentemente escreveu esse livro entre 195 e 171 a.C.

honraram a Deus. A Igreja Católica teve uma notável história de socorro aos necessitados durante a Idade Média. Na Califórnia, suas missões ao longo do litoral deram assistência às pessoas. Quando se lêem os diários de muitos missionários protestantes que foram para outras terras, é muito difícil chegar à conclusão de que estavam conscientemente interessados em oprimir ou destruir todos os aspectos das culturas nativas.

Embora a resposta de Woodbridge fornecesse alguma clareza para a questão, eu queria pressioná-lo a dar uma resposta mais pessoal.

— Em sua família havia missionários — suscitei. — Qual foi a experiência deles?

— Bem, li o diário do meu avô, que foi um dos primeiros missionários protestantes na China. Certamente não tive a impressão de que ele tenha agido conforme você mencionou há pouco. Em vez disso, tinha o desejo ardente de que o povo chinês viesse a conhecer a Cristo e se preocupava muito com a pobreza daquele povo e com algumas de suas práticas muito prejudiciais para a condição de ser humano dos indivíduos. Respeitou certos aspectos da cultura e ocasionalmente usava um rabo-de-cavalo (no estilo local) para ser aceito. É preciso destacar que às vezes os críticos dos missionários defendem um idealismo quase do tipo de Rousseau, no sentido de que os povos nativos sempre foram felizes e viveram perfeitamente, e que não havia nenhum espiritismo demoníaco ou negativo em suas culturas. Porém, quando se lê os relatos de pessoas que viajaram para certas regiões, percebe-se que alguns desses povos nativos encontravam-se em terríveis circunstâncias físicas e espirituais, e que os missionários muito os ajudaram. Também li cartas escritas por minha mãe, que, solteira, trabalhou como missionária na África. Embrenhava-se na selva com sua motocicleta, visitando vila após vila. Trabalhou em uma colônia de leprosos, cuidando dos doentes. Pretendia mostrar-lhes o amor de Cristo, servi-los e vê-los curados. Trabalhou mesmo correndo grande risco pessoal devido à malária e outros perigos associados à vida na selva. Portanto pode ocorrer a transformação de uma cultura, mas com freqüência essa transformação produz algum bem. Quando os povos autóctones se tornam cristãos, experimentam o amor e a alegria de Cristo. Isso é algo maravilhoso. Quando outras motivações se insinuam na mente daqueles que buscam transformar uma cultura, tais como a busca de lucro econômico ou um senso distorcido de superioridade racial, é que ocorrem coisas terríveis.

— Talvez — observei, — alguns críticos dos missionários não vejam nenhum valor na mensagem cristã e, portanto, nenhum benefício para as pessoas que se tornam seguidoras de Jesus.

— Correto! — exclamou. — Muitas vezes é essa a pressuposição subjacente. Porém, se uma pessoa tem consciência que o evangelho é o poder de Deus para a salvação, então o benefício auferido pelas diferentes culturas que ouvem o evangelho é incalculável. Tenho um colega que é um importante teólogo africano. Ele tem lutado contra certos textos que dizem ser o cristianismo uma ideologia imperialista ocidental determinada a destruir as religiões africanas. Seu ponto de vista é bastante diferente. Percebe as maravilhosas contribuições que o cristianismo deu às sociedades africanas. Tem trazido esperança, tem trazido redenção, e incontáveis africanos estão muito gratos pelo evangelho. Ao mesmo tempo, ele não nega que às vezes os portadores da mensagem cristã não se comportaram à altura dos ensinamentos de Cristo em seu relacionamento com os africanos.

Pecado n.° 5: Anti-semitismo

Uma das manchas mais feias da história cristã tem sido o anti-semitismo — uma circunstância certamente irônica, uma vez que Jesus era judeu e afirmou ser o longamente esperado Messias de Israel e do mundo. Os seus discípulos eram judeus e foram judeus que escreveram todo o Novo Testamento, à exceção de Atos e do terceiro evangelho, que foram escritos pelo médico não judeu Lucas.

Em 1998, a Igreja Católica Romana pediu desculpas pelos "erros e falhas" de alguns católicos por não terem auxiliado os judeus durante o Holocausto, ao passo que o cardeal John O'Connor, de Nova York, expressou "profunda tristeza" devido ao anti-semitismo existente nas igrejas ao longo dos anos, dizendo: "Nós queremos sinceramente iniciar uma nova era."[24]

Woodbridge admitiu de pronto que, lamentavelmente, o anti-semitismo maculou a história cristã. A questão principal é por que isso afinal aconteceu.

— Um dos fatores foi o seguinte: a maioria dos judeus achava que Jesus não era o Messias. A recusa dos judeus em aceitá-lo muitas vezes os transformava, na mente de alguns cristãos, em inimigos de Cristo — afirmou. — Acrescente-se a isso o fato de que os judeus eram considerados os responsáveis pela crucificação de Jesus e você terá dois poderosos componentes do anti-semitismo "cristão".

Não foi o suficiente para mim.

— Tem de haver algo mais do que isso — insisti.

— Sim, acredito que há — respondeu. — Heiko Oberman, o conceituado historiador da Universidade do Arizona, tem tentado identificar alguns outros fatores. Por exemplo, quando se chega à Idade Média e à Reforma, havia um grande número de falsos rumores acerca dos judeus que lançavam mais lenha nas fogueiras anti-semitas.

— Que tipo de rumores?

— De que tinham se envolvido no envenenamento de poços na época da Peste Negra de 1348, que profanavam os sacramentos cristãos sempre que podiam, realizavam sacrifícios humanos secretamente, adulteravam as Escrituras cristãs, e assim por diante. Tenha em mente que essas acusações eram

[24]Cardinal's Yom Kippur letter seeks atonement for church anti-semitism, *The Chicago Tribune*, 21/9/1999.

falsas. No entanto, alimentavam sentimentos de ira e ressentimento.

Parece que isso não satisfez Woodbridge. Olhou para o lado como se estivesse buscando outra explicação e por fim voltou-se para mim revelando uma irrefutável frustração.

— Parece-me que isso não resolve a questão adequadamente — prosseguiu. — Seria de pensar — devo dizer, seria de se *esperar* — que os cristãos da Idade Média até os dias de Martinho Lutero tivessem percebido que os ensinamentos de Jesus os proibiam totalmente de fazer e dizer algumas das coisas que foram ditas e feitas em seu nome.

— O senhor mencionou Lutero — notei. — O anti-semitismo dele está bem documentado. De onde se originou?

— Obviamente, Lutero conhecia alguns dos rumores que circulavam a respeito dos judeus. Não obstante, no início da sua vida aparentemente foi um filo-semita — alguém que amava os judeus — e por causa desse amor esperava que haveria uma conversão em massa em que abraçariam a Jesus como o seu Messias. Como isto não aconteceu, à medida que Lutero se tornou mais irritadiço, disse algumas coisas terríveis sobre os judeus, com o correr dos anos.

A resposta me intrigou.

— Tinha a impressão que seu anti-semitismo foi um sentimento que durou toda a vida — insisti.

— Alguns estudiosos entendem que há uma continuidade nas suas idéias acerca do povo judeu durante toda a vida, mas eu argumentaria que as declarações de hostilidade mais violentas de Lutero surgem no final de sua existência. Talvez as tenha expressado devido a uma profunda frustração pelo fato de não terem seguido a Cristo. Algumas de suas afirmações são tão horrendas que é inteiramente apropriado que os luteranos as repudiem e que todos os cristãos as rejeitem totalmente. Os cristãos simplesmente não podem ser anti-semitas. Isso seria impensável para qualquer seguidor de Jesus. Hoje, em contrapartida, os cristãos evangélicos muitas vezes têm sido os maiores amigos de Israel. E a atitude geral que percebo atualmente em muitas igrejas em relação ao povo judeu é uma atitude de respeito.

— O que o senhor diria a um judeu que lhe confessasse jamais poder levar em consideração o cristianismo devido à sua história anti-semita?

Woodbridge acenou de leve com a cabeça.

— Já fui alvejado por essa pergunta antes — confirmou com tristeza na voz. — Estava lecionando em uma universidade secular e uma jovem estudante judia me interpelou: "Quero fazer um trabalho sobre Lutero. A minha avó me disse que ele odiava os judeus. Isso é verdade?" Respondi: "Provavelmente , mas vá em frente e faça o trabalho". Voltou com uma pesquisa que simplesmente me fez chorar. Encontrou coisas que eu nem sabia que Lutero havia dito; é *realmente* ruim.

— O que o senhor poderia dizer a alguém como ela?

— Que sinto muitíssimo pelo que Lutero pregou; essas coisas são inteiramente incompatíveis com os ensinamentos de Cristo e esse é um dos problemas que nós, cristãos, enfrentamos — nem sempre vivemos à altura dos ideais de Jesus. E acrescentaria: Compreendo que é difícil, mas espero que você reflita sobre o que Jesus pregou e fez e examine o cristianismo com base nos pontos positivos que realmente ensina.

Woodbridge tentou ser mais explícito, mas aparentemente não encontrou nada de útil para acrescentar.

— Temo que isso não seja muito elegante — admitiu. — Mas é o que eu diria de coração.

— Alguns judeus acreditam que Hitler era cristão... — comecei, mas Woodbridge, ato contínuo, me interrompeu.

— Oh, sim, exatamente — disse. — De novo temos de fazer a distinção entre cristianismo nominal e cristianismo autêntico. Durante a ascensão dos nazistas, Hitler tentou associar-se ao cristianismo e a Martinho Lutero. Foi um inteligente truque ideológico. Porém, críticos cristãos, como Karl Barth e outros, não engoliram por um só momento que Hitler representava o cristianismo ortodoxo. Deixe-me dar-lhe outra ilustração histórica. Em 1665 e 1666, muitos judeus passaram a acreditar que um certo indivíduo era o Messias. Ele se converteu ao islamismo, o que destruiu as aspirações de muitos de seus admiradores. Agora, se indagasse a um historiador judeu de hoje: "Você identifica esse homem como o Messias?", objetaria: "Claro que não. Ele foi uma fraude". Bem, de igual modo, nós cristãos diríamos que Hitler não foi nenhum tipo de Messias cristão. As pessoas muitas vezes afirmam coisas que são falsas. Ele foi uma fraude, um indivíduo maligno que nunca poderia ter sido um cristão autêntico, muito menos um representante dos verdadeiros ensinamentos cristãos.

Um retrato do cristianismo

Poderíamos continuar analisando outras manchas históricas do cristianismo, incluindo a opressão às mulheres, que tem ocorrido a despeito da atitude contracultural de Jesus com relação a elas, e a maneira pela qual muitas pessoas do sul dos Estados Unidos outrora citavam a Bíblia na tentativa distorcida de justificar o racismo e a escravidão. Mas já passara bastante tempo interrogando Woodbridge. Sem tentar defender o indefensável, procurou fornecer algum esclarecimento e explicações. A fim de averigüar se tais episódios eram exceções ou a regra do cristianismo, era hora de explorar o outro lado da história cristã.

— Levando em conta tudo o que analisamos — disse, — qual é a conclusão? O mundo está em melhor ou pior situação com o cristianismo?

Woodbridge endireitou-se na poltrona.

— Em melhor situação — ponderou. — Não há dúvida quanto a isso. Esses são exemplos históricos lamentáveis que não devem ser varridos para baixo do tapete. Devemos nos desculpar por eles e fazer um esforço para assegurar que não voltem a ocorrer. Ao mesmo tempo, porém, a vasta amplitude da história cristã tem sido muito benéfica para o mundo.

— Suponho que seja fácil, ao mencionar os pecados do cristianismo, esquecer o papel do ateísmo no desrespeito aos direitos humanos — observei. Peguei um livro e li para Woodbridge alguns comentários feitos pelo destacado cristão Luis Palau:

> O choque sísmico do ateísmo radical produziu ondas gigantescas na Europa e em outros lugares, sendo diretamente responsável pela aniquilação e massacre de mais de cem milhões de pessoas somente no último século. A humanidade pagou um altíssimo e horrível preço pelas terríveis experiências de antiteísmo deliberado levadas a cabo por Lênin, Hitler, Stalin, Mao Tse-Tung e outros — cada um deles profundamente influenciado pelos textos dos apóstolos do ateísmo [...] Depois de observar a proliferação do ateísmo [...] está mais claro do que nunca que [...] sem Deus, estamos perdidos.[25]

— Concordo que sem Deus estamos perdidos — atestou Woodbridge. — Isso não significa dizer que um ateu jamais poderia governar bem, porque, do ponto de vista cristão, o ateu se beneficia da graça comum de Deus. Porém, em virtude da falta de uma estrutura no ateísmo para se tomar decisões morais, é fácil ver por que o mundo tem experimentado os horrores desses regimes. Onde não existe um padrão moral absoluto, o poder puro e simples freqüente-mente prevalece.

— Na sua opinião, quais são as maneiras positivas pelas quais o cristianismo tem contribuído para a civilização?

Woodbridge acomodou-se na poltrona. Repensou minha pergunta por alguns momentos e em seguida respondeu com uma voz cuja sinceridade, admiração e entusiasmo expressaram o seu profundo amor pela igreja.

— Vejo a influência do cristianismo como um mural resplandecente composto de muitas cenas, cada qual pintada em cores claras, brilhantes e belas — afirmou. — Sem o cristianismo,

[25]*God is relevant,* New York: Doubleday, 1997, p. 23, 82.

haveria uma enorme quantidade de cinza e somente umas poucas linhas espalhadas e desconectadas, aqui e acolá, exprimindo algum sentido. Porém, o cristianismo acrescenta ao quadro tanto significado, quanto esperança, beleza e riqueza.

Intrigado com essas imagens, perguntei:

— O que essa pintura exporia?

— A cena central representaria a história de Jesus e a redenção dos nossos pecados. Ele tratou das questões da nossa culpa, da nossa solidão e da nossa alienação de Deus. Por intermédio da sua expiação e ressurreição, abriu os céus para todos que o seguem. Essa é a maior contribuição que o cristianismo jamais poderia ter dado. Está sintetizada em João 3.16: "Porque Deus tanto amou o mundo que deu o seu Filho unigênito, para que todo o que nele crer não pereça, mas tenha a vida eterna." Além disso, o cristianismo nos fornece uma revelação do sentido da vida e da existência da moralidade universal. Sem essa revelação, é muito difícil ter qualquer senso do que é significado. Acaba-se como Albert Camus, que disse no parágrafo de abertura de *O mito de Sísifo*: "Por que eu ou qualquer pessoa não deveria cometer suicídio?" Bem, o cristianismo explica por que não. Ele nos dá um quadro de referência para vivermos, para seguirmos um caminho moral, para nos relacionarmos com Deus e com os outros de um modo saudável e profundamente significativo. As pinceladas do quadro representariam cenas reveladoras dos vastos impulsos humanitários que têm sido inspirados pela vida e ensinamentos de Cristo. Católicos romanos, ortodoxos e protestantes — todos têm se envolvido profundamente no socorro aos pobres, excluídos, marginalizados. Eles se colocam à disposição para trabalhar até contra os seus próprios interesses pessoais a fim de servir a outrem. Perder tudo isto — toda a obra missionária, todos os hospitais, os albergues para desabrigados, os programas de reabilitação, os orfanatos, as organizações assistenciais, os serviços altruístas que fornecem alimento aos famintos, roupas aos pobres e encorajamento aos enfermos — seria um golpe devastador para o mundo. Além disso, o impacto do pensamento cristão acrescenta outras cenas e proporciona contrastes, nuanças e profundidade à pintura. Os cristãos têm consagrado seu cérebro a Deus, e as contribuições literárias, musicais, arquitetônicas, científicas e artísticas, se eliminadas, tornariam o mundo muito mais vazio e melancólico. Pense em todas as grandes instituições educacionais fundadas por cristãos, inclusive Harvard, Yale e Princeton, que originalmente foram concebidas e edificadas para promover o evangelho. Finalmente, existe o poder do Espírito Santo, que dá cores positivas a tudo. Você pode imaginar como seria o mundo se o Espírito Santo fosse retirado? Quero dizer, pense em um espetáculo de horrores! Já é ruim o bastante do jeito que as coisas são, mas se o poder refreador do Espírito Santo não estivesse presente, o lado horrível da vida viria à tona de modo ainda mais vívido do que já ocorre.

— À medida que observa esse quadro da história — perguntei — julgaria o senhor que os aspectos positivos do cristianismo suplantariam os exemplos negativos que discutimos antes?

— Sim, julgo — disse sem hesitar. — Sinto uma dor no coração devido aos acontecimentos da época que nós, como cristãos, não vivemos de acordo com os ensinamentos de Jesus, criando barreiras à nossa fé. Do mesmo modo, sou grato aos homens e mulheres anônimos que humilde e corajosamente sustentaram a fé no decorrer dos séculos, serviram na obscuridade, deram a sua vida para ajudar os outros, deixaram o mundo um lugar muito melhor, e se esforçaram para fazer o que é certo, a despeito da enorme pressão no sentido de agir de maneira oposta. Quando penso na história cristã — concluiu — são os primeiros que me vêm à mente. São os heróis esquecidos de sempre.

Calou-se. Em seguida, com um sorriso sonhador, prestou-lhes seu maior tributo:

— Eles são o que Jesus imaginou.

As dádivas do cristianismo

As palavras apaixonadas de Woodbridge ainda ressoavam na minha mente quando cheguei de volta em casa, exausto com aquele longo dia. Deixei-me cair na poltrona favorita e apanhei uma revista para folhear. Nela, por muita coincidência, encontrei um artigo em que vários estudiosos, escrevendo nos últimos dias do século XX, especulavam sobre onde estaria a civilização sem o cristianismo. Suas observações retomaram a discussão exatamente no ponto em que Woodbridge havia parado.[26]

Michael Novak exaltou a dádiva da dignidade existente no cristianismo. "Tanto Platão como Aristóteles sustentaram que a maior parte dos seres humanos é, por natureza, servil e própria para a escravidão", escreveu. "A maioria não tem a natureza digna da liberdade. Os gregos aplicavam o termo "dignidade" somente a uns poucos seres humanos, e não a todos. Em contrapartida, o cristianismo insistiu que cada ser humano é amado pelo Criador, foi feito à imagem do Criador e está destinado a uma eterna amizade e comunhão com ele."

Novak apontou as idéias civilizadoras de liberdade, consciência e verdade que podem ser atribuídas ao cristianismo. "Sem os fundamentos cristãos a nós oferecidos na alta Idade Média e novamente no século XVI, a nossa vida econômica e política em seu conjunto não somente seria muito mais pobre", insistiu, "mas também muito mais brutal."

David N. Livingstone, professor da Escola de Geociências da Queen's University, em Belfast, Irlanda do Norte, concentrou-se na dádiva cristã da ciência. "A idéia de que o cristianismo e a ciência estão constantemente em conflito é uma grosseira distorção do testemunho histórico", escreveu. "Na verdade, Robert Boyle, o grande químico inglês, acreditava que os

[26]V. Where would civilization be without Christianity?, de Michael Novak, David N. Livingstone & David Lyle Jeffrey, publicado em *Christianity Today*, 6/12/1999, p. 50-9.

cientistas, mais que quaisquer outros, glorificavam a Deus na realização das suas tarefas porque lhes foi dado investigar a criação de Deus."

Observou que os participantes da Reforma " acreditavam que Deus se revelou à humanidade de duas maneiras — na Escritura e na natureza. Isto possibilitou que os seres humanos se empenhassem na investigação científica do mundo natural." O resultado tem sido a enorme contribuição de cientistas incentivados pela sua fé cristã.

David Lyle Jeffrey, professor de literatura inglesa na Universidade de Ottawa, descreveu a dádiva cristã da cultura literária: "Não seria exagero dizer que a cultura literária da Europa, de grande parte da África e das Américas é inseparável do poder culturalmente transformador do cristianismo", afirmou. "Na maior parte da Europa, assim como na África, na América do Sul e em muitas outras partes do mundo, o surgimento da cultura literária e da literatura coincide essencialmente, não acidentalmente, com a chegada de missionários cristãos."

Contudo, talvez a reflexão mais cativante de todas tenha sido a do historiador Mark Noll sobre a dádiva cristã da humildade, contribuição pouco observada que teve relevância especial à luz da minha entrevista com Woodbridge sobre o lado desagradável da história cristã. Noll escreveu:

> No longo transcurso da história cristã, a coisa mais deprimente — porque repetida com muita freqüência — tem sido o quanto nós, cristãos comuns, com tanta regularidade temos ficado tragicamente distantes dos ideais cristãos. No longo transcurso da história cristã, a coisa mais extraordinária — porque é um tão grande milagre da graça — é a freqüência com que os crentes têm agido contra a soberba da vida para honrar a Cristo. De todos esses "sinais de contradição", os mais plenamente semelhantes a Cristo têm sido momentos em que cristãos que são fortes — devido a sua riqueza, formação, poder político, cultura superior ou posição privilegiada — têm se voltado para os desprezados, os

> desamparados, os abandonados, os perdidos, os insignificantes ou os fracos.[27]

"O poder", ensinou, "alimenta a idolatria do eu. Corrompe e quase nunca pede desculpas". Noll passa a narrar vários episódios da história em que pessoas poderosas, no todo ou em parte devido à fé cristã, voluntariamente se humilharam em arrependimento público pelo abuso de poder — um testemunho duradouro e contracultural acerca do poder do evangelho.

Uma história despertou o meu interesse de modo especial, porque dizia respeito a um incidente obscuro, porém esclarecedor, ocorrido na conclusão de um episódio que Woodbridge e eu havíamos discutido: os julgamentos das feiticeiras de Salem.

Um dos juízes, um destacado puritano chamado Samuel Sewall, de Boston, ficou terrivelmente angustiado devido ao papel desempenhado naquela tragédia. Sua consciência cristã finalmente o impulsionou a agir quando ouviu Seu filho recitar uma passagem bíblica familiar: "Se vocês soubessem o que significam essas palavras: 'Desejo misericórdia, não sacrifícios', não teriam condenado inocentes".[28] Tais palavras partiram o coração de Sewall.

Nos cultos do dia 14 de janeiro de 1697, deu ao seu pastor uma declaração para ser lida ao mesmo tempo em que se postava contrito e envergonhado diante da congregação. A declaração confessava a culpa de Sewall por grande parte do que havia acontecido, dizendo que ele "desejava assumir a culpa e a vergonha pelo ocorrido, pedindo o perdão dos homens e especialmente desejando orações para que Deus, que tem autoridade ilimitada, perdoasse aquele pecado e todos os outros pecados". Seu ato humilde de tristeza e arrependimento levou vários outros jurados a também confessarem suas faltas.

Fechei a revista e a joguei sobre a mesa do café. Este, pensei com meus botões, talvez seja um dos legados mais impressionantes

[27]*A history of Christianity in the United States and Canada*, p. 56.
[28]Mateus 12.7.

do cristianismo — a disposição dos poderosos de dobrar os joelhos em arrependimento quando cometem injustiças. Foi mais outro lembrete do poder da fé para mudar vidas — e a história — para melhor.

Ponderações
Perguntas para reflexão ou estudo em grupo

1. Antes de ler este capítulo, que aspecto da história cristã mais o incomodava? Se esse aspecto foi abordado por Woodbridge, ele tratou bem da questão? Sua opinião sobre esse episódio continua a mesma ou é diferente agora?
2. Você acha que os pecados históricos discutidos por Woodbridge são anomalias na história da igreja ou refletem algo terrivelmente errado na própria essência da fé? Que fatos o ajudaram a formar a sua opinião?
3. O mundo tem sido melhor devido ao cristianismo? Por que sim ou por que não? Levando-se tudo em consideração, as contribuições do ateísmo têm sido positivas ou negativas para a humanidade?

Outras fontes de consulta
Mais recursos sobre esse tema

- KENNEDY, D. James e NEWCOMB, Jerry *What if Jesus had never been born?* Nashville: Nelson, 1994.
- NOLL, Mark A. *A history of Christianity in the United States and Canada*. Grand Rapids, Michigan: Eerdmans, 1992.
- SHELLEY, Bruce L. *Church history in plain language*. Dallas: Word, 1982, 1995, 2.ª edição revista.
- STARK, Rodney. *The rise of Christianity*. Princeton, New Jersey: Princeton University Press, 1996.

Oitava objeção

Eu ainda tenho dúvidas, portanto não posso tornar-me cristão

Nos seus pensamentos mais íntimos, até mesmo os cristãos mais devotos sabem que existe algo ilegítimo quanto à crença. Debaixo da sua profissão de fé está o gigante adormecido da dúvida [...] Na minha experiência, a melhor maneira de vencer a dúvida é ceder a ela.

Dan Barker, pastor que se tornou ateu[1]

Os que acham que crêem em Deus, porém sem paixão no coração, sem aflição de mente, sem incerteza, sem dúvida e até mesmo, às vezes, sem desespero, crêem somente na idéia de Deus, e não no próprio Deus.

Madeleine L'Engle, cristã[2]

O advogado tinha um palpite para mim — uma história de interesse humano, informou. A história de um membro de gangue regenerado. A crônica inspiradora de um ex-terrorista de rua que havia encontrado a religião e mudado de vida. Será reconfortante, prometeu. Uma boa leitura para o domingo.

Eu virei os olhos. A história parecia açucarada demais. Estava em busca de algo agressivo, intenso, que me colocasse na primeira página do *Tribune* do fim de semana. Não estava interessado em um ingênuo conto de fadas sobre um excêntrico fugitivo nascido de novo.

[1]*Losing faith in faith,* Madison, Wisconsin: Freedom from Religion Foundation, 1992, p. 106, 109.

[2]Citado em Lynn ANDERSON, *If I really believe, why do I have these doubts?,* Minneapolis, Minnesota: Bethany House, 1992.

Mas o fim de semana estava se aproximando rapidamente e as pistas das histórias que estava seguindo não me haviam levado a nada a não ser a becos sem saída. Anotei com relutância o palpite do advogado. Quem sabe, pensei, talvez possa expor a história inverídica desse bandido e conseguir o tipo de artigo que estava procurando.

Peguei o telefone e passei a chamar as minhas fontes na polícia. Alguém já ouvira falar desse tal Ron Bronski? Realmente, meus contatos na unidade de crimes de gangues estavam bem familiarizados com ele. Era um indivíduo endurecido pela vida nas ruas, o segundo na cadeia de comando dos Belaires, uma gangue que aterrorizava parte da região noroeste de Chicago. Ele era perigoso e violento, disseram. Tinha um temperamento explosivo, um grande apetite para drogas ilícitas e uma ficha criminal enciclopédica.

— O sujeito é um sociopata, disse um investigador.

Outro rosnou quando mencionei o nome dele e demonstrou o seu desprezo com uma única palavra: “Lixo”. Disseram-me que havia um mandado de prisão contra ele sob a acusação de lesões corporais qualificadas, pelo fato de haver atirado em um membro da gangue rival pelas costas. Rabisquei na minha caderneta a palavra *covarde*.

— Não vemos há bastante tempo — um policial à paisana me contou. — Achamos que ele fugiu da cidade. A verdade é que não nos importamos com o seu paradeiro, contanto que não esteja por aqui.

Telefonei para alguns líderes eclesiásticos de Portland, Oregon, onde o advogado me disse que Bronski havia residido nos últimos anos. Quando trabalhava em uma metalúrgica, conhecera alguns cristãos e supostamente tinha abandonado a vida criminosa, casara-se com a namorada com quem vivia e tornara-se um devoto seguidor de Jesus.

— Ron é uma das pessoas mais bonitas e amorosas que conheço —, disse-me o seu pastor. — Ele está totalmente comprometido com Cristo. Nós oramos juntos várias vezes por semana e está sempre fazendo algo como visitar os enfermos e orar com eles, e utilizar o seu conhecimento de rua para pregar aos garotos problemáticos. Considero que as pessoas poderiam chamá-lo 'um fanático por Jesus'.

Ele disse que Bronski havia se reconciliado com Deus, mas não com a sociedade. — Bronski sabia que ainda havia um mandado de prisão contra ele — disse o pastor, — por isso economizou dinheiro e pegou o trem para Chicago a fim de se entregar.

Isso despertou a minha curiosidade. Um reconhecimento de culpa por lesões corporais qualificadas poderia resultar em vinte anos de clusão. Decidi que meu próximo passo na pesquisa seria entrevistar Bronski tão logo seu advogado pudesse providenciar um encontro.

Naquela noite estava sentado à mesa da cozinha, refletindo sobre as descrições conflitantes que a polícia e o pastor haviam feito de Bronski.

— À primeira vista, parece uma transformação miraculosa — comentei com Leslie, que estava junto ao fogão preparando o chá da noite.

— À primeira vista? — surpreendeu-se.

— Sim — rebati. — Quando eu cavar mais fundo, descobrirei o golpe.

Leslie sentou-se na cadeira à minha frente e tomou um gole de chá.

— A polícia não o estava procurando, mas ele se entregou de qualquer maneira. O que o teria motivado a agir assim?

— É o que vou descobrir — afirmei. — Provavelmente está fingindo que se regenerou a fim de receber uma sentença mais branda. Ou seu advogado está tentando fazer algum tipo de acordo com o promotor. Ou ele sabe que as testemunhas estão todas mortas e não podem condená-lo de alguma maneira. Ou espera receber alguma publicidade favorável para influenciar o juiz. Ou está preparando uma defesa por insanidade...

Fui em frente, as minhas hipóteses ficando mais fantasiosas à medida que especulava sobre a verdadeira razão pela qual Bronski estava se entregando. Pesei cada possibilidade maluca — exceto que a sua vida tinha mudado legitimamente e que havia decidido fazer a coisa certa ao se deparar com as conseqüências do seu crime.

Por fim, Leslie levantou a mão.

— Alto lá — exclamou. — Essas teorias são bastante estranhas — Depositou sua xícara na mesa e me olhou nos olhos. — Diga-me uma coisa — pediu com um tom insistente na voz. — Você está tentando encontrar furos na história dele porque realmente pensa que é um bandido? Ou você está levantando objeções porque não quer que a história seja verdadeira?

Fiquei na defensiva.

— Espere aí — devolvi, — é minha função ser cético!

Mas ela havia tocado no ponto nevrálgico. Para ser honesto, eu não queria acreditar que o cristianismo podia transformar radicalmente o caráter e os valores de uma pessoa. Era muito mais fácil levantar dúvidas e fabricar objeções que levar em conta a possibilidade de que Deus realmente pudesse provocar uma mudança revolucionária em uma vida depravada e degenerada como aquela.

Rompendo a corina de fumaça

Acontece que Ron Bronski sobreviveu às minhas tentativas de distorcer a sua história. Com sua experiência de rua, os detetives policiais estavam absolutamente convictos de que as mudanças ocorridas na sua vida eram autênticas. O promotor também. Depois de ouvir as provas, o juiz concordou com eles e, em vez de condená-lo à reclusão, o colocou em liberdade condicional. "Vá para casa e fique com sua família", disse ele a um Bronski surpreso e agradecido.

Hoje, mais de vinte anos depois, Bronski ainda é um ministro junto aos jovens de rua na região central de Portland — e continua meu amigo.[3]

[3]V. Reformed Hood comes back to pay his dues, de Lee Strobel, publicado em *The Chicago Tribune*, 27/10/1977 e do mesmo autor, *God's outrageous claims*, Grand Rapids, Michigan: Zondervan, 1997, p. 63-7.

A minha atitude inicial em relação a ele lembra as dúvidas que havia levantado quando era um cético espiritual. Inicialmente, expressei objeções sinceras e conscientes quanto à fé cristã. Porém, com o passar do tempo, depois que comecei a encontrar respostas adequadas para essas questões, passei a levantar outros desafios, cada vez mais secundários.

Certo dia lembrei-me do comentário de Leslie sobre Ron Bronski e imaginei como ela poderia confrontar-me novamente com palavras semelhantes: "Lee, você está tentando encontrar buracos no cristianismo porque realmente pensa que é uma ilusão — ou você está levantando objeções porque não *quer* que ele seja verdadeiro?"

Aquilo machucou. Quando era ateu, certamente tinha muitas motivações para encontrar defeitos no cristianismo. Sabia que meu estilo de vida beberrão, imoral e egocêntrico teria de mudar se me tornasse um seguidor de Jesus, e não estava certo de que queria abandonar essas coisas. Afinal, era tudo o que eu conhecia. Conseqüentemente, em vez de tentar encontrar a verdade, me vi tentado a afastar a verdade com dúvidas fabricadas e objeções forjadas.

Não acho que estou sozinho nisto. Muitos que buscam a verdade têm perguntas legítimas acerca do cristianismo e precisam encontrar respostas que satisfarão o seu coração e a sua alma. Todavia, acho que alguns aspirantes à verdade chegam ao ponto em que, inconscientemente, levantam cortinas de fumaça para disfarçar suas profundas motivações para rejeitar a fé.

O mesmo se pode dizer dos cristãos que se tornam presa de dúvidas sobre suas convicções. Com freqüência, fazem irromper um surto de dúvidas sinceras sobre algum aspecto da sua fé; outras vezes, porém, as alegadas dúvidas da realidade podem ser um sutil mecanismo de defesa. Podem achar que estão presos à certa objeção a alguma parte do cristianismo, quando na realidade estão apenas buscando uma desculpa — *qualquer* desculpa — para não levar Jesus mais a sério.

Para muitos cristãos, simplesmente ter dúvidas de qualquer tipo pode ser assustador. Ficam imaginando se os seus questionamentos os desqualificam a serem seguidores de Cristo. Eles se sentem inseguros porque não sabem se é permitido mostrar incertezas a respeito de Deus, de Jesus ou da Bíblia. Desse modo, guardam as perguntas para si mesmos — e no seu íntimo, sem respostas, crescem, deterioram-se e se avolumam até que finalmente acontece de asfixiar a fé.

"Não é vergonhoso que as pessoas tenham dúvidas", escreveu Os Guinness certa vez, "e sim que se envergonhem delas."[4]

Muitos cristãos têm, ao mesmo tempo, uma perspectiva completamente diferente. Acreditam que ter dúvidas não é uma evidência de ausência de fé; ao contrário, eles as consideram a própria essência da fé. "Lutar com Deus não é falta de fé", disse André Resner. "É fé!"[5]

Teriam os que buscam a verdade de resolver cada uma de suas dúvidas antes que possam seguir a Jesus? Uma pessoa pode ser cristã e não obstante ter reservas ou dúvidas? O que as pessoas podem fazer se desejam acreditar em Cristo — como Charles Templeton na nossa entrevista confessou querer — mas sentem que certas reservas sobre o cristianismo estão bloqueando o seu caminho? Haveria um processo para dirimir essas dúvidas quando surgem? E existiria esperança para aqueles cuja personalidade melancólica parece atraí-los inexoravelmente para a incerteza em matéria de fé?

Os estudiosos têm lutado por anos com essas questões, mas não gostaria de conversar com algum professor cujo interesse pelas dúvidas fosse apenas antisséptico e acadêmico. Desejaria receber respostas de alguém que tivesse conhecido pessoalmente a confusão, a culpa e a frustrante ambigüidade da incerteza — e isso me levou a Dallas para entrevistar um

[4]*In two minds*, Downers Grove, Illinois: InterVarsity, 1976, p. 61.

[5]*Grief and faith — three profiles of struggle in the face of Loss*, Conferências Anuais, Universidade Pepperdine, 19/4/1989, citado em Lynn Anderson, *If I really believe, why do I have these doubts?*, p. 78 (grifos do original).

líder cristão cuja jornada de fé o levou repetidas vezes a percorrer desvios angustiantes no vale da sombra da dúvida.

Oitava entrevista: Lynn Anderson, D. MIN.

Lynn Anderson trabalha em um aconchegante escritório erigido em cima da garagem, colado à sua casa construída em 1929, repleta de antigas máquinas de escrever, estranhos telefones em forma de castiçal e outras antigüidades daquela época. Sua área de trabalho tem um aspecto rústico, com obras de arte indianas e ocidentais nas paredes, estantes de madeira do chão ao teto e uma fotografia da cabana em que nasceu há 63 anos em Saskatchewan. Não havia eletricidade na fazenda em que ele cresceu, apenas um querido rádio alimentado por baterias que mantinha a família ligada ao mundo exterior.

Anderson tem um charme descontraído de vaqueiro que dissimula o seu profundo intelecto e suas notáveis realizações. É titular de um diploma de mestrado da Escola Pós-Graduada de Religião Harding e de um diploma de doutor em ministério da Universidade Cristã de Abilene, onde é professor adjunto há mais de duas décadas. Foi pastor titular de igrejas no Canadá e nos Estados Unidos durante 30 anos, deixando o púlpito em 1996 para fundar os Ministérios Rede de Esperança, através dos quais treina, supervisiona e equipa líderes de igrejas.

Escreveu diversos livros, entre os quais *Navigating the winds of change* [*Navegando pelos ventos de mudança*], *Heaven came down* [*O céu desceu*], *In search of wonder* [*Em busca do encantamento*], *The shepherd's song* [*A canção do pastor*] e *They smell like sheep* [*Eles têm o odor de ovelhas*].

No entanto, o livro que chamou a minha atenção de maneira especial tem um título instigante: *If I really believe, why do I have these doubts?* [*Se realmente creio, por que tenho essas dúvidas*?]. Foi esse livro honesto e perspicaz que revelou as incessantes lutas pessoais de Anderson com as incertezas.

Depois de conversarmos por algum tempo a fim de nos conhecermos, Anderson e eu nos sentamos em cadeiras comuns junto a uma austera mesa de madeira, tendo por cima um ventilador de teto que nos banhava suavemente com ar refrescante. Anderson tem uma aparência agradável e robusta, cabelos ruivos, compleição robusta e óculos com aros dourados.

É efusivo quando fala, gesticulando por vezes para manifestar compreensão e ênfase. A sua voz, dotada de vigorosa honestidade e sinceridade, diminui ocasionalmente para um áspero sussurro, como se estivesse me confidenciando algum segredo embaraçoso.

Minhas primeiras perguntas levaram Anderson de volta às experiências de infância na região rural do oeste do Canadá, enquanto eu buscava a gênese de suas incertezas crônicas. Suspeitei que muitos dos que se vêem às voltas com dúvidas poderiam identificar-se com a sua história.

As raízes da dúvida

Os pais de Anderson eram cristãos comprometidos que pertenciam a uma igreja pequena, porém coesa, localizada em uma região onde havia poucos cristãos. Conta que herdou sua identidade e senso de valor da família e da igreja, mas mesmo assim as dúvidas acerca do cristianismo começaram cedo.

— Ainda garoto, tinha uma personalidade triste e contemplativa — começou. — Refletia bastante. Estava sempre examinando o lado complicado das coisas, não aceitando nada de imediato, sempre questionando, sempre sondando um nível mais profundo. Nunca consegui desvencilhar-me totalmente disso.

Eu sorri. Também tenho sido acusado muitas vezes de fazer perguntas demais.

— Quando o senhor se tornou cristão? — indaguei.

— Fiz profissão de fé em um acampamento de verão quando tinha onze anos, mas me senti espiritualmente mal depois. Esperava-se que eu tivesse entregue minha vida a Jesus, mas nem mesmo estava certo de que havia um Jesus. Eu me senti induzido em erro.

— O senhor mencionou os seus sentimentos a alguém?

— Falei com um pastor, mas pareceu não me entender —, redargüiu. — Porém, evidentemente ainda orava por certas coisas. Lembro-me de orar muito para ganhar uma bicicleta e jamais ganhei. Isso me fez sentir como se Deus não estivesse ligado a mim. Pensei: "Vamos ser honestos. Quando a gente ora, não existe nada no alto a não ser o céu azul".

Perguntei se apenas tinha dúvidas ou se houve época em que a fé floresceu.

— Às vezes realmente sentia a presença de Deus — confiou-me. — Eu cavalgava da escola para casa sob uma tempestade de neve, ao anoitecer, cantando hinos e me sentindo nas mãos de Deus. Porém, na maior parte do tempo não acreditava nele — pelo menos não da maneira como os meus colegas da igreja acreditavam.

— O senhor tinha medo de que eles pudessem descobrir?

— Com certeza, porque eu tinha uma imensa necessidade de ser amado e aceito e conquistar uma posição naquela comunidade de fé. Tinha muito medo que achassem que eu era mau; ficariam zangados, pensariam que os meus pais eram fracassados espirituais. Temia que os meus pais ficassem desapontados ou envergonhados.

É claro, os pais podem desempenhar um papel significativo na formação da idéia que a criança tem de Deus. Na realidade, um estudo mostrou que a maioria dos ateus mais famosos da história — entre eles Bertrand Russell, Jean Paul Sartre, Friedrich Nietzsche, Albert Camus, Sigmund Freud, Madalyn Murray O'Hair e Karl Marx — tiveram um relacionamento difícil com o pai ou o pai morreu cedo ou os abandonou em tenra idade, criando dificuldades para que eles acreditassem em um Pai Celestial.[6] Assim, decidi investigar essa área junto a Anderson.

— Conte-me algo sobre seus pais — hesitei, esperando não estar entrando em uma questão muito pessoal.

Anderson tirou os óculos e os colocou sobre a Bíblia aberta à sua frente.

— Em retrospecto — relembrou, — acho que algumas das minhas dúvidas podem ter resultado da maneira como fui criado pela minha mãe. Ela me amava mais que a própria vida, mas não possuía recursos emocionais para demonstrar. O seu jeito de me fazer melhorar era mostrar o que tinha feito de errado. Ela aprendeu que as mães não devem demonstrar afeto físico pelos filhos homens porque isso pode torná-los homossexuais, e que não se deve fazer elogios porque isso pode torná-los presunçosos.

— Isso afetou a sua idéia de Deus?

— Como você sabe, as pessoas comumente vêem Deus como a imagem de um dos pais. E com boas razões — a Bíblia o chama de pai e às vezes até mesmo de mãe. Assim, uma parte da distância que sentia de Deus pode ter sido a distância que sentia da minha mãe. Por outro lado, o meu pai era um homem extrovertido, afetuoso e incentivador, mas acho que existe algo em nossa natureza pecaminosa que ouve primeiramente as más notícias em vez de as boas.

— Qual foi a mensagem cristã básica que o senhor recebeu nos seus primeiros anos? — perguntei.

— Foi: "Se você não satisfizer esse padrão, estará perdido — mas ninguém pode satisfazer esse padrão, especialmente você". Por conseguinte, quanto mais perto eu chegava de Deus — quando começava a crer e a pensar seriamente em ter uma ligação com ele — mais desanimado me sentia por não poder satisfazer as suas expectativas. Então pensava: 'Isso é doentio! Por que iria acreditar em algo que vai me condenar não

[6]V. The psychology of atheism, *TRUTH:* de Paul C. Vitz, publicado em *An International Interdisciplinary Journal of Christian Thought* I (1958), p. 29.

importa o que faça? Com certeza, se existe um Deus, ele não pode ser assim. Algum monstro inventou isso.

— O senhor achava que iria superar isso?

— Esperava que isto fizesse parte da meninice. Porém, na faculdade, as dúvidas passaram da área emocional para a área intelectual. Defrontei-me com perguntas a respeito da Bíblia e ficava imaginando por que existe tanto sofrimento no mundo.

Ele sorriu enquanto lembrava a história.

— Recordo-me que certo dia um estudante levantou um monumental dilema bíblico. O professor não conseguiu responder. Por fim, depois de gaguejar seguidamente, o professor afirmou: "Quando todos os fatos forem conhecidos, veremos que eles sustentam a credibilidade da Bíblia".

Anderson soltou uma risada.

— Lembro-me de ter pensado: "Oh, não! Esse sujeito também está esperando que seja verdade! Se você cavocar debaixo da superfície, verá que ele está tão assustado quanto eu!"

Espécies de dúvida

Anderson já se descreveu como um "questionador nato" ou alguém que está sempre perguntando: "Que tal se?" Como advogados e contadores que são treinados para identificar o que poderia dar errado, os questionadores natos são atraídos como ímãs para incertezas e indagações. Podem estar ansiosos e preocupados ou portar uma personalidade tristonha. Para eles, a fé não acorre naturalmente.

Mas esta é só uma espécie de dúvida. Pedi a Anderson para me dar exemplos de outros tipos.

Recostou-se na cadeira, inclinando-a levemente para trás, balançando-a suavemente para cá e para lá.

— Oh, existem muitos tipos diferentes — agregou. — Alguns céticos são rebeldes, muito embora possam não considerar-se assim. Exibem aquela atitude: "Eu não vou deixar que alguém dirija a minha vida ou pense por mim". Isso pode assumir a forma de um orgulho arrogante. Às vezes, um jovem quer rebelar-se contra os pais e um meio de fazê-lo é rebelar-se contra o Deus em que acreditam. Depois, existem pessoas cujas dúvidas derivam do seu desapontamento com Deus. Como a menina que visitei ontem. Deus diz: "Busquem e peçam", mas ela pediu e não recebeu. Daí passou a travar luta com a incerteza. Deus estava falando sério? Será que ele estava ali? Outros têm feridas pessoais ou familiares. Falei há poucas semanas com uma senhora que sofreu maus tratos dos seus pais que eram profundamente religiosos — faziam-na ajoelhar-se ao lado da cama e orar, e depois a agrediam. Entendo perfeitamente por quê tem um problema com Deus! Outros ficaram pessoalmente magoados no sentido de serem rejeitados por um companheiro ou o seu negócio teve problemas ou a saúde se deteriorou. Ficam imaginando: "Se Deus existe, por que isso está acontecendo?" Depois existem as dúvidas intelectuais. Esse era o meu problema. Estava fazendo o máximo para sustentar a minha fé intelectualmente, mas havia pessoas muito mais inteligentes que não acreditavam em Deus. Raciocinei: "A fé é somente para os seres brilhantes? Como a fé pode ser tão importante para Deus e, no entanto, é necessário ter um QI de 197 para agarrar-se a ela?"

Fiquei imaginando se existem alguns fatores que podem potencializar as dúvidas nas pessoas. Perguntei a Anderson:

— Que coisas contribuem para as dúvidas, ainda que a pessoa não esteja consciente delas?

— As diferentes épocas da vida podem fazer uma grande diferença — respondeu. — Às vezes as pessoas são grandes crentes quando estão na faculdade, mas quando tornam-se pais jovens com o seu segundo bebê, trabalham 68 horas por semana, a esposa está doente o tempo todo e o patrão não dá folga — simplesmente não têm tempo para refletir. E não creio que a fé possa se desenvolver sem algum lapso contemplativo. Se eles não abrirem espaço para isso, a fé deles não irá crescer e as dúvidas vão se insinuar. Outro possível fator é estabelecer comparações com a fé dos outros. Eu conheci uma jovem que disse: "Eu odeio ir à igreja porque ouço todas essas afirmações que não estou vivenciando. Eu creio, estudo a Bíblia, oro, trabalho com tanta intensidade no ministério como qualquer um deles, mas não tenho essa alegria, não tenho respostas para as minhas orações, não tenho uma grande sensação de paz, não sinto que estou nas mãos de um Deus que está me guiando pelo caminho e vai cuidar de mim". Pessoas como essa começam a pensar: "O que há de errado com Deus que ele não me concede essas coisas?"

Fiquei curioso em saber como Anderson tratou da situação dela.

— O que o senhor lhe disse? — perguntei.

— Eu a incentivei a ler os salmos, porque isso alterar a sua perspectiva de como é uma fé normal. Nós gostamos de nos concentrar nos salmos otimistas, mas 60% deles constituem-se em lamentos quando as pessoas bradam: "Deus, onde você está?" Normalmente a fé permite bater no peito de Deus e se queixar.

— Existe muito medo de assumir compromissos em nossa cultura — observei. — Isso afetaria a disposição da pessoa de ter fé em Deus?

— Sim, pode afetar — retrucou. — Neste país narcisista, nossa definição de liberdade é liberdade para conseguir o que eu quero e manter abertas as minhas opções. Alguns jovens têm medo de se casar porque é um compromisso para toda a vida. Bem, o compromisso supremo é com Deus. Nós temos uma cultura hedonista em que a condenação mais temida seria passar a vida sem opções. Creio que isso contribui para que as pessoas tenham medo de se comprometer com Cristo.

O que a fé não é

Sabia que idéias errôneas a respeito da fé com freqüência abrem portas para as dúvidas, porque podem criar falsas expectativas ou incompreensões sobre a natureza de Deus. Por exemplo, se as pessoas pensarem equivocadamente que Deus prometeu curar a todos ou tornar todos ricos se apenas demonstrarem suficiente fé, poderão tornar-se presa de dúvidas quando a enfermidade chegar ou a ruína financeira surgir no horizonte. A fim de ter uma idéia correta da fé, decidi primeiramente limpar o terreno definindo o que a fé *não é*.

— Quais são alguns dos equívocos mais comuns a respeito da fé? — perguntei.

— As pessoas misturam fé e sentimentos — Anderson respondeu. — Por exemplo, algumas pessoas associam a fé com uma perene empolgação religiosa. Quando essa empolgação diminui, como inevitavelmente acontece, começam a duvidar se realmente têm fé.

Interrompi.

— O senhor está dizendo que não há ligação entre sentimentos e fé?

— Não — exclamou. — Os sentimentos estão ligados a algumas dimensões da fé, mas grande parte disso diz respeito ao temperamento das pessoas. Alguns indivíduos simplesmente não têm estrutura para alimentar sentimentos, embora possam ter sólidos valores e convicções.

— Qual é o seu caso? — perguntei.

Ele riu.

— Tenho tendência de oscilar emocionalmente. Levou anos para eu entender que isso não é uma flutuação da fé. Portanto, temos de ser cuidadosos quanto aos nossos sentimentos — eles podem ser mutáveis. Deixe-me dar um exemplo. Um sujeito me disse certa vez: "Eu não gosto mais da minha esposa". A minha resposta foi dizer-lhe: "Vá para casa e a ame". Retrucou: "O senhor não entende, eu não sinto mais nada por ela". Insisti: "Eu não estou lhe perguntando como você se sente. Estou dizendo: "Vá para casa e a ame". Ele então explicou: "Seria emocionalmente desonesto se tratasse a minha esposa dessa maneira se não sinto amor." Indaguei: "A sua mãe o ama?" Isso lhe pareceu um insulto. No entanto respondeu: "Sim, claro". Voltei à carga: "Cerca de três semanas depois que ela o trouxe da maternidade, você estava berrando, as fraldas sujas, e ela teve de levantar-se morrendo de cansada e pisar descalça no chão frio, limpar suas horríveis fraldas e lhe dar a mamadeira — você acredita que ela realmente achou isso o máximo?" Consentiu: "Não". Por fim, acrescentei: "Bem, então acho que a sua mãe estava sendo emocionalmente desonesta." Era isso o que eu queria mostrar: a prova do seu amor não estava no fato de que se sentia bem em trocar as fraldas, mas no fato de que estava disposta a fazê-lo mesmo quando não se sentia particularmente feliz com isso. Acho que precisamos aprender o mesmo com relação à fé. A fé nem sempre implica ter sentimentos positivos quanto a Deus ou a vida.

— Está bem, esse é um equívoco — assenti. — O que dizer da idéia de que a fé é a ausência de dúvidas?

— Algumas pessoas acham que a fé significa a ausência de dúvidas, mas isso não é verdade — observou. — Um de meus textos bíblicos prediletos é sobre o homem que vai a Jesus com o seu filho possuído pelo demônio, esperando que o menino seja curado. Jesus diz que tudo é possível para aqueles que acreditam. E a resposta do homem é tão poderosa! Ele diz: "Creio, ajuda-me a vencer a minha incredulidade!"[7]

Anderson deu um tapa no joelho.

— Caramba! — exclamou. — Eu realmente me identifico com isso!

— Quer dizer que a dúvida e a fé podem coexistir? — perguntei.

— Sim, significa que você pode ter dúvidas mesmo quando acredita. Isso aconteceu até mesmo com Abraão. Ele certamente acreditava, mas ao mesmo tempo carregava dúvidas. Você pode atestar a partir do que fez e do que disse. Agora, eu não sei onde se atravessa a fronteira para a dúvida corrosiva, desagregadora, negativa, mas creio que onde não existe absolutamente nenhuma dúvida provavelmente não existe uma fé saudável.

— Portanto, na verdade, a dúvida, poderia desempenhar um papel positivo?

[7]V. Marcos 9.14-27.

— Acho que sim. Sempre fico um pouco nervoso com o que chamo a mentalidade do "crente verdadeiro" — pessoas com sorrisos radiantes e olhos cintilantes que nunca têm dúvida, sempre acham que tudo é maravilhoso, tudo é ótimo. Não creio que circulem no mesmo mundo que eu. Temo o que irá lhes acontecer quando ocorrer alguma coisa ruim. Por exemplo, conheço um médico cujo filho de quatro anos foi acometido de câncer. Lembro-me das muitas noites em que quarenta ou cinqüenta pessoas se acotovelavam em uma casa para orar fervorosamente por aquela criança. Algumas delas pensaram: 'É claro que ele vai ser curado porque nós oramos". Como isto não aconteceu, ficaram arrasadas. A teologia dessas pessoas era equivocada e não-refletida. Nunca havia sido desafiada por dúvidas ou questões sérias. As dúvidas poderiam tê-las ajudado a desenvolver uma fé mais substancial e realista — a confiar em Deus em face da morte e não apenas em face da cura. Os olhos de Anderson se fixaram em mim como que para dar ênfase às palavras seguintes.

— Veja — acentuou, — a fé que é desafiada pela adversidade, por perguntas difíceis ou pela contemplação, o mais das vezes será, afinal de contas, mais consolidada.

Investigando sob a superfíce

Reconhecidamente as dúvidas, às vezes, têm um propósito positivo. Porém, aprendi no correr dos anos que pode ser enganoso aceitar todas as dúvidas pelo que aparentam ser. Como a minha primeira reação à história de Ron Bronski, certas vezes o ceticismo pode ser usado sutilmente como um escudo para manter as pessoas afastadas de motivações mais profundas. Eu não queria invalidar a legitimidade das pessoas que buscam respostas para os seus obstáculos sinceros em relação a Deus, mas precisava chegar à raiz do por que alguns indivíduos levantam certas questões que não passam de cortinas de fumaça.

— Pela sua experiência — suscitei a Anderson, — teriam algumas pessoas afirmado apresentar objeções intelectuais embora as suas dúvidas tenham uma outra fonte oculta?

— Sim, certamente isso é verdade — disse meneando a cabeça e recolocando firmemente no chão as pernas dianteiras da cadeira. — Na realidade, entendo pessoalmente que toda incredulidade em última análise tem alguma razão oculta. Às vezes uma pessoa pode crer honestamente que o seu problema é intelectual, mas de fato não se examinou o suficiente para explorar outras possibilidades.

— O senhor pode me dar um exemplo? — insisti.

Em um segundo encontrou o primeiro.

— Quando eu era jovem, um brilhante romancista— um ateu de família atéia e comunista — foi à nossa pequena cidade no Canadá para conferir cor local ao livro que estava escrevendo. Certo dia ele estava visitando a nossa família e se pôs bastante sério. Indagou: "Posso fazer algumas perguntas sobre a sua religião?". Embora viesse enfrentando dúvidas de tempos em tempos, disse que sim. Ele perguntou: "Você realmente acredita que existe um Deus que saiba o meu nome?". Rebati: "Sim, creio nisso". Voltou à carga: "Você acredita que a Bíblia é verdadeira? Bebês que nascem de virgens, gente morta que sai do cemitério?". Tornei a afirmar: "Sim, creio nisso". Exclamou então com grande emoção: "Eu daria *qualquer coisa* para acreditar dessa maneira, porque viajei por todo o mundo e vi que a maioria das pessoas são infelizes. As únicas pessoas que realmente parecem estar usufruindo a vida são aquelas que dizem crer no que você crê. Mas eu simplesmente não consigo crer, porque a minha cabeça não deixa!".

Os olhos de Anderson se arregalaram.

— Lee, fiquei estupefato. Eu não sabia o que dizer, porque a cabeça dele era muito mais inteligente que a minha!

Anderson inclinou-se para perto de mim.

— Porém, em retrospecto, não acho que o verdadeiro problema era a cabeça dele — opinou. — Comecei a pensar no que ele iria perder se seguisse a Jesus. Era membro de uma liga de escritores brilhantes que achavam a religião uma completa bobagem. Na verdade acredito que o seu orgulho profissional e a rejeição dos seus pares teria sido um preço grande demais para ele pagar.

Ele deixou a história calar.

— Deixe-me dar-lhe outro exemplo — propôs. — Certa vez eu estava falando com um ex-fuzileiro naval, que me contou: "Estou infeliz. Tenho esposa e filhos, ganho mais dinheiro do que posso gastar com as duas mãos, estou dormindo com todas as mulheres da cidade — e me odeio. Você precisa me ajudar, mas não me venha com aquela conversa sobre Deus porque eu não acredito nisso." Falamos por horas. Finalmente, argumentei: "Talvez você ache que está sendo honesto comigo, mas eu não tenho essa certeza. Não creio que o seu problema seja que você *não consegue* acreditar; creio que o fato é que você não quer acreditar, porque tem medo de abandonar as coisas que o ajudam a varar a noite". Pensou por um momento e disparou: "Sim, acho que é verdade. Não consigo me imaginar dormindo só com uma mulher. Não consigo me imaginar tendo menos dinheiro do que ganho — o que eu teria de fazer, porque tenho de mentir para consegui-lo". Finalmente ele estava tentando ser honesto.

A voz de Anderson baixou para um sussurro um pouco mais forte. — Eis o que quero mostrar — ressaltou. — Esse homem poderia argumentar por horas e horas sobre suas dúvidas intelectuais. Ele iria convencer as pessoas que não podia crer porque tinha objeções intelectuais em demasia. Mas eram somente uma cortina de fumaça, apenas um nevoeiro que usava para obscurecer as suas verdadeiras hesitações a respeito de Deus.

Anderson se recostou na cadeira.

— Falei com uma outra moça que havia sofrido abuso sexual — continuou. — Seus pais lhe haviam feito a representação de Deus sob a ótica de suas convicções religiosas, de diversas maneiras, todas elas horríveis. Não a culpo por ter dificuldade em crer. Mas os argumentos dela pairavam sempre na esfera intelectual. Quando se tentava ir mais fundo para chegar aos verdadeiros obstáculos, ela não queria passar pela dor de enfrentá-los. Usava as dúvidas intelectuais para afastar as pessoas.

— Certa ocasião falei a respeito de Deus com um sujeito do noroeste, na costa do Pacífico. Levantou toda espécie de questões intelectuais. Porém, quando chegamos mais fundo, verificou-se que não queria acreditar em Deus porque não estava disposto a vender o seu bar em que mulheres seminuas se apresentavam. O lucro era excelente e ele estava se divertindo muito.

— A minha experiência é a seguinte — resumiu Anderson. — Quando se cavoca embaixo da superfície, ou existe a vontade de crer ou existe a vontade de não crer. *Esse* é o âmago da questão.

Cofiei o queixo enquanto pensava.

— O senhor está dizendo enfim que a fé é uma escolha — observei.

Anderson acenou com a cabeça, concordando.

— Exatamente — respondeu. — É uma escolha.

A decisão de crer

Quando pedi que Anderson falasse mais sobre o papel da fé e da vontade, ele imediatamente trouxe à tona, à guisa de ilustração, o personagem do Antigo Testamento, Abraão.

— Ele foi chamado o "pai da fé" — lembrou Anderson, — mas isso não significa que nunca teve dúvida, que sempre fez a coisa certa, que os seus motivos sempre foram puros. Abraão falhou nesses três aspectos. Mas ouça — *Abraão nunca abandonou a sua vontade de seguir a Deus.* Dizia: "Eu vou confiar nele — não faria o rei de toda a terra o que é certo?". Ele não desistiu de Deus. Uma definição de fé é a vontade de crer. É a decisão de seguir a melhor luz que se tem a respeito de Deus e não desistir. A idéia da escolha percorre toda a Escritura. Observe Josué. Ele diz que você deve escolher hoje a quem irá servir, mas que ele e a sua casa servirão ao Senhor. Assim, a fé, na sua raiz mais profunda, é uma decisão da vontade.

Levantei a mão para interrompê-lo.

— Não haveria também um sentido em que a fé é dom de Deus? — perguntei.

— Sim — admitiu, — e isto levanta um grande mistério sobre eleição e livre-arbítrio. No entanto vejo essa questão como a direção hidráulica de um carro. É muito difícil movimentar as rodas do carro sem ela. Mas você pode fornecer o impulso com apenas um dedo e a direção hidráulica lhe permitirá girar facilmente o volante. Da mesma maneira, a nossa vontade é que determina que coloquemos nossa confiança em Cristo, e Deus nos habilitará.

Anderson se inclinou para pegar os óculos pousados sobre a Bíblia. Colocou-os e passou a folhear as finas páginas do livro até que chegou ao evangelho de João.

— Ouça João 7.17 — advertiu, limpando a garganta. — Jesus diz: "Se alguém decidir fazer a vontade de Deus, descobrirá se o meu ensinamento vem de Deus ou se falo por mim mesmo". Assim, de algum modo, se você tem vontade de crer, Deus confirma que Jesus veio da parte de Deus.

Virou algumas páginas até chegar em João 12.37.

— A Bíblia desenvolve essa idéia quando diz: "Mesmo depois que Jesus fez todos aqueles sinais miraculosos, *não creram* nele". Dois versículos depois, ela diz: "Por esta razão eles *não podiam* crer."[8]

Em outras palavras, tomaram uma decisão da vontade no sentido de negar a mensagem dos milagres — a evidência de que Jesus é Deus — porque não queriam pagar o preço, que seria a subversão de todo o seu sistema religioso — explicou. — E haviam tomado a decisão de não acreditar durante tanto tempo, que haviam destruído a capacidade de acreditar. Conseqüentemente, em essência, a fé é uma decisão da vontade que seguidamente tomamos, mas essa opção nos é dada pela graça de Deus. Estamos habilitados pelo seu Espírito para continuar tomando.

[8] Grifo do autor.

— É uma escolha que devemos fazer sem ter em mãos as informações completas que gostaríamos de ter — observei.

— Correto. Do contrário, o que teríamos seria conhecimento, e não fé.

— Fale sobre esta diferença.

Anderson colocou a Bíblia de volta sobre a mesa e percorreu a sala com o olhar em busca de uma ilustração improvisada. Aparentemente sem ter achado o auxílio procurado, enfiou a mão no bolso e a puxou. — Bem — disse — estou segurando algo. Você sabe o quê?

— Uma moeda — tentei adivinhar.

— Mas você não tem certeza — retrucou. — Essa é a sua opinião. A nossa fé não é a nossa opinião. Digo que tenho um quarto de dólar na mão. Você acredita nisso?

— Claro — rebati.

— Estou lhe dizendo que é verdade, mas você não a viu. Isso é fé. Hebreus diz que a fé é a prova das coisas que não vemos.

Anderson sorriu.

— Observe como destruo completamente a sua fé. Abriu a mão e mostrou um quarto de dólar.

— Agora não é mais fé; é conhecimento. Jogou a moeda sobre a mesa. — Às vezes as pessoas acham que ter fé é saber que alguma coisa é verdadeira acima de qualquer dúvida, e assim procuram provar a fé através de evidências empíricas — sentenciou. — Mas essa é uma abordagem incorreta.

Apontou para a moeda.

— Você pode ver e tocar a moeda; portanto, não necessita de fé. Deus, por suas próprias razões, não se sujeitou a esse tipo de prova.

— Em vez disso, as pessoas deviam fazer o que você fez no livro *Em defesa de Cristo* — você se apoiou em evidências corroborativas. Você mostrou como diferentes conjuntos de evidências apontam de modo convincente para Deus. E isso constrói algo muito importante— abre espaço para fazer uma escolha ao darmos um passo de fé na direção que as evidências apontam.

Lidando com as dúvidas

A tarde caia lentamente, mas eu não queria terminar a nossa conversa sem ouvir alguns conselhos de Anderson sobre como as pessoas podem lidar com as suas aflitivas dúvidas. Sabia que não há uma fórmula simples para superar a incerteza; ao mesmo tempo, as pessoas podem dar alguns passos no sentido de aplacar as suas dúvidas. E tudo começa com a vontade.

— Quando o senhor ensina sobre esse tópico, o senhor diz às pessoas que inicialmente têm de decidir se realmente querem ou não querem crer — avaliei. — Por que o senhor começa nesse ponto?

— Algumas pessoas dizem que querem acreditar, quando de fato não querem. Como disse anteriormente, levantam motivos intelectuais, quando estão simplesmente tentando desviar a atenção das razões pelas quais realmente não querem crer. Por exemplo, uma universitária me disse: "Acho que toda essa bobagem cristã foi inventada por gente que tem a necessidade psicológica de crer." A minha resposta foi afirmativa, as pessoas têm a necessidade psicológica de crer — exatamente como algumas pessoas têm a necessidade psicológica de *não* crer. Eu lhe indaguei: "Por que você não quer crer? Será porque não deseja a responsabilidade que a fé carrega consigo? Será devido ao desespero que sente por ser uma incorrigível? Ou será porque não quer abrir mão dos prazeres?" Ela levou um susto e reagiu: "Quem lhe disse isso? É um pouco de todos os três". Está bem, ela tem razões emocionais para não querer crer. Outras pessoas têm razões diferentes. Mas as pessoas realmente precisam decidir por que querem crer. Seria porque viram alguma evidência que o cristianismo é verdadeiro? Ou porque se sentem desesperadas sem Deus? E se não querem crer, por que não?

— Se têm dúvidas intelectuais, tudo bem, mas não parem aí. Precisam ir mais fundo para descobrir o que realmente pode estar afastando-as de Deus. Há dez anos venho visitando uma moça cuja família havia sido ofensiva e por fim acabou de admitir que não é com Deus que ela tem dificuldades, não é com seus questionamentos — são as suas cicatrizes, as emoções. Ela precisa começar desse ponto.

— Supondo que uma pessoa queira crer — sugeri, — qual o próximo passo que o senhor recomenda?

— Proponho que ela vá aonde existe fé. Se você quer cultivar rosas, você não compra meio hectare no Pólo Norte. Você vai aonde as rosas podem vicejar. Se você quer exercitar a fé, provavelmente não irá filiar-se à Associação dos Ateus Americanos. Aproxime-se de pessoas que você respeita pela vida, mente, caráter e fé, e aprenda com elas. Observe a vida dessas pessoas. E incentivo as pessoas a colocar em sua cabeça coisas que edificam a fé. Refiro-me a livros, fitas e músicas que compõem uma forte motivação para a fé, que esclarecem a natureza de Deus, que examinam as evidências pró e contra, que abordam com inteligência as críticas da fé, que lhe dão a esperança de poder relacionar-se com Deus, que lhe dão instrumentos para desenvolver a espiritualidade.

As sugestões pareciam sensatas. Mas algo estava faltando.

— A fé pela fé não tem sentido — afirmei. — Não seria importante determinar onde exatamente está se depositando a fé?

— Este é o próximo passo: entender bem o objeto da sua fé — respondeu Anderson. Nós, canadenses, sabemos que existem dois tipos de gelo: grosso e fino. Pode-se ter muito pouca fé no gelo grosso e ele vai agüentá-lo muito bem; pode-se ter uma enorme fé no gelo fino e poderá vir a se afogar. Não é o volume de fé que se pode reunir de início que importa. Ela pode ser minúscula como um grão de mostarda, mas deve ser investida em algo sólido.

— As pessoas precisam aclarar as suas razões para crer. Por que devem crer em Jesus em vez de Maharishi?* Por que crêem em cristais ou no misticismo oriental? Onde está a substância? — Anderson apontou para a Bíblia encadernada em

*Mahashi Mahesh Yogi foi um guru indiano que pregava a libertação da alma por meio de sua filosofia religiosa denominada Meditação Transcendental. (N. do E.)

couro sobre a mesa. — Obviamente, eu sou cristão, — afirmou, — mas quando chegamos ao fundo do problema, o único objeto da fé, solidamente sustentado por evidências da história, da arqueologia, da literatura e da experiência, é Jesus."

O exercício da fé

Decidir acreditar, ir aonde a fé se encontra, utilizar recursos que edificam a fé, esclarecer o objeto da fé — todas essas recomendações certamente eram boas. Mas algo ainda parecia faltar.

— Em algum momento, a jornada da fé precisa começar — repisei. — Como isso pode acontecer?

— Ficar sentado e refletir a respeito da fé e da dúvida nunca fará de ninguém um crente — foi a resposta de Anderson. — Nem o fará a leitura de todos os livros certos ou a companhia das pessoas certas ou até mesmo a tomada da decisão de crer. Em última análise, você precisa iniciar o exercício da fé fazendo o que a fé faria. Jesus disse que se permanecermos firmes na sua Palavra — isto é, continuarmos a fazer o que ele diz — seremos verdadeiramente seus discípulos.[9] Ser discípulo significa que você é um "seguidor aprendiz". E se for um seguidor aprendiz, você conhecerá a verdade e a verdade o libertará. Conhecer a verdade não significa encher a sua cabeça de conhecimentos; trata-se de "conhecer" em hebraico, que não é reunir informações. É conhecimento experimental. Como Adão e Eva — ele simplesmente não sabia o nome e endereço dela; ele a experimentou. Para exercitar a verdade e ser liberto, você precisa ser um seguidor aprendiz. Em outras palavras, faça o que Jesus diz e você experimentará a validade de suas palavras. É mais ou menos como andar de bicicleta. Não dá para aprender assistindo a um vídeo ou lendo um livro; você precisa montar na bicicleta e sentir como é.

[9]João 8.31,32: Disse Jesus aos judeus que haviam crido nele: "Se vocês permanecerem firmes na minha palavra, verdadeiramente serão meus discípulos. E conhecerão a verdade, e a verdade os libertará".

— E como uma pessoa deve agir? — perguntei.

— Você diz: — Ouvi algumas coisas que Jesus ensinou. Parecem boas idéias, mas não sei se são verdadeiras. Por exemplo, ouvi Jesus dizer que mais bem-aventurado é dar que receber. Como posso saber se isso é verdade?' Bem, mil debates não irão prová-lo. Mas quando você se tornar generoso, compreenderá que é verdade. Você poderia dizer: "Oh, talvez Jesus tenha adivinhado isso por acaso". Então continue exercitando. Você ficará surpreso em ver quantas vezes Jesus "adivinhou" corretamente!

Eu peguei a Bíblia de Anderson, folheando-a até chegar a salmos 34.8.

— O rei Davi declarou: "Provem, e vejam como o SENHOR é bom — disse. — É disso que o senhor está falando?

— Essa é a idéia. Quanto mais você fizer isso — enfatizou, — mais você será fortalecido experimentalmente pela evidência da fé."

Esperava que Anderson explicasse melhor, mas ele estancou com esse comentário. Olhou de lado enquanto punha em ordem suas idéias. Passou a falar comovidamente sobre exercício da fé.

A fé como verbo

— Eu sei, Lee, que você é um ex-ateu — disse Anderson. — Provavelmente, você poderia levantar uma centena de perguntas a respeito de Deus que eu não saberia responder. Mas sabe de uma coisa? Isso não importa, porque eu descobri que essas coisas são verdadeiras. Eu não desenvolvi um sorriso abobalhado e olhar sem brilho. Descobri que é mais abençoado dar que receber. Tenho convivido com isso. Toda vez que descubro uma nova idéia, toda vez que Jesus fala comigo pessoalmente do jeito que nem sei reproduzir, toda vez que pratico os seus ensinos e experimento os resultados — bem, depois de algum tempo não me importo quantas perguntas intelectuais você pode formular, querendo demonstrar por que isso não pode ser verdade. Eu *sei* que é verdade.

— É como você diz: "Prove-me que um arco-íris é bonito". Eu digo: "Bem, ele é vermelho e verde". Mas você diz: "Eu não gosto de verde e vermelho juntos". Eu diria: "Mas do jeito que eles estão no arco-íris, é bonito!" Eu nunca ouvi alguém dizer que o arco-íris é feio. Quando você consegue observá-lo pessoalmente, não precisa dizer mais nada. Você o viu, você o experimentou e você sabe que é bonito. Acho que a fé é assim. Afinal, você terá de sair e fazer algo. A propósito, no evangelho de João a fé nunca é um substantivo; ela é sempre um verbo. Fé é ação; nunca apenas consentimento mental. É uma direção de vida. Desse modo, quando você começa a praticar a fé, Deus começa a validá-la. E quanto mais prosseguirmos na jornada, mais nos convenceremos que é verdadeira.

Embora a sua análise fosse convincente, havia uma aparente lacuna.

— Se a fé é experimental, então você poderia se envolver com o budismo e descobrir que a meditação diminui a sua pressão sangüínea e faz você se sentir bem — observei. — Mas isso não significa necessariamente que o budismo é verdadeiro.

— Lembre-se que a experiência é somente uma linha de evidência — advertiu. — Você também precisa esclarecer o objeto da sua fé, para averiguar se existem razões válidas para crer que é verdadeiro. Porém, o teste final do pudim está em comê-lo. O budismo funciona para algumas coisas; o ateísmo funciona para algumas coisas. Mas se você percorrer toda a jornada com Jesus, descobrirá que os seus ensinamentos funcionam consistentemente porque são verdadeiros. O cristianismo não é verdadeiro porque funciona; ele funciona porque é verdadeiro.

Sorri. — Parece que o senhor está falando por experiência.

— Bem, vou lhe dizer uma coisa — a minha fé está um bocado melhor que há trinta anos. Isto poderia significar que entendo tudo? Seria forçar a barra. Estou tão mais tranqüilo com quem Deus é, tão mais confiante porque estou nos seus braços, e creio que ele aceita as minhas humildes tentativas de glorificá-lo com a minha vida.

— Existem ocasiões em que o senhor ainda duvida? — perguntei.

— Oh, sim! — exclamou. Debato-me por não fazer progressos no sentido de superar meus pecados de estimação. Certamente isto não pode ser culpa de Deus — mas, por outro lado, por que ele torna essas coisas tão difíceis? Tenho este tipo de dúvida. Eu me debato com os fatos horríveis que estão acontecendo em Kosovo, Indonésia e partes da África, onde povos inteiros estão sendo dizimados — em parte por causa da religião. Por que o Deus amoroso não resolve essas questões? Eu não estou dizendo que não creio nele. Estou dizendo que não tenho a resposta final e completa para essa pergunta.

— Existe esperança para os que têm duvidas congênitas como o senhor?

Anderson foi incisivo.

— Sim, sim — insistiu. Com toda a certeza. Quando digo que me debato com as minhas dúvidas e pecados, não quero parecer como alguém derrotado ou sem esperança. Alguém da minha igreja leu o meu livro sobre as dúvidas e disse: "Oh, não! Você quer dizer que realmente não acredita?" Respondi-lhe: "Não, eu realmente *creio* — mas você poderia me ajudar na minha incredulidade?" Nestes dias, estou experimentando a realidade de Deus mais que nunca. Posso ver a graça de Deus até mesmo naquelas ocasiões em que parece ausente de mim, como vejo as qualidades da minha esposa parecerem mais reais quando estou longe dela, porque sinto a sua falta. Eu oro mais nestes dias e sinto mais respostas de Deus à oração do que nunca. Tenho menos necessidade de controlar outras pessoas ou resultados, porque sei que Deus está no controle. Ironicamente, sinto-me menos preparado para responder a todas as objeções que procedem de céticos brilhantes. Mas sabe de uma coisa? Isso não importa para mim como importava antes. Porque sei que essas coisas são verdadeiras. Eu percebo. Eu o vejo na minha vida, o vejo no meu casamento, o vejo nos meus filhos, o vejo nos meus relacionamentos, o vejo na vida de outras pessoas quando elas mudam pelo poder de Deus, quando são reabilitadas por ele, quando são libertadas pela sua verdade.

A voz de Anderson transmitia um tom de autoridade confiante. Então, com um toque definitivo, declarou:

— Lee, eu provei. Estou lhe dizendo — eu provei! E vi que o Senhor é bom.

Minha memória voltou à imagem do jovem rural canadense angustiado com as suas dúvidas, buscando desesperadamente um sólido fundamento espiritual sobre o qual construir a sua vida. E agora —*não a despeito das dúvidas, mas por causa delas*— ele o encontrou. Sua experiência pessoal com Deus confirma repetidamente o que nenhuma experiência empírica jamais poderia provar.

Estendi a mão e desliguei o gravador.

— Lynn — disse, — obrigado por ser tão honesto.

Tendo fé na dúvida

Voando de volta para Chicago naquela mesma noite, o avião semi-vazio, reproduzi mentalmente a entrevista com Anderson. Descobri que concordava com a sua avaliação sobre o papel da dúvida. Embora possa ser desconcertante e eventualmente tornar-se destrutiva se deixada sem solução, a dúvida certamente pode trazer benefícios. Identifiquei-me com a posição de Gary Parker no seu livro *The gift of doubt* [*O dom da dúvida*]:

> Se a fé nunca se confrontar com a dúvida, se a verdade nunca se debater com o erro, se o bem nunca entrar em conflito com o mal, como a fé poderá conhecer o seu próprio poder? Na minha peregrinação, se eu tiver de escolher entre uma fé que olhou a dúvida nos olhos e a fez piscar ou uma fé ingênua que nunca conheceu a linha de fogo da dúvida, escolherei a primeira invariavelmente.[10]

[10]San Francisco: Harper & Row, 1990, p. 69.

Eu também escolheria. Sabia que a minha confiança essencial em Jesus seria mais forte, mais segura, mais confiante, mais firme, porque havia sido refinada pelo fogo purificador da dúvida. No fim, apesar das perguntas, desafios e obstáculos, minha fé não somente iria sobreviver, mas também crescer.

Meus pensamentos voltaram-se para Charles Templeton. Teriam sido suas objeções intelectuais contra Deus realmente responsáveis pela erosão da sua fé ou havia algo se ocultando debaixo daquelas dúvidas, alguma motivação não-mencionada, subterrânea que estava secretamente alimentando os desafios lançados contra o cristianismo? Não havia como ter certeza. Eu não tinha qualquer desejo de bisbilhotar sua vida privada para tentar desvendar. Nessa altura, o melhor que podia fazer seria continuar a encarar as suas objeções pelo que aparentavam ser.

Houve uma outra implicação importante na entrevista com Anderson. Se a dúvida e a fé podem coexistir, significa que as pessoas não precisam remover totalmente cada um dos obstáculos que existem entre elas e Deus, a fim de abraçar a fé autêntica.

Em outras palavras, quando a preponderância de todas as evidências se inclina de modo decisivo a favor de Deus e então a pessoa faz a escolha racional de depositar nele sua confiança, pode perfeitamente manter algumas de suas objeções mais periféricas sob tensão, até que chegue o dia em que serão resolvidas.

Enquanto isso, ainda assim podem fazer a escolha de acreditar e pedir que Deus ajude as pessoas a vencer a sua incredulidade.

Ponderações

Perguntas para reflexão ou estudo em grupo

1. Com que parte da história de Anderson você pôde se identificar de maneira especial? De que maneira a sua jornada espiritual é diferente ou semelhante à dele?

2. Com que tipo de dúvidas você se debate? É possível que elas sejam alimentadas por uma motivação de não crer? Se for o caso, você pode indicar especificamente por que está relutante em buscar a fé em Cristo?
3. Como a sua imagem de Deus foi afetada pela família na qual cresceu ou pela igreja que freqüentou quando criança? Em retrospecto, você cresceu com uma idéia biblicamente correta a respeito de Deus?
4. Anderson deu várias sugestões para sair do ponto morto na sua jornada espiritual — tomar a decisão de crer, ir aonde existe fé, utilizar instrumentos que edificam a fé, esclarecer o objeto da sua fé e experimentar seguir os ensinamentos de Jesus. Quais desses passos você acredita que lhe seriam mais úteis e por quê?

Outras fontes de consulta

Mais recursos sobre esse tema

- ANDERSON, Lynn. *If I really believe, why do I have these doubts?* 2 ed. West Monroe, Louisiana: Howard, 2000.
- GUINNESS, Os. *In two minds*. Downers Grove, Illinois: InterVarsity, 1976.
- HABERMAS, Gary R. *The Thomas factor*. Nashville: Broadman & Holman, 1999.
- PARKER, Gary E. *The gift of doubt*. San Francisco: Harper & Row, 1990.

Conclusão

O poder da fé

Que alguém, em algum lugar, me ame!

Palavras encontradas muitas vezes no diário
da atéia Madalyn Murray O'Hair[1]

Um homem rejeita a Deus não por causa de exigências intelectuais nem por causa da escassez de evidências. Um homem rejeita a Deus por causa de uma resistência moral que recusa admitir a sua necessidade de Deus.

Ravi Zacharias, cristão[2]

Tinha gasto um dia inteiro para voltar da entrevista no Texas. O meu vôo atrasou devido ao mau tempo e em seguida foi cancelado por problemas mecânicos. Tive de mudar o itinerário, passando por duas outras cidades antes de chegar em casa. Os vôos estavam cheios e enfrentaram turbulências. Fisicamente, estava exausto mas a minha cabeça fazia horas extras.

Por fim, havia terminado de recapitular e ampliar minha jornada espiritual original ao entrevistar especialistas a respeito das "oito grandes" objeções contra o cristianismo. Uma vez mais, a Fé havia olhado fixamente nos olhos da dúvida. Habermas e a única pergunta era qual das duas iria piscar.

Afundei-me na poltrona predileta de grosso estofamento enquanto a cabeça girava tentando assimilar todos os dados, opiniões e evidências que eu havia reunido no ano precedente. Tinha preenchido uma pilha de blocos de papel com as

[1]Citado na revista *Leadership*, Spring 1999, p. 75.
[2]Citado na revista *Servant*, Spring 1999, p. 8.

minhas pesquisas. A coleção de fitas das entrevistas mal cabia em duas caixas de sapatos. O escritório estava abarrotado de livros.

Os oito obstáculos à fé levantavam questões inquietantes. Todavia, os especialistas que entrevistei haviam sido muito competentes no sentido de oferecer respostas satisfatórias. Em vários aspectos conseguiram apresentar explicações claras que resolveram definitivamente a questão. Alguns assuntos que não se prestaram a esse tipo de solução decisiva, os estudiosos conseguiram diluir o poder das objeções ao oferecerem importantes percepções e informações contextuais. Muitos equívocos foram afastados, obteve-se maior clareza e no final a força de cada objeção havia sido atenuada com êxito.

Para mim, pessoalmente, dois dos obstáculos — a existência do sofrimento e a doutrina do inferno — provaram ser os mais inquietantes. Quando mais os investigava, mais me via sob o risco de perder a perspectiva. Quando fechei os olhos e ponderei sobre a investigação, procurando alguns temas abrangentes que me ajudariam a entender melhor toda essa questão, três cenas distintas me vieram à mente, começando com uma breve análise com a qual J. P. Moreland me ajudara a recuperar o equilíbrio.

Cena n.°1: Ganhando perspectiva

Eu estava prestes a deixar a casa de Moreland no dia da nossa entrevista sobre a doutrina do inferno. Sabia que ele precisava ir para o seminário, agradeci o tempo que me concedeu e comecei a guardar o meu equipamento de gravação. Mas algo ainda o estava incomodando. Ao nos levantarmos, perguntou se podia acrescentar mais um argumento.

— Lee, existe algo mais que preciso mencionar — disse ao buscar na sua mente a maneira correta de dizê-lo. Suspirou, aparentemente frustrado de como iria resumir. Eu me apoiava no batente da porta e ouvia atentamente, quando descreveu uma analogia que produziu em mim um momento de descoberta.

— Quando se tenta tomar uma decisão sobre algo e pesar as evidências pró e contra, é importante considerar todas as evidências e não somente uma pequena parte delas — começou.

Fazia sentido, no entanto perguntei por que ele se sentia levado a dizê-lo.

— Porque — explicou, — nós temos abordado uma objeção recorrente ao cristianismo, a saber, a existência do inferno. Contudo, se você se concentrar em apenas um obstáculo, perde de vista o contexto maior, mais amplo. Deixe-me dar um exemplo: Suponha que tenha visto a minha esposa de mãos dadas com outro homem no shopping. Seria razoável concluir que ela estivesse me traindo? Bem, depende da evidência que levar em consideração. Se a única prova a levar em conta for o que vi no shopping, diria a mim mesmo: "Não consigo ver nada a indicar que ela não esteja traindo". Mas isto deixa algo de fora, não deixa? Deixa de lado um enorme conjunto de evidências que não tem nada que ver com a situação do *shopping*, mas que tem tudo a ver com os últimos 25 anos que estamos casados. Eu a conheci o suficiente, dia após dia, para ter certeza de que ela nunca poderia me trair desse jeito. Assim, se eu pudesse incluir essa evidência mais ampla, diria: "À primeira vista parece algo estranho, mas simplesmente não pode ser verdade que ela esteja me traindo. Tem de haver outra explicação." Suponha agora que, sem eu saber, ela tenha recebido um telefonema de um homem que a ajudou a tornar-se um cristão há vinte anos. Ele estava na cidade e ela não o via há duas décadas; encontraram-se no *shopping* e estavam mostrando fotos das famílias, contando reminiscências. Ele estava se preparando para viajar para outro país e talvez ela nunca mais o visse. Desse modo, como irmão e irmã, inocentemente seguraram as mãos um do outro e assim foram vistos. Bem, isto é semelhante à análise da racionalidade do inferno. Você pode estar perguntando a si mesmo: "Será que eu aceito o inferno ou não?" Se os prós e contras do inferno forem as únicas evidências que você está levando em conta na decisão , isso é o mesmo que deliberar sobre a situação da minha esposa e somente aceitar a evidência pró e contra do que se viu no shopping. Gostaria de submeter a exame que existem muitas outras evidências que se deveria considerar e que não têm nada que ver com o inferno em si, mas são relevantes. Quais são? Todas as evidências de que existe um Deus, que ele nos criou, que o Novo Testamento é historicamente fidedigno, que Jesus realizou milagres e ressurgiu dentre os mortos, que Deus quer passar a eternidade conosco no céu. Juntando tudo isso, poderá dizer a si mesmo: "Muito embora eu possa não ter uma explicação totalmente satisfatória a esta altura para a existência do inferno, sei que ele deve existir porque tenho muitas evidências de que Jesus Cristo é o Filho de Deus e ele ensinou sobre o inferno. Confio nele e no seu profundo amor pelas pessoas — demonstrado em sua morte por nós na cruz — posso ter a certeza de que o inferno finalmente fará sentido, que verei a sua justiça e que por fim reconhecerei que é a melhor alternativa moral.

Uma lista de evidências

O exemplo simples de Moreland foi extremamente útil. Os obstáculos mais problemáticos à fé tendiam a se mostrar tão relevantes na minha cabeça que expulsavam outras informações importantes. Talvez, focando uma questão particularmente inquietante para o seu cérebro, o mesmo fenômeno tenha ocorrido.

Desmascarar o cristianismo exige mais do que simplesmente tentar torná-lo vulnerável por meio de uma objeção. A razão é que existe um lastro de evidências relevantes que criam uma forte proprensão a favor da fé em Jesus Cristo. Meramente examinar desafios individuais não é suficiente; esse vasto conjunto de evidências precisa ser lembrado à medida que cada objeção individual é considerada.

Que tipos de evidências? As entrevistas com os estudiosos levantaram convincentes fatos que apontam poderosamente para a existência de Deus e do seu Filho único, Jesus Cristo:

- *O big bang*. William Lane Craig, co-autor do livro *Theism, atheism, and big bang cosmology*, publicado pela editora da Universidade de Oxford, mostrou que o universo e o próprio tempo tiveram início em algum ponto do passado finito. Os cientistas se referem a isso como o big-bang. Craig argumentou que tudo o que começa a existir tem uma causa, o universo começou a existir e, portanto, o universo tem uma causa — isto é, um Criador que é não-causado, imutável, atemporal e imaterial. Até mesmo o renomado ateu Kai Nielsen disse certa vez: "Suponha que você repentinamente ouça um grande estrondo[...] e me pergunte: 'O que causou esse estrondo?', e eu responda: 'Nada, simplesmente aconteceu'. Você não aceitaria". Comentando a tese, Craig notou que se obviamente existe causa para uma pequena explosão, não faria também sentido que haja uma Causa para uma grande explosão (*big-bang*)?
- *O universo ajustado*. Nos últimos 35 anos, os cientistas ficaram surpresos ao descobrir como a vida no universo se equilibra de modo impressionante sobre o fio de uma navalha. O *big-bang* foi na realidade um acontecimento altamente organizado que exigiu uma enorme quantidade de informações e, desde o princípio, o universo foi ajustado com incrível precisão para a existência de vida como a nossa. Uma diferença infinitesimal na taxa da expansão inicial do universo, da força da gravidade ou da força fraca ou de dezenas de outras constantes e quantidades teriam criado um universo aniquilados da vida e não um universo sustentador da vida. Tudo isso contribui para a conclusão de que existe um Planejador Inteligente por trás da criação.
- *A lei moral*. Sem Deus, a moralidade é simplesmente um produto da evolução sociobiológica e constitui-se

basicamente em uma questão de gosto ou preferência pessoal. Por exemplo, o estupro pode se tornar um tabu no decurso do desenvolvimento humano porque não é socialmente vantajoso, mas também é concebível que poderia ter evoluído como algo benéfico para a sobrevivência da espécie. Em outras palavras, sem Deus não há a noção absoluta de certo e errado que se imponha à nossa consciência. Todavia, sabemos em nosso íntimo que *existem* valores morais objetivos — certos atos como o estupro e a tortura de crianças, por exemplo, são abominações morais universais — e, por conseguinte, apontam para a existência de Deus.

- *A origem da vida*. O darwinismo não pôde oferecer nenhuma teoria aceitável sobre como a vida poderia ter emergido naturalmente a partir de elementos químicos inanimados. A atmosfera original da terra teria bloqueado o desenvolvimento das estruturas básicas da vida, e formar até a matéria viva mais primitiva seria tão incrivelmente difícil que de modo algum poderia ter sido produto de processos não-dirigidos ou aleatórios. Ao contrário, a imensa quantidade de informações específicas contidas em cada célula viva — codificadas no alfabeto químico de quatro letras do DNA — confirma fortemente a evidência de um Planejador Inteligente que estava por trás da miraculosa criação da vida.
- *A credibilidade da Bíblia*. O estudioso Norman Geisler argumentou de modo convincente que existem mais evidências de que a Bíblia é uma fonte confiável do que qualquer outro livro do mundo antigo. Sua fidedignidade essencial tem sido corroborada repetidamente pelas descobertas arqueológicas, "e se podemos confiar na Bíblia quando ela nos fala sobre coisas terrenas concretas que podem ser verificadas, então podemos confiar nela em áreas que não podemos comprovar diretamente de modo empírico", escreveu. Além disso, a origem divina da Bíblia tem sido comprovada de duas maneiras. Primeiro,

desafiando todas as probabilidades matemáticas, dezenas de profecias antigas sobre o Messias — incluindo a estrutura cronológica precisa em que ele iria aparecer — foram cumpridas miraculosamente em apenas uma pessoa em toda a história: Jesus de Nazaré. Em segundo lugar, os profetas bíblicos realizaram milagres para confirmar a sua autoridade divina. Os milagres de Jesus foram reconhecidos até mesmo por seus inimigos. Em contraposição, no *Alcorão*, quando os incrédulos desafiaram Maomé a realizar um milagre, ele se recusou e simplesmente lhes disse que lessem um capítulo do *Alcorão*, embora admitisse: "Deus certamente tem poder para enviar um sinal."

- *A ressurreição de Jesus*. Craig formulou uma argumentação convincente no sentido de que Jesus Cristo ressurgiu dentre os mortos como autenticação definitiva da sua afirmação de ser divino. Apresentou quatro fatos aceitos amplamente por um vasto espectro de historiadores do Novo Testamento. Em primeiro lugar, depois de ser crucificado, Jesus foi sepultado em um túmulo por José de Arimatéia. Isso significa que a sua localização era igualmente conhecida por judeus, cristãos e romanos. Em segundo lugar, no domingo posterior à crucificação, o túmulo foi encontrado vazio por um grupo de mulheres, suas seguidoras. Na realidade, ninguém afirmou que o túmulo não estivesse vazio. Em terceiro lugar, em múltiplas ocasiões e sob diferentes circunstâncias, distintos indivíduos e grupos presenciaram aparecimentos de Jesus revivido dentre os mortos. Isso não pode ser descartado como lenda devido à data extremamente antiga desses relatos. Em quarto lugar, os discípulos originais repentina e sinceramente passaram a acreditar que Jesus havia ressuscitado dentre os mortos, a despeito de sua inclinação em sentido contrário. Estavam dispostos a enfrentar a morte proclamando que Jesus havia ressuscitado e assim provaram que ele era o Filho de Deus — e ninguém morre por uma mentira, consciente e voluntariamente.

Além disso, os treze estudiosos e especialistas que entrevistei para o meu livro anterior, *Em defesa de Cristo*, demonstraram que as biografias de Jesus existentes no Novo Testamento resistem a um minucioso exame intelectual; que elas nos foram transmitidas de modo confiável ao longo da história; que existem evidências confirmatórias fora da Bíblia sobre Jesus; que Jesus não estava desequilibrado psicologicamente quando afirmou ser Deus; e que ele cumpriu todos os atributos da divindade. [Para uma visão geral dessas conclusões, queira ver o Apêndice: "Síntese de *Em defesa de Cristo*", no final deste livro.]

Explicando as evidências

Cada uma das "oito grandes" objeções precisa ser avaliada à luz dessas esmagadoras evidências positivas a favor da existência de Deus e da divindade de Jesus Cristo. Por exemplo, como Peter Kreeft admitiu em nossa entrevista, o sofrimento que há no mundo representa uma certa evidência contrária à existência de Deus — mas no fim ele é soterrado por uma avalanche de *outras* evidências de que Deus existe, que ele nos ama e que até pode redimir o nosso sofrimento e extrair dele o bem. Essa montanha de evidências pode nos dar a certeza que, muito embora possamos não entender plenamente a razão da existência do sofrimento ou do inferno, podemos confiar que Deus é justo, que ele age de modo apropriado e que um dia teremos uma explicação mais profunda.

Embora cada um dos oito obstáculos seja sério, nenhum deles foi capaz de suplantar os outros dados que apontam de modo persuasivo para a veracidade do cristianismo. Quando era ateu, percebi que precisaria fazer mais do que simplesmente levantar objeções ao acaso a fim de invalidar o cristianismo; teria de apresentar um cenário não-teísta que iria incluir todos os fatos que acabei de relacionar. Mas o ateísmo não pode explicar de maneira crível o *big-bang*, o ajuste preciso do universo, o surgimento da vida, a existência de leis morais, a confirmação sobrenatural da Bíblia e a Ressurreição. A única hipótese que explica todas elas é que existe um Criador divino cujo Filho único é Jesus de Nazaré.

Tinha estudado o mérito de cada obstáculo, entrevistando especialistas que foram capazes de oferecer explicações e análises satisfatórias. Avaliei cada uma dessas objeções no contexto das evidências convincentes de que o cristianismo é verdadeiro e que, portanto, Deus é absolutamente fidedigno e nos ama profundamente.

A minha conclusão é que o cristianismo emergiu incólume. Depois de passar um ano investigando as "Oito Grandes" objeções, continuei plenamente convencido que o passo mais lógico e racional que as pessoas podem dar é investir a sua fé em Jesus de Nazaré.

Cena n.° 2: Fazendo uma escolha

Na Universidade do Sul da Califórnia, em um edifício de tijolos vermelhos, com as palavras "A verdade vos libertará" gravadas na fachada, Leslie e eu estávamos sentados em um escritório que parecia um estacionamento de trailers atingido por um ciclone. Ao nosso redor — na escrivaninha, no chão e nas cadeiras — havia grandes pilhas de papéis. As estantes estavam a ponto de se romper com pesados livros, periódicos com as pontas dobradas e uma grande variedade de objetos. Sentado serenamente no meio de tudo isso estava o filósofo Dallas Willard, um dos pensadores cristãos mais influentes dos nossos dias.

Foi uma oportunidade rara para falar com o autor de dois dos mais aclamados livros cristãos das últimas décadas: *The spirit of the disciplines* [*O espírito das disciplinas*] e *A conspiração divina*. Nossa conversa com esse professor de filosofia, que exibe cabelos grisalhos e usa óculos, versou sobre como a fé é exercida por meio da oração.

A certa altura, à medida que analisávamos como as pessoas respondem a Deus, Willard fez uma observação especialmente interessante:

— A questão é: o que nós queremos? A Bíblia diz que se você buscar a Deus de todo o coração, certamente o encontrará. *Certamente* o encontrará. É à pessoa que quer conhecer a Deus que Deus se revela. E se uma pessoa não quer conhecer a Deus — bem, Deus criou o mundo e a mente humana de sorte que ela não esteja obrigada a conhecer.

Ele remexeu uma pilha de papéis na escrivaninha, pegando uma única folha. "Essa é uma folha que distribuí aos alunos da minha classe", informou. Apanhei o papel e li :

> Na próxima quinta-feira, de manhã, logo após o café, todos nós deste mundo seremos colocados de joelhos por uma trovoada ribombante e ensurdecedora. A neve faz redemoinhos, as folhas caem das árvores, a terra se desloca e se curva, edifícios caem e torres desabam. O céu está iluminado por uma sinistra luz prateada; e então, enquanto todas as pessoas do mundo olham para o alto, os céus se abrem e as nuvens se apartam, revelando uma figura incrivelmente radiosa e imensa, semelhante a Zeus, elevando-se sobre nós como cem picos Everest. Ele franze o cenho de modo sombrio, enquanto os relâmpagos se projetam sobre os traços do seu rosto como que esculpido por Miquelângelo, e então aponta para baixo, para mim, e explica para que todo homem, mulher e criança possa ouvir: "Estou cheio de sua lógica engenhosa que manipula as palavras em questões teológicas. *Saiba com certeza, Norwood Russell Hanson, que eu certamente existo!*"[3]

— Assim — contou Willard, — perguntei aos alunos: "Se isso realmente acontecesse, como Hanson responderia?"

— O senhor acha que ele iria racionalizar — redargüi.

— Com certeza! — retrucou Willard. — É lamentável, mas acho que ele iria racionalizar. Nós precisamos estar

[3]Do ensaio What I Do Not Believe, de Russell Hanson, citado em William A. Dembski, *Intelligent design*, Downers Grove, Illinois: InterVarsity Press, 1999, p. 27 (grifo do autor).

alertas que em quase todos os casos imagináveis, as orações respondidas podem ser explicadas de outro modo caso queira. É isso o que as pessoas geralmente fazem. Dizem: "Bem, sou muito esperto; eu não posso ser enganado por todas essas coisas."

Identifiquei-me com esta opinião. Falei a Willard sobre o ocorrido com minha filha recém-nascida, levada às pressas para a UTI devido a uma doença misteriosa que ameaçava a sua vida. Os médicos não conseguiram diagnosticá-la. Embora fosse ateu, estava tão desesperado que orei e implorei a Deus — caso ele existisse — que a curasse. Pouco tempo depois, ela surpreendeu a todos melhorando repentinamente. Os médicos ficaram coçando a cabeça. — A minha resposta — disse a Willard, — foi minimizar: "Que coincidência! Ela deve ter sido contaminada por alguma bactéria ou vírus que desapareceu espontaneamente". Não quis sequer considerar a possibilidade de que Deus tivesse interferido. Permaneci no meu ateísmo.

Willard riu dessa história.

— Eu não pretendo diagnosticar o caso na sua presença — disse gentilmente, — mas será que o seu orgulho falou mais alto? Você era inteligente demais, não iria se deixar levar por isso! Que se enganem todas as velhinhas, mas não você. Enquanto a pessoa mantiver esta atitude, a reação será idêntica.

Bingo! Acertou na mosca. Mesmo que houvesse uma avalhanche de evidências corroborativas de que Deus tinha interferido, eu teria inventado *qualquer* explicação — não importa quão bizarra ou absurda — que não a possibilidade de que ele tivesse respondido à minha oração. Era orgulhoso demais para dobrar os joelhos diante de quem quer fosse e estava enredado demais no meu estilo de vida imoral sem disposição para deixá-lo.

— Eu lhe garanto — continuou Willard — que não levaria cinco minutos para subestimar um milagre tão claro como o fogo que desceu do céu para consumir o altar no caso de

Elias, no Antigo Testamento. E sabe de uma coisa? As pessoas subestimaram *o milagre*! Se não o tivessem feito, a história de Israel teria sido muito diferente. Deus ordenou a oração de tal maneira que, se você quiser racionalizar e minimizá-la, poderá fazê-lo. A mente humana é assim. Deus a dispôs desse modo pela seguinte razão: *Deus determinou que as pessoas sejam governadas em última análise pelo que elas querem*.

A vontade de crer

A reflexão de Willard chegou ao cerne da minha jornada espiritual. Se quisesse, poderia continuar tentando subestimar a palavra dos especialistas entrevistados, não importa quão bizarros ou detalhistas meus argumentos eventualmente tivessem sido. E, creia-me, a minha mente é plenamente capaz de forjar todos os tipos de réplicas, desculpas e contra-argumentos — mesmo em face de uma verdade evidente.

Em última análise, no entanto, a fé não consiste em ter respostas perfeitas e completas para cada uma das "Oito Grandes" objeções. Afinal, nós não exigimos esse nível de prova conclusiva em qualquer outra área da existência. O ponto principal é que certamente temos evidências suficientes sobre Deus com base em que devemos agir. No fim, *essa é* a questão. A fé diz respeito a uma escolha, um passo adiante da vontade, uma decisão de querer conhecer a Deus pessoalmente. Significa dizer: "Eu creio, por favor, ajude-me na minha incredulidade!". Como disse Willard: "É à pessoa que quer conhecer a Deus que Deus se revela". Ou como Lynn Anderson me disse: "Quando se cava debaixo da superfície, ou sobrexiste a vontade de crer ou a vontade de não crer. *Esse* é o âmago da questão".

Estava grato por não ter de jogar fora o meu intelecto para me tornar um cristão. As evidências positivas de que Jesus é o Filho de Deus, único, e as respostas convincentes às "oito grandes" objeções aplainaram o caminho para que eu desse esse passo. Porém, *tive* de superar o meu orgulho. Eu *tive* de cravar uma estaca no egoísmo e na arrogância que ameaçavam me manietar. Eu *tive* de superar o interesse próprio e a auto-adulação que mantinham o meu coração estritamente fechado contra Deus.

Aplicando as palavras de Willard a mim mesmo, a questão central se resumia em: "O que eu queria?" *Queria* conhecer a Deus pessoalmente — experimentar a libertação da culpa, viver do modo como foi planejado para eu viver, buscar os propósitos dele para a minha vida, recorrer ao seu poder para a vida diária, ter comunhão com ele nesta existência e eternamente na vida futura? Enfim, havia muitas evidências sobre as quais basear uma decisão racional de dizer "sim" a ele.

Dependia só de mim, assim como depende de você. Como William Craig Lane o expressou:

> Se Deus não existe, então a vida é fútil. Se o Deus da Bíblia existe, então a vida é significativa. Somente a segunda dessas duas alternativas nos habilita a viver de modo feliz e consistente. Portanto, parece-me que mesmo que as evidências a favor dessas duas opções fossem absolutamente iguais, a pessoa racional deveria escolher o cristianismo bíblico. Parece-me positivamente irracional preferir a morte, a futilidade e a destruição da vida, do significado e da felicidade. Como disse [Blaise] Pascal, nós não temos nada a perder e uma infinidade a ganhar.[4]

Cena n.° 3: Transformando uma vida

Este terceiro episódio ocorreu após a minha entrevista com Craig, em Atlanta, sobre a questão dos milagres. Peguei o carro alugado e fiz uma viagem sem pressa pela Rodovia Interestadual 75 até Rome, na Geórgia. A manhã do dia seguinte

[4]*Reasonable faith*, Wheaton: Crossway, 1984, p. 72.

estava fria, porém ensolarada. Vesti-me e fui a uma igreja para o culto dominical.

Do lado de fora, saudando educadamente com um aperto de mão todos que chegavam, estava William Neal Moore, muito elegante em seu terno marrom claro com listas escuras, camisa branca e gravata marrom. O seu rosto era avermelhado, seu cabelo escuro estava cortado bem curto. O que mais me chamou a atenção era o seu sorriso: a um tempo tímido e caloroso, gentil e sincero, cativante e amável. Fez-me sentir.

"Louvado seja Deus, irmão Moore!", exclamou uma senhora idosa, ao apertar ligeiramente a sua mão, entrando em seguida.

Moore é o pastor daquela igreja, espremida entre dois conjuntos habitacionais de um bairro racialmente misto. É um pai carinhoso, marido dedicado, fiel provedor, funcionário diligente, homem de compaixão e oração que gasta o tempo livre ajudando pessoas sofredoras esquecidas pelos demais. Em suma, um cidadão exemplar.

Recuemos no tempo a maio de 1984. À época, Moore estava trancafiado na cela de condenados à morte da Penitenciária Estadual da Geórgia, no corredor da morte, e sua vida deveria ser eliminada na cadeira elétrica em menos de 72 horas.

Não se tratava de alguém inocente sendo mandado à prisão sob falso pretexto pelo sistema judicial. Moore era inquestionavelmente um assassino. Tinha confessado. Depois de uma infância pobre e delitos ocasionais, ingressou no exército, tendo mais tarde caído em depressão devido a problemas conjugais e financeiros. Certa noite, embriagado, arrombou a casa de Fredger Stapleton, de 77 anos, que, segundo se sabia, guardava uma grande quantidade de dinheiro no quarto.

De trás da porta, Stapleton disparou a espingarda e Moore revidou com uma pistola. Stapleton morreu instantaneamente e em poucos minutos Moore fugiu com 5 600 dólares. Um informante avisou a polícia e na manhã seguinte ele foi preso no seu trailer perto da cidade. Apanhado com o produto do crime, Moore admitiu a sua culpa e foi condenado à morte. Havia desperdiçado sua vida e se voltado para a violência, e agora ele mesmo iria enfrentar um fim violento.

Porém, aquele William Neal Moore, que contava as horas que faltavam para a sua execução, não era a mesma pessoa que havia assassinado Fredger Stapleton. Logo após ser preso, dois líderes cristãos o visitaram a pedido de sua mãe. Eles lhe falaram da misericórdia e esperança que poderiam ser alcançadas por intermédio de Jesus Cristo.

— Ninguém jamais me havia falado que Jesus me ama e morreu por mim — explicou Moore durante a minha visita à Geórgia. — Era um amor que eu podia sentir. Era um amor que eu queria. Era um amor que *necessitava*.

Naquele dia, Moore disse sim à dádiva gratuita de perdão e vida eterna em Cristo, e foi prontamente batizado em uma pequena banheira usada pelos presos de bom comportamento. Nunca mais seria o mesmo.

Durante dezesseis anos no Corredor da Morte, Moore foi um missionário entre os outros reclusos. Ele dirigia estudos bíblicos e conduzia reuniões de oração. Aconselhava prisioneiros e levou muitos deles à fé em Jesus Cristo. Algumas igrejas chegaram a mandar pessoas ao Corredor da Morte para serem aconselhadas por ele. Fez dezenas de cursos bíblicos por correspondência. Ganhou o perdão da família de sua vítima. Tornou-se conhecido como "O pacificador", porque o seu pavilhão, ocupado em grande parte por detentos que se haviam tornado cristãos pela sua influência, era sempre o mais seguro, o mais silencioso e o mais ordeiro.

Paulatinamente, o dia da execução de Moore se aproximava. Juridicamente, era um caso sem esperança e uma vez que havia confessado, não havia praticamente nenhum recurso legal em que se apegar para livrar-se da cadeira elétrica. Reiteradamente, os tribunais confirmaram a pena máxima.

"Alguém santo"

Contudo, a transformação de Moore foi tão profunda que as pessoas começaram a prestar atenção. Madre Teresa e outras pessoas deram início a uma campanha para salvar a sua vida. "Billy não é mais o que ele foi", disse um ex-detento que conhecera Moore na prisão. "Se vocês o matarem hoje, estarão matando um corpo, mas um corpo com uma mente diferente. Seria como executar o homem errado."[5]

Louvando-o não somente por estar reabilitado, mas também por ser "um agente da reabilitação de outros", um editorial do jornal *Atlanta Journal and Constitution* estampou: "Aos olhos de muitos, ele é alguém santo".[6]

Poucas horas antes de Moore ser amarrado à cadeira elétrica, pouco antes de sua cabeça e perna esquerda serem rapadas para a fixação dos eletrodos letais, o tribunal surpreendeu a todos ao anunciar a suspensão temporária da execução.

De maneira ainda mais surpreendente, a Corte de Indultos e Livramento Condicional da Geórgia decidiu por unanimidade poupar a sua vida comutando a sentença para prisão perpétua. Foi *realmente* espantoso —de fato, sem precedentes na moderna história da Geórgia— que a Corte de Indultos e Livramento Condicional tenha decidido que Moore, um assaltante à mão armada e assassino confesso e condenado, deveria ser libertado. Ele foi solto no dia 8 de novembro de 1991.

Entrevistando Moore em sua casa com vista para uma paisagem de pinheiros verdejantes, acabei perguntando sobre a origem da impressionante metamorfose.

— Foi o sistema de reabilitação prisional que fez isso, não foi? — indaguei.

Moore riu. — Não, não foi isso — respondeu.

— Então foi um programa de auto-ajuda ou uma atitude mental positiva — sugeri.

Ele balançou a cabeça enfaticamente. — Não, também não foi isso.

[5]U. S. Supreme Court halts execution: even victim's family pleaded for mercy, de Bill Montgomery, publicado em *The Atlanta Journal and Constitution*, 21/8/1990.

[6]When Mercy Becomes Mandatory, *The Atlanta Journal and Constitution*, 16/8/1990.

— Prozac? Meditação Transcendental? Aconselhamento psicológico?

— Vamos lá, Lee — encorajou. — Você sabe que não foi nada disso.

Ele estava certo. Eu desconfiava da verdadeira razão. Só queria ouvir de sua boca:

—A que se deve então a transformação de Billy Moore? — indaguei.

— Em poucas palavras: foi Jesus Cristo — declarou convicto. "Ele me transformou de tal modo que sozinho jamais poderia ter mudado. Ele me deu uma razão para viver. Ajudou-me a fazer as coisas certas. Fez-me interessar pelos outros. Salvou a minha alma.

Esse é o poder da fé em transformar a vida humana. "Portanto", escreveu o apóstolo Paulo, "se alguém está em Cristo, é nova criação. As coisas antigas já passaram; eis que surgiram coisas novas!"[7]

Billy Moore, o cristão, não é o mesmo que Billy Moore, o assassino. Deus interveio com perdão, sua misericórdia, seu poder, com a presença constante do seu Espírito. Esta mesma espécie de graça transformadora está disponível a todo aquele que age com base nas amplas evidências a favor de Jesus Cristo, ao tomar a decisão de afastar-se do pecado e abraçá-lo como aquele que o perdoa e o conduz.

Todos os que disserem sim a Deus e aos seus caminhos podem esperar por isto.

Reafirmando a fé

Essas três cenas sintetizaram a minha procura por respostas para as "Oito Grandes" questões, ao longo de um ano. A primeira cena enfatiza a magnitude do argumento geral a favor de Cristo e a disponibilidade de respostas sólidas às perguntas mais difíceis sobre a fé cristã. Em outras palavras, existe

[7]2 Coríntios 5.17.

forte justificativa para que uma pessoa pensante deposite a sua confiança em Jesus. A segunda cena destaca a nossa tendência humana de subestimar essa evidência devido ao orgulho ou interesse próprio. Afinal, a fé é um passo adiante da vontade; Deus nos dará o que queremos. A terceira cena utiliza um exemplo radical para ilustrar a disposição de Deus em transformar as vidas daqueles que respondem às evidências, superam o seu orgulho e abrem o coração a ele.

Tudo isso pode ser resumido numa sucessão de três palavras — *investigação... decisão... transformação* — que experimentei na minha jornada espiritual. Foi em 1981 que respondi pela primeira vez às evidências, decidindo abandonar o ateísmo e me apegar a Cristo. Como Moore, jamais fui o mesmo. Abrindo cada vez mais a minha vida a Deus e aos seus caminhos, descobri que os meus valores, o meu caráter, as minhas prioridades, as minhas atitudes, os meus relacionamentos e os meus desejos mudaram ao longo do tempo — para melhor.

Hoje, ao repetir a investigação original, minha confiança naquela decisão de 1981 foi reforçada. O fato de fazer perguntas desconfortáveis não diminuiu a minha fé, mas a fortaleceu. Sondar os "pontos vulneráveis" do cristianismo reafirmou, uma vez mais, a solidez fundamental e a integridade lógica da fé. Refinada pelos rigores do minucioso exame intelectual, a fé emergiu mais rica, mais resistente e mais certa que nunca.

Reclinando-me na poltrona da minha sala, repassava mentalmente a minha investigação e percebi que a tarefa ainda não estava concluída. Charles Templeton, o pregador que se havia tornado cético e negava resolutamente a existência de um Deus de amor, mas que chorou de saudades de Jesus, proporcionou grande parte do ímpeto para a realização desta série de entrevistas sobre os "oito grandes" obstáculos à fé.

A intenção da pesquisa foi obter respostas para as questões que mais me haviam inquietado na minha jornada espiritual, e não tentar elaborar uma refutação ponto por ponto a Templeton e seus textos. Porém, havia uma considerável coincidência entre as questões que bloquearam o seu caminho para a fé e os tópicos que me inquietaram quando eu estava buscando a verdade.

Imaginei como Templeton teria reagido às minhas entrevistas com esses oito especialistas. Teria ficado receptivo às evidências e argumentos apresentados por eles? Ou o avanço inexorável do mal de Alzheimer já o teria privado da capacidade de reconsiderar as questões espirituais?

Uma nota de esperança

Era uma tarde de um claro dia de primavera no Condado de Orange, na Califórnia, para onde Leslie e eu havíamos nos mudado recentemente. Tinha acabado de imprimir as quase quinhentas páginas do manuscrito deste livro e colocava-as numa caixa quando Leslie apareceu no escritório.

— O que você está fazendo? — perguntou.

Apontei para o manuscrito.

— Há uma pessoa para quem quero mandar isto — respondi.

Leslie baixou a xícara de chá e se aproximou para colocar o braço no meu ombro. — Chuck Templeton, certo? — indagou. — Penso nele de vez em quando. Na realidade, tenho orado por ele.

Não me surpreendi. — Orado o quê? — perguntei.

— Que ainda esteja forte o suficiente para reconsiderar as suas conclusões sobre Deus. Que ele esteja aberto para as explanações que você recebeu dos especialistas. Que ele possa corresponder àquele impulso interior que parece empurrá-lo para Jesus.

Assenti. Eu também vinha orando. — Falei com a esposa dele por telefone há poucos minutos — informei. — Disse-me que o mal de Alzheimer não tem sido muito gentil com Chuck e que está passando por alguns outros problemas de saúde. Quando deu para falar com Chuck e lhe perguntar como estava, respondeu numa só palavra com voz muito desanimada: "*Devastador*".

— Oh, sinto muito — disse Leslie suavemente.

— Eu também — suspirei. — É muito triste. Coloquei mais algumas folhas na caixa. — Ela também disse que Billy Graham foi visitar Chuck há poucos meses.

Os olhos de Leslie se arregalaram.

— Verdade? — exclamou. — O que aconteceu?

— Eles não se viam há um bom tempo. Ela disse que quando Chuck o reconheceu, foi como se um calafrio o percorresse; começou a chorar e abraçou Billy. Ela não tinha palavras para dizer como Billy foi gentil e amoroso. Conversaram por algum tempo e comeram juntos. Billy orou antes da refeição Ela disse: "Essa foi a primeira vez que se fez uma oração na nossa mesa". Antes de partir, Billy orou por Chuck.

Notei que os olhos de Leslie estavam marejados.

— Estou tão contente por eles terem tido a oportunidade de passar alguns momentos juntos — disse. — Talvez algo de bom resultará disso.

Concordei para em seguida voltar a empacotar o manuscrito.

— Madeleine avisou que estava ansiosa para ver o meu livro e prometeu lê-lo para Chuck — informei. — Eu só espero não ter demorado em demasia e que a sua mente esteja lúcida o suficiente para entender o que os estudiosos disseram. Sinto apenas que preciso enviá-lo — caso ajude.

Sentei-me para escrever uma carta, desejando-lhe felicidades e incentivando-o, da melhor maneira, a manter a mente aberta e a levar em conta novamente as evidências a favor de Jesus. Assinei e coloquei a caneta de lado, porém hesitei em dobrar a carta. Queria escrever algo mais; só não estava seguro do que ainda faltava dizer.

Olhei pela janela. A montanha Saddleback mostrava-se majestosa contra o céu de azul profundo. Fiquei imerso em meus pensamentos por alguns instantes. De repente, as palavras inundaram a minha mente. Empunhei a caneta e, enquanto Leslie espiava sobre o meu ombro, adicionei rapidamente este pós-escrito:

> Chuck, espero que você considere seriamente o que diz Provérbios 2.3-5: "Se clamar por entendimento e por discernimento gritar bem alto; se procurar a sabedoria como se procura a prata e buscá-la como quem busca um tesouro escondido, então você entenderá o que é temer o SENHOR e achará o conhecimento de Deus".

Coloquei o bilhete em um envelope, joguei-o na caixa e apanhei as chaves do carro.

"Vamos colocar isso no correio."

Apêndice

Síntese de *Em defesa de Cristo*

No livro *Em defesa de Cristo*, recapitulei e comentei a minha passagem do ateísmo para o cristianismo, ocorrida em 1980-1981, entrevistando treze destacados especialistas acerca das evidências históricas a favor de Jesus Cristo. A seguir apresento uma síntese das respostas às questões que investiguei.

Seriam as biografias de Jesus fidedignas?

Eu pensava anteriormente que os evangelhos eram somente propaganda religiosa, contaminados inapelavelmente por uma imaginação fértil e zelo evangelístico. Todavia, Craig Blomberg, do Seminário de Denver, uma das principais autoridades americanas a respeito das biografias de Jesus, apresentou uma argumentação convincente no sentido de que elas refletem testemunhos oculares e apresentam características inconfundíveis de relatos fidedignos. Esses relatos da vida de Jesus são tão antigos que não podem ser explicados como invenções lendárias. "Dentro de dois anos após a morte de Jesus", disse Blomberg, "um grande número de seus seguidores parece ter formulado uma doutrina da expiação, estava convencido de que ele havia ressurgido dentre os mortos em forma corpórea, associava Jesus com Deus, e acreditava encontrar apoio para todas essas convicções no Antigo Testamento". Um estudo indica que simplesmente não houve tempo suficiente para o surgimento de uma lenda e para que esta eliminasse um sólido núcleo de verdade histórica.

As biografias de Jesus resistiriam ao exame minucioso?

Blomberg argumentou de modo persuasivo que os autores dos evangelhos pretenderam preservar uma história confiável, conseguiram fazê-lo, eram honestos e estavam prontos a incluir matérias de difícil explicação e não permitiram que suposições afetassem indevidamente seus relatos. A harmonia existente entre os evangelhos quanto aos fatos essenciais, associada às divergências em alguns detalhes incidentais, confere credibilidade histórica às narrativas. Mais que isso, a igreja primitiva não poderia ter lançado raízes e florescido ali mesmo em Jerusalém se estivesse ensinando fatos sobre Jesus que os contemporâneos dele pudessem desmascarar como exagerados ou falsos. Em suma, os evangelhos conseguiram ser aprovados em todos os oito testes de evidências, demonstrando sua fidedignidade básica como registro histórico.

As biografias de Jesus foram preservadas até os nossos dias de modo fidedigno?

O mundialmente estudioso afamado Bruce Metzger, professor emérito do Seminário Teológico de Princeton, disse que, em contraposição com outros documentos antigos, existe um número sem precedentes de manuscritos do Novo Testamento e eles têm data extremamente próxima dos escritos originais. O Novo Testamento moderno está 99,5% livre de discrepâncias textuais, não colocando em dúvida quaisquer das principais doutrinas cristãs. Os critérios utilizados pela igreja primitiva para determinar que livros deviam ser considerados normativos asseguraram que tivéssemos os melhores registros acerca de Jesus.

Existiriam evidências aceitáveis sobre Jesus fora de suas biografias?

"Dispomos de melhor documentação histórica a respeito de Jesus do que a respeito do fundador de qualquer outra religião antiga", disse Edwin Yamauchi, da Universidade de Miami, um destacado especialista em história antiga. Fontes externas à Bíblia corroboram que muitas pessoas acreditavam que Jesus realizara curas e era o Messias, que ele fora crucificado, e que, apesar da sua morte ignominiosa, os seus seguidores acreditavam que ele continuava vivo e o adoravam como Deus. Um perito documentou 39 fontes antigas que corroboram mais de cem fatos referentes à vida, ensinamentos, crucificação e ressurreição de Jesus. Sete fontes seculares e vários credos cristãos antigos se referem à divindade de Jesus, uma doutrina "claramente presente na igreja mais antiga", segundo o dr. Gary Habermas, o estudioso que escreveu *The historical Jesus* [*O Jesus histórico*].

A arqueologia confirma ou contradiz as biografias de Jesus?

John McRay, um professor de arqueologia há mais de quinze anos e autor de *Archeology and the New Testament* [*A arqueologia e o Novo Testamento*], disse não haver dúvida de que os achados arqueológicos reforçaram a credibilidade do Novo Testamento. Nenhuma descoberta jamais contestou qualquer referência bíblica. Além disso, a arqueologia comprovou que Lucas, que escreveu cerca de um quarto do Novo Testamento, era um historiador particularmente cuidadoso. Um especialista concluiu: "Se Lucas foi tão rigorosamente preciso na descrição histórica [de pequenos detalhes], com que base lógica podemos supor que ele foi crédulo ou impreciso na descrição de episódios muito mais importantes, não somente para ele, mas também para outros?" Como, por exemplo, a ressurreição de Jesus — acontecimento que autenticou sua afirmação de ser o Filho único de Deus.

O Jesus da história é o Jesus da fé?

Gregory Boyd, um estudioso formado em Yale e Princeton que escreveu a premiada obra *Cynic Sage or Son of God* [*Sábio cínico ou Filho de Deus*], fez uma crítica demolidora do Seminário Jesus, um grupo que questiona se Jesus disse ou fez a maior parte das coisas que lhe são atribuídas. Identificou o Seminário como "um número extremamente pequeno de estudiosos radicais que se situam na extrema esquerda da reflexão sobre o Novo Testamento". O Seminário excluiu de início a possibilidade dos milagres, utilizou critérios questionáveis e alguns dos seus participantes elogiaram documentos que estão eivados de mitos e têm uma qualidade extremamente duvidosa. Ademais, a idéia de que as histórias sobre Jesus derivam-se da mitologia não resiste ao exame minucioso. Disse Boyd: "As evidências de que Jesus é o que os discípulos disseram que ele era[...] simplesmente estão anos-luz à frente das razões que tenho para achar que a erudição de esquerda do Seminário sobre Jesus está correta". Em suma, o Jesus da fé é o Jesus da história.

Estaria Jesus realmente convencido que era o Filho de Deus?

Retrocedendo às tradições mais antigas, que inquestionavelmente estão isentas de elaborações lendárias, Ben Witherington III, autor da obra *The christology of Jesus* [*A cristologia de Jesus*], conseguiu demonstrar que Jesus tinha uma autoconsciência suprema e transcendente. Com base nas evidências, Witherington indagou: "Acreditava Jesus que era o Filho de Deus, o ungido de Deus? A resposta é sim. Via a si mesmo como o Filho do Homem? A resposta é sim. Via a si mesmo como o Messias final? Sim, era assim que se via. Acreditava que alguém menor que Deus poderia salvar o mundo? Não, eu não creio que ele o fizesse". Os estudiosos disseram que as repetidas referências de Jesus a si mesmo como o Filho do Homem não eram declarações de sua humanidade, mas uma referência a Daniel 7.13,14, onde o Filho do Homem é visto como alguém que possui autoridade universal e domínio eterno, e recebe o culto de todas as nações. Disse um erudito: "Assim, a afirmação de ser o Filho do Homem seria, com efeito, a confirmação de sua divindade."

Jesus estaria louco quando afirmou ser o Filho de Deus?

Gary Collins, professor de psicologia há vinte anos e autor de 45 livros sobre tópicos relacionados à psicologia, disse que Jesus não exibiu quaisquer emoções inadequadas, estava em contato com a realidade, era brilhante, tinha notáveis percepções sobre a natureza humana, cultivava relacionamentos profundos e duradouros. "Simplesmente não vejo sinais que Jesus estivesse sofrendo de qualquer doença mental", de concluiu. Além disso, Jesus sustentou a afirmação de ser Deus por meio de feitos miraculosos de cura, estupendas demonstrações de poder sobre a natureza, ensinamentos incomparáveis, compreensão divina das pessoas e com a sua própria ressurreição, que foi a evidência definitiva da sua divindade.

Jesus preencheu os requisitos da divindade?

Embora a Encarnação — Deus tornando-se homem, o infinito tornando-se finito — ultrapasse a nossa imaginação, o destacado teólogo D. A. Carson observou que existem muitas evidências que Jesus exibiu as características da divindade. Com base em Filipenses 2, muitos teólogos crêem que, enquanto realizava a sua missão de redenção humana, Jesus voluntariamente eximiu-se do uso independente de seus atributos divinos. Mesmo assim, o Novo Testamento confirma especificamente que Jesus em última análise possuía todas as qualificações da divindade, entre as quais onisciência, onipresença, onipotência, eternidade e imutabilidade.

Jesus correspondeu — e Jesus somente — à identidade do Messias?

Centenas de anos antes de Jesus nascer, os profetas predisseram a vinda do Messias ou "Ungido", que iria redimir o povo de Deus. Com efeito, dezenas dessas profecias do Antigo Testamento criaram marcas que somente o Messias verdadeiro poderia ter. Isso deu a Israel um meio de afastar os impostores e validar as credenciais do Messias autêntico. Contra gigantescas probabilidades — uma chance em um trilhão, trilhão, trilhão, trilhão, trilhão, trilhão, trilhão, trilhão, trilhão, trilhão, trilhão, trilhão — Jesus, e somente Jesus em toda a história, pode ser identificado com estas impressões digitais proféticas. Isso confirma a identidade de Jesus com um inegrável grau de certeza. O especialista que entrevistei a propósito deste tópico, Louis Lapides, é um exemplo de alguém que foi criado em um lar judeu conservador e passou a acreditar que Jesus é o Messias, após o estudo sistemático das profecias. Hoje, é pastor de uma igreja na Califórnia e ex-presidente de uma rede nacional de quinze congregações messiânicas.

Teria sido a morte de Jesus um logro e a sua ressurreição um embuste?

Analisando dados médicos e históricos, o dr. Alexander Metherell, médico também formado em engenharia, concluiu que Jesus não poderia ter sobrevivido aos terríveis rigores da crucificação e muito menos à ferida aberta que perfurou o seu pulmão e o seu coração. Na realidade, ainda mesmo antes da crucificação ele já apresentava uma condição entre séria e crítica, sofrendo dum choque hipovolêmico como resultado do açoitamento que sofreu. A idéia que ele de algum modo desmaiou na cruz e fingiu estar morto carece de qualquer fundamento comprobatório. Os carrascos romanos eram terrivelmente eficientes, e saberiam que enfrentariam a morte se qualquer de suas vítimas descesse viva da cruz. Mesmo que Jesus tivesse de algum modo sobrevivido a essas torturas, a sua pavorosa situação jamais poderia ter inspirado um movimento mundial baseado na premissa de que ele havia triunfado gloriosamente sobre o túmulo.

O corpo de Jesus estaria realmente ausente do seu túmulo?

William Craig Lane, que obteve dois doutorados e escreveu vários livros sobre a Ressurreição, apresentou extraordinárias evidências de que o símbolo duradouro da Páscoa — o túmulo vazio — foi uma realidade histórica. O túmulo vazio é mencionado ou subentendido em fontes extremamente antigas — o evangelho de Marcos e um credo em 1 Coríntios 15 — que têm data tão próxima do evento que não poderiam ter sido produto de lenda. O fato de os evangelhos informarem que foram mulheres que descobriram o túmulo vazio apóia a autenticidade dessa história, porque o testemunho de mulheres carecia de credibilidade no primeiro século e assim não teria havido nenhuma razão para relatar que encontraram o túmulo vazio se não fosse verdade. O local do túmulo de Jesus era conhecido dos cristãos, judeus e romanos, de modo que poderia ter sido examinado pelos céticos. Na realidade, ninguém — nem mesmo as autoridades romanas ou os líderes judeus — jamais afirmou que o túmulo ainda continha o corpo de Jesus. Em vez disso, eles foram forçados a inventar a história absurda de que os discípulos, apesar de não terem nenhum motivo ou oportunidade, haviam roubado o corpo — uma teoria que não é aceita hoje em dia nem mesmo pelos críticos mais céticos.

Teria Jesus sido visto vivo após a sua morte na cruz?

As evidências das manifestações de Jesus após a ressurreição não se desenvolveram gradualmente ao longo dos anos como memórias de sua vida, distorcidas pela mitologia. Antes, disse o renomado especialista na Ressurreição, Gary Habermas, sua ressurreição foi "a proclamação central da igreja primitiva desde o princípio". A antiga crença de 1 Coríntios 15 menciona indivíduos específicos que se encontraram com o Cristo ressurreto e Paulo chegou a desafiar os céticos do primeiro século a falarem pessoalmente com esses indivíduos para verificar por si mesmos a veracidade dessa questão. O livro de Atos dos Apóstolos está repleto de afirmações extremamente antigas acerca da ressurreição de Jesus, ao passo que os evangelhos descrevem com detalhes numerosos encontros. O teólogo inglês Michael Green concluiu: "Os aparecimentos de Jesus são tão bem atestados quanto qualquer outro acontecimento da Antigüidade[...] Não pode haver nenhuma dúvida razoável de que ocorreram."

Existiriam quaisquer fatos comprobatórios que apontam para a ressurreição?

O professor J. P. Moreland apresentou evidências circunstanciadas que ofereceram uma forte documentação a favor da Ressurreição. Em primeiro lugar, os discípulos se achavam em uma situação especial para saber se a Ressurreição aconteceu, e eles foram para a morte proclamando que a Ressurreição era uma realidade. Ninguém morre consciente e voluntariamente por uma mentira. Em segundo lugar, à parte da Ressurreição, não existe uma boa razão pela qual certos céticos como Paulo e Tiago teriam se convertido e teriam morrido por sua fé. Em terceiro lugar, algumas semanas após a Ressurreição, milhares de judeus se convenceram que Jesus era o Filho de Deus e começaram a segui-lo, abandonando certas práticas sociais importantes que haviam tido grande importância sociológica e religiosa por séculos. Acreditavam que estariam sujeitos à condenação se estivessem errados. Em quarto lugar, os antigos sacramentos da Santa Ceia e do batismo afirmavam a ressurreição e a divindade de Jesus. E em quinto lugar, o surgimento miraculoso da igreja em face a brutais perseguições romanas "produz um grande buraco na história, um buraco com o tamanho e a forma da Ressurreição", como escreveu C. F. D. Moule.

> Concluí que esse testemunho especializado, visto em seu conjunto, constitui-se evidência convincente que Jesus Cristo era quem afirmava ser — o único Filho de Deus. O ateísmo que eu havia abraçado por tanto tempo cedeu sob o peso da verdade histórica.

Queira consultar *Em Defesa de Cristo* para ver os detalhes que sustentam essa síntese.

Este **Guia** é mais um dos recursos disponibilizados pela Editora Vida, por meio da EKKLESIA. A EKKLESIA é fruto da parceria da Igreja Batista Central de Fortaleza com a Willow Creek Association, que reúne igrejas de diversas denominações em todo o país com o objetivo de equipar e encorajar líderes a desenvolver igrejas que prevalecem.

No Brasil, a Igreja Batista Central de Fortaleza, através da EKKLESIA, oferece a seus membros os seguintes benefícios:

- Descontos de 20% na compra de qualquer material produzido pela EKKLESIA.
- Descontos de 20% na compra de qualquer material produzido pela Igreja Batista Central de Fortaleza.
- Descontos de 20% na compra de qualquer material da Editora Vida, por meio da EKKLESIA.
- Uma fita bimestral da série *Impacto*, um audiojornal, em português, para pastores e líderes.
- Uma assinatura anual do jornal *Netfax*, produzido pela Leadership Network.
- Uma fita mensal da série *Defining Moments*, um audiojornal, em inglês, para pastores e líderes, produzido pela Willow Creek Association.
- Um jornal bimestral, *WCA News*, produzido pela Willow Creek Association.

Também podemos servir às igrejas associadas:

- Facilitando o treinamento de líderes.
- Auxiliando a desenvolver a Rede Ministerial, Grupos Pequenos e demais ferramentas que Deus nos tem dado.
- Catalizando e implementando mudanças.
- Promovendo o intercâmbio de experiências entre as igrejas filiadas.

Esta obra foi composta em *ZapElliPtBt* e impressa
por Imprensa da Fé sobre papel *Off-Set* 63 g/m^2
para Editora Vida em outubro de 2002.